LEE CHILD
è un
Maestro dell'Avventura

Lee Child, nato a Coventry, in Inghilterra, nel 1954, si è trasferito negli Stati Uniti nel 1998. Ha esordito nel 1997, con *Zona pericolosa*, ottenendo subito un vasto e crescente successo di critica e di pubblico. Jack Reacher, il suo formidabile protagonista – «un vero duro, un ex militare addestrato a pensare e ad agire con assoluta determinazione, ma anche dotato di un profondo senso dell'onore e della giustizia» –, è diventato uno dei personaggi più amati dagli appassionati della narrativa di suspense. Dai romanzi *La prova decisiva* e *Punto di non ritorno* sono stati tratti due film di successo, con Tom Cruise nei panni di Jack Reacher.
leechild.com

Dello stesso autore in edizione TEA:

Lee Child

I dodici segni

Romanzo

Traduzione di
Adria Tissoni

Per informazioni sulle novità
del Gruppo editoriale Mauri Spagnol visita:
www.illibraio.it

Ti piace l'avventura?
Scopri i migliori scrittori e i romanzi più appassionanti,
contenuti esclusivi e anteprime gratuite su
www.maestridellavventura.it

TEA - Tascabili degli Editori Associati S.r.l., Milano
Gruppo editoriale Mauri Spagnol
www.tealibri.it

Copyright © Lee Child 2009
© 2011 Longanesi & C., Milano
Edizione su licenza della Longanesi & C.

Titolo originale
Gone Tomorrow

Prima edizione TEADUE febbraio 2013
Seconda ristampa TEADUE febbraio 2014
Prima edizione Best TEA febbraio 2015
Prima ristampa Best TEA dicembre 2015
Prima edizione TEA Più maggio 2018

I DODICI SEGNI

I kamikaze sono facili da individuare. Presentano vari segni rivelatori, in genere perché sono nervosi. Sono tutti per definizione alla prima esperienza.

Il controspionaggio israeliano ha dettato la strategia difensiva. Ci hanno spiegato cosa cercare. Si sono avvalsi di osservazioni pratiche e di analisi psicologiche e hanno stilato un elenco di indicatori comportamentali. Ho imparato quella lista vent'anni fa da un capitano dell'esercito israeliano. Lui vi si atteneva ciecamente. Pertanto lo avevo fatto anch'io, perché a quel tempo mi avevano distaccato per tre settimane – di solito a un metro dalla sua spalla – in Israele, a Gerusalemme, nella Striscia di Gaza, in Libano, a volte in Siria, altre in Giordania, sui bus, nei negozi, sui marciapiedi affollati. I miei occhi non smettevano mai di muoversi e la mia mente di vagliare i punti dell'elenco.

Vent'anni dopo li ricordo ancora. E il mio sguardo non smette mai di muoversi. Pura abitudine. Da altre persone ho appreso un altro mantra: guarda, non vedere, ascolta, non sentire. Più ti impegni, più sopravvivi.

L'elenco è di dodici punti se osservi un sospetto di sesso maschile. Di undici, se ne osservi uno di sesso femminile. La differenza sta nella barba fatta da poco. I kamikaze maschi si rasano. Li aiuta a confondersi. Li rende meno sospetti. Il risultato è una pelle più chiara nella metà inferiore del volto. Una pelle non esposta di recente al sole.

Ma la barba non mi interessava.

Stavo usando l'elenco di undici punti.

Stavo osservando una donna.

Ero in metropolitana a New York. Sulla linea 6, la linea locale di Lexington Avenue, direzione uptown, ore due del mattino. Ero salito a Bleecker Street, all'estremità sud del marciapiede, su una carrozza vuota fatta eccezione per cinque persone. Le carrozze della metropolitana sembrano piccole e strette quando sono piene. Vuote, sembrano grandi, cavernose e tristi. La notte le luci paiono più calde e intense anche se sono le stesse usate di giorno. Sedevo scomposto su una panca per due, a nord delle ultime porte sul lato della carrozza che dava verso i binari. Gli altri cinque passeggeri erano tutti a sud, su panche lunghe, di profilo, collocati fianco a fianco, lontani tra loro. Fissavano assenti la parte opposta del vagone, tre a sinistra e due a destra.

Il numero della carrozza era 7622. Una volta ho viaggiato sulla linea 6 per otto fermate accanto a un fissato che parlava della vettura in cui eravamo con lo stesso entusiasmo che gli uomini riservano di solito allo sport o alle donne. Perciò sapevo che la carrozza numero 7622 era un modello R142A, il più nuovo della rete di New York, che era stata costruita dalla Kawasaki a Kobe, in Giappone, spedita per nave, trasportata su un camion sino al capolinea di 207th Street, posta sui binari con una gru, trainata fino a 180th Street e collaudata. Sapevo che poteva percorrere più di trecentomila chilometri senza particolari problemi. Sapevo che il sistema automatico di annunci forniva istruzioni con voce maschile e informazioni con voce femminile, il che veniva ritenuto un caso quando in realtà i vertici dei trasporti giudicavano che tale divisione dei compiti fosse psicologicamente efficace. Sapevo che le voci arrivavano da Bloomberg TV, da anni prima che Mike diventasse sindaco. Sapevo che c'erano seicento R142A sui binari, che ognuna era un po' più lunga di quindici metri e cinquanta e un po' più larga di due e quaranta. Sapevo che la vettura senza conducente come quella in cui ero allora e in cui mi trovavo adesso era stata costruita per trasportare al massimo quaranta persone sedute e fino a centoquarantotto in piedi. Il fissato aveva elencato tutti quei dati con sicurezza. Vedevo con i miei occhi che i sedili della carrozza erano di plastica blu, della stessa tonalità del cielo di tarda estate o dell'uniforme degli aviatori britannici, e che i pannelli delle pareti erano in fibra di vetro antigraffiti. Vedevo le due strisce identiche di pubblicità allontanarsi da me là dove i pannelli si congiungevano al tetto. Vedevo i piccoli e allegri manifesti che reclamizzavano programmi televisivi, corsi di lingue, facili diplomi di college e opportunità lavorative.

Vedevo un avviso della polizia che mi raccomandava: SE VE-
DI QUALCOSA, DILLO.

Il passeggero più vicino a me era una donna ispanica. Sedeva
dalla parte opposta, alla mia sinistra, davanti alle prime porte,
tutta sola su una panca da otto, ben distante dal centro. Era
piccola, fra i trenta e cinquanta, sembrava molto accaldata e
stanca. Appeso al polso aveva un sacchetto logoro del supermercato e fissava il posto libero di fronte con occhi troppo
stanchi per poter vedere qualcosa.

Poi c'era un uomo sull'altro lato, forse un metro e mezzo più
in giù. Se ne stava solo sulla sua panca da otto. Poteva essere dei
Balcani o del Mar Nero. Capelli scuri, pelle segnata da rughe.
Era muscoloso, logorato dal lavoro e dalle intemperie. Teneva i
piedi ben piantati e stava proteso in avanti con i gomiti sulle
ginocchia. Non dormiva, ma quasi. Era in uno stato di anima-
zione sospesa, segnava il tempo, dondolava assecondando i movimenti del treno. Era sulla cinquantina e indossava abiti troppo giovanili per lui. Jeans larghi che gli arrivavano solo ai pol-
pacci e una maglietta oversize dell'NBA con sopra il nome di un
giocatore che non conoscevo.

La terza era una donna che poteva essere dell'Africa occidentale. Stava a sinistra, a sud delle porte centrali. Stanca, inerte, la pelle nera resa grigia e spenta dalla fatica e dalle luci. Portava un abito batik dai colori vivaci e un foulard identico avvolto sulla testa. Aveva gli occhi chiusi. Conosco abbastanza bene New York. Mi ritengo un cittadino del mondo e secondo me
New York ne è la capitale, perciò la capisco così come un inglese capisce Londra o un francese Parigi. Ho familiarità con le
sue abitudini, ma non le conosco a fondo. Però si intuiva facilmente che tre persone come quelle, già sedute a sud di Bleecker
su un treno della linea 6 a tarda notte in direzione uptown, erano addetti alle pulizie di uffici che rientravano a casa dopo il
turno serale dalle parti del municipio o personale di servizio di
un ristorante di Chinatown o Little Italy. Probabilmente andavano a Hunts Point nel Bronx o forse fin su a Pelham Bay per
un sonno breve e agitato prima di un'ennesima lunga giornata.

Il quarto e il quinto passeggero erano diversi.

Il quinto era un uomo. Aveva forse la mia età e si era caccia-
to a quarantacinque gradi, in diagonale, sulla panca da due di

fronte alla mia, in fondo alla carrozza. Indossava abiti casual, ma di un certo livello. Pantaloni sportivi di cotone e una polo. Era sveglio. Teneva lo sguardo fisso su un punto davanti a lui. Lo metteva a fuoco e si concentrava continuamente, come fosse vigile e assorto. Mi ricordava quello di un giocatore di baseball. Possedeva una certa furbizia, una scaltrezza da mente calcolatrice.

Era tuttavia la passeggera numero quattro quella che stavo osservando.

Se vedi qualcosa, dillo.

Era seduta sul lato destro della carrozza, tutta sola sulla panca da otto più lontana, dalla parte opposta e circa a metà tra la donna sfatta dalla fatica dell'Africa occidentale e l'uomo con lo sguardo da giocatore di baseball. Era bianca e sulla quarantina. Bruttina. Aveva i capelli neri tagliati con cura, ma non alla moda, di un colore troppo uniforme per essere naturali. Era tutta vestita di nero. La vedevo piuttosto bene. L'uomo più vicino a me sulla destra sedeva proteso in avanti e lo spazio a V tra la sua schiena piegata e la parete della vettura mi consentiva una traiettoria visiva ininterrotta, tranne per la foresta di barre d'acciaio lucido.

Non era una visuale perfetta, ma sufficiente in ogni caso a far scattare tutti gli allarmi dell'elenco di undici punti. Questi si accesero come le ciliegie delle slot machine di Las Vegas.

Secondo il controspionaggio israeliano stavo osservando una kamikaze.

2

Scartai subito l'idea. Non per il profilo razziale. Le donne bianche sono capaci di follie come chiunque altro. La scartai perché tatticamente inverosimile. La tempistica era sbagliata. La metropolitana di New York sarebbe stato un buon bersaglio per un attacco kamikaze. La linea 6 sarebbe andata bene quanto altre, e meglio di molte altre linee. Si ferma sotto il Grand Central Terminal. Alle otto del mattino, alle sei di sera, una vettura affollata, quaranta persone sedute, centoquarantotto in piedi, aspetti che le porte si aprano sui marciapiedi gremiti e premi il pulsante. Un centinaio di morti, duecento o più feriti gravi, panico, danni alle infrastrutture, forse un incendio, un importante nodo dei trasporti chiuso per giorni o settimane e forse mai più ritenuto affidabile. Un risultato significativo per chi ha una mente che funziona in modi che non riusciamo bene a comprendere.

Non però alle due del mattino.

Non in una carrozza con sei persone soltanto. Non quando sui marciapiedi della stazione di Grand Central si trovano solo rifiuti mossi dal vento, bicchieri vuoti e un paio di vecchi barboni sulle panche.

Il treno si fermò ad Astor Place. Le porte si aprirono con un sibilo. Nessuno salì. Nessuno scese. Le porte si richiusero con un tonfo, i motori gemettero e il treno ripartì.

Gli allarmi rimasero accesi.

Il primo punto era l'elemento più ovvio: l'abbigliamento inadeguato. Le cinture esplosive si sono ormai evolute come i guantoni da baseball. Prendi un pezzo di tela pesante da novanta per sessanta, piegalo longitudinalmente e hai una tasca continua profonda trenta centimetri. Avvolgila attorno al kamikaze e cucila sulla schiena. Cerniere lampo o automatici possono indurre a ripensamenti. Inserisci una fila di candelotti di dinamite lungo tutta la circonferenza, collegali con un filo, riempi gli spazi vuoti con chiodi o cuscinetti a sfere, cuci l'orlo superiore, aggiungi un paio di rozzi spallacci per reggere il peso. Nel complesso, efficace ma ingombrante. L'unico camuffamento pratico è un indumento oversize come un parka invernale imbottito. Mai adatto per il Medio Oriente, verosimile a New York forse tre mesi su dodici.

Ma eravamo in settembre e faceva caldo come d'estate; sotto terra c'erano dieci gradi di più. Io indossavo una maglietta. La passeggera numero quattro un piumino della North Face nero, gonfio, lucido, un po' troppo grande e con la cerniera chiusa fino al mento.

Se vedi qualcosa, dillo.

Saltai il secondo degli undici punti. Non era immediatamente applicabile. Il secondo punto è: camminata da robot. Rilevante a un checkpoint, in un mercato affollato, all'esterno di una chiesa o di una moschea, non con un sospetto seduto su un mezzo di trasporto pubblico. I kamikaze camminano come robot non perché siano sopraffatti dall'estasi al pensiero dell'imminente martirio, ma perché si portano addosso venti chili in più a cui non sono abituati, che tagliano loro la carne delle spalle a causa degli spallacci grezzi, e perché sono drogati. L'attrattiva del martirio arriva solo fino a un certo punto. In genere i kamikaze sono dei balordi plagiati, con un rotolino di oppio grezzo tra la gengiva e la guancia. Lo sappiamo perché le cinture con la dinamite esplodono con un'onda di pressione caratteristica, a forma di ciambella, che si diffonde su per il tronco in una frazione di nanosecondo e stacca di netto la testa dalle spalle. La testa umana non è imbullonata. Sta semplicemente lì per gravità, tenuta in parte dalla pelle e dai muscoli, dai tendini e dai legamenti, ma quegli esili ancoraggi biologici non fanno molto contro la forza di un'esplosione chimica violenta. Il mio mentore israeliano mi aveva spiegato che il modo più facile per stabilire se un attacco all'aperto sia stato causato da un kamikaze anziché da un'autobomba o da un pacco bomba è ispezionare la zona in un raggio di venticinque, ventotto metri in cerca di una testa umana mozzata, che risulta con molta probabilità stranamente intatta e integra, fino al particolare del rotolino d'oppio nella guancia.

Il treno si fermò a Union Square. Nessuno salì. Nessuno

scese. L'aria calda si riversò dentro come un'onda dal marciapiede scontrandosi con quella interna condizionata. Poi le porte si richiusero e il treno ripartì.

I punti dal tre al sei sono varianti di un tema soggettivo: irritabilità, sudorazione, tic, comportamento nervoso. Anche se
a mio parere il sudore può essere causato tanto dal riscaldamen-
to fisico eccessivo quanto dalla tensione. Dall'abbigliamento
inadeguato e dalla dinamite. La dinamite è polpa di legno im-
bevuta di nitroglicerina e modellata in bastoni grandi come
sfollagente. La polpa di legno è un buon isolante termico. Perciò il sudore è una conseguenza normale. L'irritabilità, i tic e il
comportamento nervoso sono tuttavia indicatori preziosi. Quegli individui sono arrivati agli ultimi strani momenti della loro
vita, sono in ansia, spaventati dall'idea del dolore, storditi dai
narcotici. Sono irrazionali per definizione. Spinti dalle pressio-
ni ideologiche o dalle aspettative dei coetanei e dei familiari,
credono, credono in parte o non credono affatto al paradiso, ai
fiumi di latte e miele, ai pascoli rigogliosi e alle vergini; all'improvviso si ritrovano troppo invischiati e incapaci di uscirne.
Fare discorsi coraggiosi nelle riunioni clandestine è una cosa.
Agire, un'altra. Di qui il panico represso con tutti i segni visibili.

La passeggera numero quattro li presentava tutti. Aveva proprio l'aspetto di una donna avviata alla fine, con la stessa certezza e sicurezza con cui il treno si avviava al capolinea.

Perciò punto sette: la respirazione.

Ansimava in modo sommesso e controllato. Inspirava, espirava, inspirava, espirava. Come in una tecnica per vincere il dolore del parto, per effetto di uno shock spaventoso o quale ultima disperata barriera per trattenere un urlo di sgomento, di
paura, di terrore.

Inspirava, espirava, inspirava, espirava.

Punto otto: i kamikaze prossimi a entrare in azione fissano
rigidi davanti a sé. Nessuno sa perché, ma le prove video e i testimoni oculari sopravvissuti si sono rivelati concordi in proposito. I kamikaze fissano dritti davanti a sé. Forse per tanto impegno arrivano a un punto di stallo e temono di essere scoperti.
Forse come i cani e i bambini credono che, se loro non vedono
nessuno, nessuno veda loro. Forse l'ultimo brandello di co-

scienza impedisce loro di guardare le persone che stanno per annientare. Nessuno sa perché, ma lo fanno tutti.

La passeggera numero quattro lo stava facendo. Quello era certo. Fissava dal finestrino nero di fronte con intensità tale da perforare quasi il vetro.

Punti uno-otto, ok. Spostai il peso in avanti sul sedile.

Poi mi bloccai. L'idea era tatticamente assurda. La tempistica era sbagliata.

Poi guardai di nuovo. E mi mossi di nuovo. Perché i punti nove, dieci, undici erano tutti lì e anche giusti, ed erano i punti più importanti di tutti.

3

Punto nove: le preghiere borbottate. Fino a oggi tutti gli attacchi noti sono stati ispirati, motivati, corroborati o pilotati dalla religione, quasi esclusivamente da quella islamica, e gli islamici sono soliti pregare in pubblico. I testimoni oculari sopravvissuti parlano di lunghe formule magiche recitate e ripetute all'infinito in modo più o meno impercettibile, ma con un movimento visibile delle labbra. La passeggera numero quattro ce la stava mettendo tutta. Le sue labbra si muovevano sotto gli occhi dallo sguardo fisso in una recita lunga, ansimante, ritualistica che pareva ripetersi ogni venti secondi o poco più. Forse si stava già presentando a qualsiasi divinità si aspettasse di incontrare sull'altra sponda. Forse cercava di convincersi che c'erano davvero una divinità e una sponda.

Il treno si fermò a 23rd Street. Le porte si aprirono. Nessuno scese. Nessuno salì. Vidi le insegne rosse dell'uscita sopra il marciapiede: 22nd e Park, angolo nordorientale o 23rd e Park, angolo sudorientale. Due tratti insignificanti di marciapiede di Manhattan, diventati d'un tratto attraenti.

Rimasi al mio posto. Le porte si chiusero. Il treno ripartì.

Punto dieci: una grossa borsa.

La dinamite è un esplosivo stabile finché è fresca. Non scoppia per caso. Deve essere attivata da un detonatore. I detonatori sono collegati dalla miccia a una fonte di elettricità e a un interruttore. I grossi detonatori a stantuffo dei vecchi film western erano tutte e due le cose insieme. La prima parte del movimento dell'impugnatura azionava una dinamo, come un telefono da campo, poi scattava l'interruttore. Non erano pratici per uso portatile. Per uso portatile ti serve una batteria e per ogni metro lineare di esplosivo ti servono un po' di volt e ampere. Le piccole batterie stilo emettono un debole volt e mezzo. Non abbastanza. Una batteria da nove volt è meglio, e per un buon risultato te ne devi procurare una quadrata, grande quanto una scatola di zuppa pronta, per torce che si rispettino. La batteria sta sul fondo della borsa e da essa partono i cavi che vanno all'interruttore; questi passano attraverso un taglio discreto sul retro della borsa e salgono serpeggiando sotto l'orlo dell'abito inadatto.

La passeggera numero quattro portava una borsa da postino di tela nera stile urban look: la cinghia su una spalla, la borsa stessa sotto l'altra, tirata in grembo. Dal modo in cui ricadeva la stoffa rigida, sembrava vuota tranne che per un unico oggetto pesante.

Il treno si fermò a 28th Street. Le porte si aprirono. Nessuno salì. Nessuno scese. Le porte si chiusero e il treno ripartì.

Punto undici: le mani nella borsa.

Vent'anni fa il punto undici costituiva una nuova aggiunta. Prima l'elenco terminava al punto dieci. Ma le cose evolvono. Azione e quindi reazione. Le forze di sicurezza e alcuni coraggiosi civili israeliani avevano adottato una nuova tattica. Se qualcosa ti insospettiva, non ti mettevi a correre. Farlo in verità non aveva senso. Non puoi correre più veloce del frammento di un ordigno. Quello che invece facevi era afferrare il sospetto per stringerlo in un abbraccio disperato. Gli bloccavi le braccia lungo i fianchi. Gli impedivi di raggiungere il pulsante. Parecchi attentati erano stati sventati in questo modo. Molte vite erano state salvate. Ma i kamikaze avevano imparato. Adesso viene loro insegnato a tenere il pollice sul pulsante per tutto il tempo, in modo da neutralizzare l'abbraccio. Il pulsante sta nella borsa, accanto alla batteria. Perciò, le mani nella borsa.

La passeggera numero quattro aveva le mani nella borsa. La cerniera era piegata e stropicciata tra i suoi polsi.

Il treno si fermò a 33rd Street. Le porte si aprirono. Nessuno scese. Una passeggera solitaria sul marciapiede esitò, si spostò a destra ed entrò nella carrozza seguente. Mi voltai, guardai dal piccolo finestrino dietro la mia testa e la vidi prendere posto vicino a me. Due paratie di acciaio e lo spazio per il gancio. Volevo farle segno di allontanarsi. In fondo alla carrozza sarebbe potuta sopravvivere. Ma non lo feci. Non ci fu alcun contatto visivo e in ogni caso mi avrebbe ignorato. Conosco New York. Un gesto assurdo su un treno a tarda notte non è credibile.

Le porte rimasero aperte per un attimo in più rispetto al solito. Per un folle istante pensai di cercare di far uscire tutti. Ma non lo feci. Sarebbe stata una farsa. Sorpresa, incomprensione, probabili barriere linguistiche. Non ero certo di conoscere il termine spagnolo per bomba. *Bomba*, forse. O significava lampadina? Un pazzo che sbraitava di lampadine non sarebbe stato di aiuto a nessuno.

No, lampadina era *bombilla*, pensai.

Forse.

Può darsi.

Di certo non conoscevo nessuna lingua balcanica. E non conoscevo nessun dialetto dell'Africa occidentale. Anche se forse la donna con il vestito parlava francese. Parte dell'Africa occidentale è francofona. E io parlo francese. *Une bombe. La femme là-bas a une bombe sous son manteau. La donna laggiù ha una bomba sotto la giacca.* La donna con il vestito avrebbe forse capito. O colto il messaggio in qualche altro modo e ci avrebbe semplicemente seguito all'esterno.

Se si fosse svegliata in tempo. Se avesse aperto gli occhi.

Alla fine rimasi al mio posto.

Le porte si chiusero.

Il treno ripartì.

Fissai la passeggera numero quattro. Immaginai il suo pollice esile, pallido sul pulsante nascosto. Il pulsante arrivava probabilmente da Radio Shack. Un pezzo innocente, per qualche hobby. Costava probabilmente un dollaro e mezzo. Immaginai un groviglio di fili rossi e neri tenuti da nastro, stretti insieme e fissati. La miccia spessa che usciva dalla borsa, s'infilava sotto la giacca e collegava dodici o venti detonatori in una fila letale, lunga e parallela. L'elettricità si muove quasi alla velocità della luce. La dinamite è incredibilmente potente. In un ambiente chiuso come una carrozza della metropolitana l'onda di pressione poteva di per sé ridurci tutti in poltiglia. I chiodi e i cuscinetti a sfere sarebbero stati del tutto superflui. Come pallottole contro un gelato. Ben pochi di noi sarebbero sopravvissuti. Alcuni frammenti ossei forse, grandi quanto semi d'uva. Forse staffa e incudine dell'orecchio interno sarebbero rimasti intatti. Sono le ossa più piccole del corpo umano e quindi hanno statisticamente più probabilità di non essere colpite dalla nube dei frammenti.

Fissai la donna. Non c'era modo di avvicinarsi a lei. Ero a nove metri di distanza. Aveva già il pollice sul pulsante. I contatti d'ottone di poco prezzo si trovavano forse a tre millimetri l'uno dall'altro e quel minuscolo spazio si restringeva e si allargava d'un soffio, ritmicamente, al battito del suo cuore e al tremito del braccio.

Era pronta ad agire, io no.

Il treno proseguì dondolando con la sua caratteristica sinfonia di rumori. L'ululato dell'aria nel tunnel, i colpi sordi e lo sferragliare dei giunti d'espansione sotto i cerchioni di ferro, il grattare del pattino collettore sulla terza rotaia, il gemito dei motori, gli stridii sequenziali delle carrozze che una dopo l'altra superavano ondeggiando le curve mentre i bordini delle ruote mordevano.

Dove andava quella donna? Che cosa c'era sul percorso della linea 6? Un palazzo poteva essere abbattuto da una bomba umana? Pensai di no. Allora, dove si trovavano ancora grossi assembramenti dopo le due del mattino? Non in molti posti. Nei nightclub, forse, ma ce li eravamo già lasciati quasi tutti alle spalle, e comunque non avrebbe superato il cordone di velluto all'ingresso.

La fissai.

Troppo.

Lei se ne accorse.

Girò la testa lentamente, agevolmente, come fosse un movimento preprogrammato.

Ricambiò lo sguardo.

I nostri occhi si incrociarono.

La sua espressione mutò.

Sapeva che sapevo.

4

Ci fissammo l'un l'altra per dieci secondi buoni. Poi mi alzai. Mi stabilizzai e feci un passo. A nove metri sarei rimasto ucciso, non c'erano dubbi. Avvicinandomi ulteriormente, non sarei morto di più. Superai la donna ispanica alla mia sinistra. Superai l'uomo con la maglietta dell'NBA alla mia destra. Superai la donna dell'Africa occidentale alla mia sinistra. Aveva ancora gli occhi chiusi. Mi tenni passando da una barra all'altra a sinistra e a destra, ondeggiando. La passeggera numero quattro mi fissò per tutto il tempo, spaventata, ansimante, bofonchiante. Le sue mani rimasero nella borsa.

Mi fermai a meno di due metri da lei.

«Vorrei tanto sbagliarmi», dissi.

Non rispose. Mosse le labbra. Mosse le mani sotto la spessa tela nera. Il grosso oggetto nella borsa si spostò leggermente.

«Mi mostri le mani», proseguii.

La donna non rispose.

«Sono un poliziotto», mentii. «Posso aiutarla.»

Lei tacque.

«Possiamo parlare.»

Silenzio.

Lasciai andare le barre e abbassai le mani lungo i fianchi. Così sembravo più piccolo. Meno minaccioso. Un uomo e basta.

Rimasi immobile per quanto il treno me lo consentisse. Non feci nulla. Non avevo alternative. A lei serviva una frazione di secondo. A me di più. Però non c'era assolutamente nulla che potessi fare. Avrei potuto afferrare la borsa e cercare di strapparGliela, ma era avvolta attorno al corpo e la cinghia era una striscia larga di cotone dalla trama fitta. La stessa delle manichette antincendio. Era prelavata, preinvecchiata e preusurata, come molte cose nuove oggi, ma sarebbe stata pur sempre molto robusta. Avrei finito per sollevare la donna dal sedile e gettarla per terra.

Però non sarei mai riuscito ad avvicinarmi. Avrebbe premuto il pulsante prima che la mia mano fosse a metà strada.

Avrei potuto cercare di strattonare la borsa verso l'alto e di infilare l'altra mano dietro per strappare la miccia dai terminali. Tuttavia, per muoversi agevolmente, lei disponeva di sicuro di più filo di quello che io avrei dovuto tirare – con un gigantesco movimento ad arco di più di mezzo metro – per incontrare qualche resistenza. A quel punto avrebbe premuto il pulsante, se non altro per lo spavento involontario.

Avrei potuto afferrarla per la giacca e cercare di staccare qualche cavo, ma tra me e i fili c'erano grosse tasche piene di piuma d'oca. E un involucro di nylon scivoloso. Nessuno stimolo tattile, nessuna percezione.

Nessuna speranza.

Avrei potuto cercare di neutralizzarla. Di colpirla con durezza alla testa, di farla svenire con un pugno. Ma per quanto sia piuttosto veloce, un buon pugno da due metri richiederebbe quasi mezzo secondo. Lei doveva spostare il polpastrello del pollice di tre millimetri.

Sarebbe arrivata prima.

«Posso sedermi accanto a lei?» domandai.

«No, stia lontano», rispose.

Era una voce neutra, inespressiva. Non aveva alcun accento. Era americana, ma poteva essere di qualsiasi posto. Da vicino non sembrava fuori di sé né squilibrata. Solo rassegnata, seria, spaventata e stanca. Mi fissava con la stessa intensità che aveva riservato al finestrino di fronte. Aveva un'aria vigile e sveglia. Mi sentii scrutare con attenzione. Non riuscivo a muovermi. Non riuscivo a fare niente.

«È tardi», dissi. «Dovrebbe aspettare l'ora di punta.»

Lei non rispose. «Altre sei ore», aggiunsi. «Così funzionerebbe molto meglio.»

La donna mosse le mani dentro la borsa.

«Non adesso», affermai.

Lei non disse nulla.

«Solo una», esclamai. «Mi mostri solo una mano. Non le servono entrambe là dentro.»

Il treno rallentò bruscamente. Barcollai all'indietro, feci di nuovo un passo in avanti e alzai il braccio per afferrare la barra vicina al tetto. Avevo le mani umide. L'acciaio era caldo. Grand Central, pensai. Ma non lo era. Guardai dal finestrino aspettandomi luci e piastrelle bianche, ma vidi invece il bagliore fioco di una lampada azzurra. Ci stavamo fermando in galleria. Lavori di manutenzione o un segnale.

Mi voltai.

«Mi mostri una mano», ripetei.

La donna non rispose. Mi stava fissando la vita. Con le mani in alto la maglietta era salita e sopra la cintura dei pantaloni si vedeva la cicatrice sulla parte bassa del ventre. Pelle bianca in rilievo, dura e granulosa. Punti grossi e rozzi, come nelle vignette. Frammenti di un camion bomba a Beirut, molto tempo prima. Mi ero trovato a cento metri dall'esplosione.

Ero novantotto metri più vicino alla donna sulla panca.

Continuò a fissare. La maggior parte delle persone mi chiede come mi sia procurato quella cicatrice. Non volevo che lei lo facesse. Non volevo parlare di bombe. Non con lei.

«Mi mostri una mano», insistei.

«Perché?» chiese.

«Non le servono due mani là dentro.»

«Allora a che pro?»

«Non lo so», risposi. Non avevo propriamente idea di cosa stessi facendo. Non sono un abile negoziatore di ostaggi. Parlavo tanto per parlare. Il che è insolito. In genere sono piuttosto taciturno. Sarebbe statisticamente molto improbabile che muoia a metà di una frase.

Forse per quello parlavo.

La donna mosse le mani. La vidi stringere la presa all'interno della borsa soltanto con la destra ed estrarre lentamente la sinistra. Piccola, pallida, segnata da vene e tendini in rilievo. Pelle di mezza età. Unghie non dipinte, tagliate corte. Niente anelli. Non era sposata né fidanzata. Girò la mano per mostrarmi il palmo. Era vuoto, rosso per il caldo.

«Grazie», dissi.

La posò con il palmo all'ingiù sul sedile accanto e la lasciò lì, come se non avesse nulla a che fare con il resto di lei. Ma non era così. Non a quel punto. Il treno si fermò nel buio. Abbassai le mani. L'orlo della maglietta tornò al suo posto.

«Adesso mi mostri il contenuto della borsa», dissi.

«Perché?»

«Voglio solo vedere. Di qualsiasi cosa si tratti.»

Lei non rispose.

Non si mosse.

«Non cercherò di portargliela via. Glielo prometto. Voglio solo vederla. Sono certo che mi capisce», aggiunsi.

Il treno ripartì. Accelerò lento senza scossoni, procedendo a bassa velocità. Entrò dolcemente in stazione. Avanzò piano, forse per duecento metri, calcolai.

«Ho almeno il diritto di vedere, non pensa?» dissi.

Lei fece una smorfia come se non capisse.

«Non vedo perché», replicò.

«No?»

«No.»

«Perché sono coinvolto. E forse posso controllare che sia fatta bene. Per dopo. Perché dovrà farlo dopo. Non ora.»

«Ha detto di essere un poliziotto.»

«Possiamo trovare una soluzione», replicai. «Posso aiutarla.» Lanciai un'occhiata alle mie spalle. Il treno procedeva lento. Davanti c'era una luce bianca. Mi girai. La donna stava muovendo la destra, armeggiando per ottenere una presa più salda e nello stesso tempo per estrarla dalla borsa.

Osservai. Questa le si impigliò sul polso e lei usò la sinistra per liberarla. La mano destra uscì.

Niente batteria. Niente cavi. Niente interruttore, niente pulsante, niente stantuffo.

Era qualcosa di molto diverso.

La donna impugnava una pistola. La stava puntando dritta contro di me. Bassa, nel centro esatto, sulla linea tra inguine e ombelico. Quella zona è piena di roba necessaria. Organi, colonna vertebrale, intestino, diverse vene e arterie. La pistola era una Ruger Speed-Six. Un vecchio e grosso revolver 357 Magnum con una canna corta da dieci centimetri, capace di crearmi un buco in corpo tanto grande da far passare la luce del giorno.

Ma nel complesso ero molto più contento di un secondo prima. Per molte ragioni. Le bombe uccidono più persone nello stesso momento, le pistole una persona alla volta. Le bombe non richiedono mira, le pistole sì. Completamente carica, la Speed-Six pesa più di novecento grammi. Una bella massa per un polso sottile. E le cartucce Magnum producono una fiammata ustionante e un rinculo micidiale. Se aveva già usato la pistola, lo sapeva. Avrebbe avuto quello che i tiratori chiamano «sussulto da Magnum». Mezzo secondo prima di premere il grilletto avrebbe contratto il braccio, chiuso gli occhi e girato la testa. Aveva discrete possibilità di mancare il bersaglio, anche da meno di due metri. La maggior parte delle pistole mancano il bersaglio. Forse non al poligono, con le cuffie antirumore, gli occhiali protettivi, il tempo, la calma e nessuna posta in gioco. Ma nel mondo reale, con il panico, lo stress, i tremori e il cuore che batte forte, le pistole dipendono in tutto e per tutto dalla sorte, buona o cattiva. Dalla mia e dalla sua.

Se avesse mancato il bersaglio, non avrebbe sparato di nuovo.

«Stia calma», dissi tanto per parlare. Il suo dito era bianco come un osso sul grilletto, ma non lo aveva ancora mosso. La Speed-Six è un revolver a doppia azione, il che significa che la prima metà della corsa del grilletto sposta il cane all'indietro e fa ruotare il tamburo. La seconda abbatte il cane e fa sparare l'arma. Una meccanica complessa che richiede tempo. Non molto, ma pur sempre un po'. Fissai il dito. Sentii che l'uomo con gli occhi da giocatore di baseball ci stava osservando. Immaginai che la mia schiena impedisse la visuale dai punti più lontani della carrozza.

«Lei non ce l'ha con me, signora. Non mi conosce nemmeno. Posi la pistola e parliamo.»

La donna non rispose. Forse sul viso le balenò qualcosa, ma non lo stavo guardando. Stavo guardando il dito. Era l'unica parte di lei che m'interessasse. Ed ero concentrato sulle vibrazioni che provenivano dal pavimento. Aspettavo che la vettura si fermasse. Il passeggero fissato mi aveva detto che le R142A pesano trentacinque tonnellate ciascuna. Possono fare quasi i cento all'ora. Pertanto hanno freni molto potenti. Troppo per essere delicati a basse velocità. Non è possibile graduare l'arresto. Scattano, producono uno strattone e stridono. Spesso i treni percorrono scivolando l'ultimo metro sulle ruote bloccate. Di qui il caratteristico cigolio quando si fermano.

Supposi sarebbe accaduto lo stesso anche dopo la nostra lenta avanzata. Forse ancor di più, in termini relativi. La pistola era in sostanza un peso all'estremità di un pendolo. Un lungo braccio sottile, novecento grammi di acciaio. Quando i freni mordono, lo slancio spinge la pistola in avanti. In su. È la legge del moto di Newton. Ero pronto a contrastare il mio slancio, a staccarmi dalle barre nella direzione opposta e a buttarmi in giù. Se la pistola si fosse spostata di una quindicina di centimetri soltanto a nord e io di una quindicina soltanto a sud, sarei stato fuori tiro.

Forse dieci centimetri sarebbero bastati.

O dodici, per sicurezza.

«Dove si è fatto quella cicatrice?» chiese la donna.

Non risposi.

«Le hanno sparato al ventre?»

«Una bomba», dissi.

Spostò la bocca della canna alla sua sinistra e alla mia destra. La puntò là dove la cicatrice era nascosta dall'orlo della maglietta.

Il treno proseguì. Entrò in stazione. Estremamente lento. Quasi neanche a passo d'uomo. I marciapiedi di Grand Central sono lunghi. La vettura di testa lo stava percorrendo tutto verso il fondo. Attesi che i freni mordessero. Immaginai ci sarebbe stato un discreto sobbalzo.

Non arrivammo mai a quel punto.

La canna della pistola tornò a puntare il mio baricentro. Poi si spostò in verticale. Per una frazione di secondo pensai che la donna si arrendesse. Ma la canna continuò muoversi. La donna sollevò il mento in alto in un gesto fiero, ostinato. Si puntò la canna alla gola e premette il grilletto a metà. Il tamburo ruotò e il cane grattò sul nylon della giacca.

Poi premette il grilletto sino in fondo e si fece saltare la testa.

Per un bel po' le porte non si aprirono. Forse qualcuno aveva usato l'interfono d'emergenza o forse il conducente aveva sentito lo sparo. A ogni modo il sistema entrò nella modalità blocco totale. Era indubbiamente qualcosa di sperimentato. Ed era una procedura molto sensata. Meglio che un pistolero pazzo fosse trattenuto in una carrozza anziché libero di scappare per tutta la città.

L'attesa però non fu piacevole. La cartuccia calibro .357 Magnum fu inventata nel 1935. Magnum è termine latino che significa grande. È un proiettile più pesante con una carica propellente molto maggiore. Tecnicamente questa non esplode. Deflagra, il che è un processo chimico a metà tra la bruciatura e l'esplosione. L'idea è quella di creare una bolla enorme di gas caldo che acceleri il proiettile nella canna come una molla compressa. In circostanze normali il gas segue il proiettile all'esterno della bocca e incendia l'ossigeno nell'aria circostante. Di qui la fiammata. Ma con uno sparo a contatto effettivo con la testa come quello scelto dalla passeggera numero quattro, il proiettile crea un buco nella pelle e il gas vi si immette. Si espande violentemente sottocute e produce un gigantesco foro d'uscita a forma di stella, oppure stacca carne e pelle dalle ossa e apre del tutto il cranio, come una banana pelata al contrario.

Proprio questo accadde nella fattispecie. La faccia della donna era ridotta a pezzi e brandelli di carne insanguinata che penzolavano dalle ossa fracassate. Il proiettile aveva percorso una traiettoria verticale attraverso la bocca e riversato la sua poderosa energia cinetica nella scatola cranica; l'improvvisa e immensa pressione aveva trovato sfogo, e lo aveva trovato là dove le ossa craniche si erano saldate durante l'infanzia. Si erano riaperte con violenza e la pressione aveva scagliato tre o quattro grandi frammenti sulla parete sopra e dietro di lei. In un modo o nell'altro la testa sostanzialmente non c'era più. Ma la fibra di vetro antigraffiti stava svolgendo la sua funzione. Ossa bianche, sangue scuro e tessuto grigio scivolavano sulla superficie liscia anziché appiccicarvisi, lasciandosi dietro una sottile bava come di lumaca. Il corpo della donna era riverso sulla panca. L'indice destro era ancora infilato nel ponticello. La pistola le era rimbalzata sulla coscia e giaceva sul sedile accanto a lei.

Il rumore dello sparo mi ronzava ancora nelle orecchie. Alle mie spalle sentivo suoni attutiti. Percepii l'odore del sangue. Mi chinai e controllai la borsa. Vuota. Feci scorrere la lampo della giacca e la aprii. Là non c'era niente. Solo una camicetta di cotone bianco e il puzzo dello svuotamento intestinale e vescicale.

Trovai il pannello d'emergenza e contattai il conducente. «Suicidio con arma da fuoco. Penultima vettura. Ora è tutto finito. Siamo al sicuro. Non ci sono altri pericoli», dissi. Non volevo aspettare che il NYPD mettesse insieme squadre SWAT, giubbetti antiproiettile e fucili e arrivasse di soppiatto. La cosa avrebbe potuto richiedere molto tempo.

Non ebbi risposta dal conducente. Ma un minuto dopo udii la sua voce dagli altoparlanti della carrozza. «Si avvisano i signori passeggeri che le porte resteranno chiuse per alcuni minuti a causa di un inconveniente tecnico», disse lentamente. Con molta probabilità leggeva da una scheda. La voce gli tremava. Tutt'altro rispetto al tono calmo degli speaker di Bloomberg.

Diedi un'ultima occhiata nella carrozza, mi sedetti a un metro dal corpo senza testa e attesi.

Avremmo potuto vedere interi episodi di serie poliziesche televisive prima dell'arrivo degli agenti veri. Si sarebbe potuto prelevare e analizzare il DNA, trovare corrispondenze, dare la caccia ai criminali, prenderli, processarli e condannarli. Ma alla fine sei poliziotti scesero le scale. Indossavano berretti e giubbotti e impugnavano le armi. Agenti di pattuglia del NYPD del turno di notte, probabilmente del 14º Distretto di West 35th Street, nel famoso Midtown South. Corsero lungo il binario e iniziarono a controllare il treno dalla testa. Mi alzai di nuovo e guardai dai finestrini sopra i ganci per l'intera lunghezza del treno, come se scrutassi un lungo tunnel d'acciaio inossidabile illuminato. Più in là la vista si faceva confusa a causa della sporcizia e delle impurità verdi negli strati di vetro. Ma vidi i poliziotti aprire le porte carrozza dopo carrozza, controllare all'interno, accertarsi che fosse tutto a posto, far uscire i passeggeri e indirizzarli su per le scale verso la strada. Era un treno notturno poco affollato e non impiegarono molto a raggiungerci. Verificarono dai finestrini, videro il corpo e la pistola e si irrigidirono. Le porte si aprirono con un sibilo e si riversarono dentro, due per porta. Alzammo tutti le mani come per riflesso.

Un poliziotto bloccò le porte e gli altri tre avanzarono dritti verso la morta. Si fermarono e rimasero lì a circa due metri. Non controllarono il polso o altri segni vitali. Non le misero uno specchio sotto il naso per verificare se respirasse. In parte perché era ovvio che non respirava, in parte perché non aveva il naso. La cartilagine era stata dilaniata; là dove la pressione interna le aveva fatto schizzare via gli occhi restavano alcuni frammenti irregolari d'osso.

Un poliziotto grosso con i galloni da sergente si girò. Era leggermente impallidito, ma per il resto era piuttosto convincente nei panni di chi affrontava soltanto l'ennesima notte di lavoro. «Chi ha visto cos'è successo?» chiese.

Nella parte anteriore della vettura ci fu silenzio. La donna ispanica, l'uomo con la maglietta dell'NBA e la donna africana sedevano immobili e non dissero nulla. Punto otto: sguardo rigido davanti a sé. Lo avevano tutti. *Se io non ti vedo, tu non mi vedi.* L'uomo con la polo non disse nulla. Perciò lo feci io. «Ha estratto la pistola dalla borsa e si è sparata.»

«Così, semplicemente?»

«Più o meno.»

«Perché?»

«Come faccio a saperlo?»

«Dove e quando?»

«Mentre stavamo entrando in stazione. A qualsiasi ora in cui questo è avvenuto.»

L'uomo elaborò l'informazione. Suicidio con arma da fuoco. La metropolitana era sotto la responsabilità del NYPD. La zona di decelerazione tra 41st e 42nd era di competenza del 14° Distretto. Un caso suo, non c'erano dubbi. Annuì. «D'accordo, per favore uscite tutti dalla carrozza e aspettate sul marciapiede. Ci servono nomi, indirizzi e le vostre dichiarazioni», disse.

Poi utilizzò il microfono da colletto e in risposta ebbe una forte scarica statica. Rispose a sua volta con una lunga serie di codici e numeri. Immaginai chiamasse i paramedici e un'ambulanza. Dopodiché sarebbe spettato a quelli dei trasporti sganciare la carrozza, ripulirla e rimetterla in funzione. Non era difficile, pensai. C'era parecchio tempo prima dell'ora di punta del mattino.

Scendemmo mescolandoci alla folla in attesa sul marciapiede. Agenti dei trasporti, altri poliziotti che arrivavano, operai della metropolitana che si accalcavano tutt'intorno, personale del Grand Central che sopraggiungeva. Cinque minuti dopo una squadra di paramedici del FDNY scese rumorosamente le scale con una barella. Superarono la barriera e salirono sul treno mentre gli agenti che avevano risposto per primi alla chiamata scendevano. Non vidi quello che accadde dopo perché i poliziotti cominciarono a muoversi tra la folla, a guardarsi attorno, pronti a scegliere un passeggero a testa da portar via e interrogare ulteriormente. Il grosso sergente venne a cercarmi. Avevo risposto alle sue domande sul treno. Perciò mi aveva messo al primo posto. Mi condusse più all'interno nella stazione e mi sistemò in una stanza piastrellata di bianco, calda e dall'aria viziata, forse parte delle strutture riservate agli agenti dei trasporti. Mi fece accomodare solo su una sedia di legno e mi chiese il nome.

«Jack Reacher», dissi.

Lo scrisse e non aggiunse altro. Rimase semplicemente sulla soglia a osservarmi. E attese. L'arrivo di un detective, supposi.

Il detective che arrivò era una donna e venne sola. Indossava pantaloni e una camicia grigia con le maniche corte. Forse di seta, forse sintetica. Lucida a ogni modo. La portava fuori dai pantaloni e pensai che le falde coprissero la pistola, le manette e qualsiasi altra cosa avesse. Sotto la camicia era minuta e sottile. Sopra, si notavano i capelli neri legati all'indietro e un viso piccolo, ovale. Niente gioielli. Nemmeno la fede. Era sulla quarantina. Una bella donna. Mi piacque subito. Aveva un'aria rilassata e cordiale. Mi mostrò il distintivo d'oro e mi porse il suo biglietto. Recava il numero dell'ufficio e del cellulare. Recava anche un indirizzo e-mail del NYPD. Pronunciò a voce alta il nome che vi era scritto sopra. Theresa Lee. Con la T e la h pronunciate insieme come in *theme* o *therapy*. *Theresa*. Non era asiatica. Forse Lee derivava da un vecchio matrimonio o era la versione «Ellis Island» di Leigh o di un altro nome più lungo e complicato. Oppure era una discendente di Robert E.

«Mi può dire cos'è successo di preciso?» chiese.

Parlò con tono calmo, le sopracciglia sollevate e una voce affannata colma di attenzione e di riguardo, come se la sua prima preoccupazione fosse per il mio stress post traumatico. *Me lo può dire? Ci riesce?* Come in: *riesce a riviverlo?* Sorrisi brevemente. A Midtown South il numero annuale di omicidi era addirittura a una cifra soltanto, e se anche li avesse trattati tutti di persona dal primo giorno di lavoro, io avevo visto più cadaveri di lei. Ben più cadaveri di lei. La donna sul treno non era il più piacevole, ma nemmeno il peggiore.

Perciò le dissi esattamente cos'era successo a partire da Bleecker Street: l'elenco di undici punti, il mio tentativo di approccio, la conversazione spezzettata, la pistola e il suicidio.

Theresa Lee volle parlare dell'elenco.

«Ne abbiamo una copia», affermò. «Dovrebbe essere segreto.»

«Circola in tutto il mondo da vent'anni», osservai. «Tutti ne hanno una copia. Difficile che sia segreto.»

«Lei dove l'ha visto?»

«In Israele», risposi. «Poco dopo che era stato scritto.»

«Come?»

Così le illustrai il mio curriculum. La versione ridotta. L'esercito degli Stati Uniti, i tredici anni nella polizia militare, la 110ª unità investigativa, il servizio prestato in tutto il mondo, più qualche incarico qua e là, come e quando ordinato. Poi il crollo dell'Unione Sovietica, i dividendi della pace, il budget limitato della Difesa, l'improvvisa decisione di tagliare i ponti.

«Ufficiale o soldato semplice?» domandò.

«Il grado finale era maggiore», risposi.

«E ora?»

«Sono in pensione.»

«È giovane per essere in pensione.»

«Ho deciso di godermi la vita finché posso.»

«Se la sta godendo?»

«Moltissimo.»

«Cosa faceva stanotte giù al Village?»

«Musica», dissi. «Quei blues club sulla Bleecker.»

«Dov'era diretto con la linea 6?»

«Andavo a cercare una stanza da qualche parte o fino alla Port Authority per prendere un pullman.»

«Per dove?»

«Per qualsiasi posto.»

«Una visita breve?»

«Sono le migliori.»

«Dove vive?»

«Da nessuna parte. La mia esistenza è tutta una serie di visite brevi.»

«Dov'è il suo bagaglio?»

«Non ne ho.»

In genere dopo queste mi fanno altre domande, ma Theresa Lee no. Il suo sguardo si concentrò altrove e disse: «Non mi fa piacere che l'elenco abbia sbagliato. Credevo fosse definitivo». Parlò trattandomi da collega, da poliziotto a poliziotto, come se per lei il mio vecchio lavoro facesse la differenza.

«È sbagliato solo in parte», replicai. «L'aspetto del suicidio è giusto.»

«Suppongo di sì», disse. «I segni sono gli stessi, immagino. Ma è stato lo stesso un falso positivo.»

«Meglio che un falso negativo.»

«Suppongo di sì», ripeté.

«Sappiamo chi fosse?» chiesi.

«Non ancora. Ma lo scopriremo. Mi hanno detto che sulla scena hanno trovato delle chiavi e un portafoglio. Probabilmente saranno decisivi. Ma perché la giacca invernale?»

«Non ne ho idea», affermai.

Tacque come se fosse molto delusa. «Queste cose sono in continua evoluzione. Secondo me anche all'elenco femminile dovremmo aggiungere un dodicesimo punto. Se una kamikaze si toglie il velo, abbiamo l'indizio dell'abbronzatura, come per gli uomini», dissi.

«Buona osservazione», esclamò.

«Ho letto un libro che sostiene che la parte riguardante le vergini sia un errore di traduzione. Il termine è ambiguo. Compare in un passo pieno di immagini legate al cibo. Latte e miele. Probabilmente si riferisce all'uva passa. Polposa, forse candita o zuccherata.»

«Si uccidono per l'uva passa?»

«Mi piacerebbe vedere le loro facce.»

«È un linguista?»

«Parlo inglese», risposi. «E francese. E comunque perché una donna kamikaze vorrebbe delle vergini? Molti testi sacri sono mal tradotti. Soprattutto quando parlano di vergini. Probabilmente anche il Nuovo Testamento. Secondo alcuni Maria era una primipara, niente di più. Dalla parola ebraica. Non una vergine. Gli autori originari scoppierebbero a ridere vedendo cosa abbiamo combinato.»

Theresa Lee non fece commenti su quel punto. Chiese invece: «Lei sta bene?»

La presi per una domanda volta ad accertare se fossi scosso. E se fosse il caso di offrirmi assistenza psicologica. Forse perché mi riteneva un taciturno che stava parlando troppo. Ma mi sbagliavo.

«Sto bene», risposi.

Lei sembrò un po' sorpresa e aggiunse: «Personalmente mi sarei pentita di averla avvicinata. Sul treno. Lei l'ha spinta oltre il limite. Un altro paio di fermate e forse sarebbe riuscita a gestire qualsiasi cosa la avesse sconvolta».

Restammo seduti in silenzio per un minuto, poi il grosso sergente fece capolino e con un cenno la chiamò in corridoio. Udii una breve conversazione a bassa voce, dopodiché Lee tornò e mi chiese di seguirla a West 35th Street. Alla sede del distretto.

«Perché?» domandai.

Esitò.

«Formalità», disse. «Per stendere la sua dichiarazione, per chiudere la pratica.»

«Ho scelta?»

«Non ci provi», rispose. «C'è di mezzo l'elenco israeliano. Potremmo dichiarare l'intera faccenda una questione di sicurezza nazionale. Lei è un testimone diretto, potremmo trattenerla finché sarà vecchio e morto. Meglio accondiscendere da bravo cittadino.»

Perciò alzai le spalle e la seguii fuori dal labirinto di Grand Central in Vanderbilt Avenue, dov'era parcheggiata la sua auto. Era una Ford Crown Victoria senza insegne, ammaccata e sporca, ma andava bene. Ci portò tranquillamente a West 35th. Varcammo l'imponente e vecchio portone, poi mi condusse di sopra in una stanza interrogatori. Indietreggiò e attese in corridoio che passassi. Rimase dove si trovava, chiuse la porta e girò la chiave dall'esterno.

Theresa Lee tornò venti minuti dopo con il primo abbozzo di un dossier ufficiale e un altro uomo. Posò il dossier sul tavolo e presentò questi come il suo collega. Disse che si chiamava Docherty. Disse che gli erano venute in mente alcune domande che forse sarebbe stato bene fare e chiarire fin dapprincipio.

«Quali domande?» chiesi.

Prima mi offrì un caffè e la possibilità di andare in bagno. Risposi di sì a entrambe le proposte. Docherty mi accompagnò in corridoio e quando tornammo, accanto al dossier c'erano tre bicchieri di polistirolo. Due caffè, un tè. Presi un caffè e lo assaggiai. Discreto. Lee prese il tè. Docherty prese il secondo caffè e affermò: «Ci ripeta tutto dall'inizio».

Così feci, in modo conciso, essenziale; Docherty si agitò un po' chiedendosi, come aveva fatto Lee, perché l'elenco israeliano avesse prodotto un falso positivo. Risposi, come avevo fatto con lei, che un falso positivo era meglio di un falso negativo e che, guardandola dal punto di vista della morta, il fatto che si preparasse a morire sola o a trascinare con sé una moltitudine di gente non modificava probabilmente i segnali che mostrava.

A quel punto il tono cambiò.

«Cosa ha provato?» chiese Docherty.

«A proposito di che?» domandai.

«Mentre si uccideva.»

«Ero contento che non uccidesse me.»

«Siamo detective della Omicidi. Dobbiamo indagare in tutti i casi di morti violente. Lei lo capisce, vero? Non si sa mai», osservò.

«Non si sa mai cosa?» chiesi.

«Non si sa mai che ci sia più di quel che appare.»

«Non c'è. Si è sparata.»

«Lo dice lei.»

«Nessuno può dire altrimenti. Perché è quello che è successo.»

«Ci sono sempre scenari alternativi», replicò Docherty.

«Crede?»

«Forse è stato *lei* a spararle.»

Theresa Lee mi lanciò uno sguardo di comprensione.

«No», dissi.

«Forse la pistola era sua», proseguì Docherty.

«No. Era un'arma da novecento grammi. Io non ho una borsa.»

«È un uomo grande e grosso. Pantaloni grandi. Tasche grandi.»

Theresa Lee mi lanciò un altro sguardo di comprensione. Come per dirmi: *mi dispiace.*

«Cos'è? La storia del poliziotto buono e del poliziotto idiota?»

«Crede sia un idiota?» chiese Docherty.

«Ha appena dimostrato di esserlo. Se le avessi sparato con una 357 Magnum, sarei coperto di residui fino al gomito. Ma è rimasto davanti al bagno degli uomini mentre mi lavavo le mani. Spara un sacco di cazzate. Non mi avete preso le impronte digitali e non mi avete letto i miei diritti. Mi sta buttando fumo negli occhi.»

«Abbiamo l'obbligo di verificare.»

«Cosa dice il medico legale?»

«Ancora non lo sappiamo.»

«C'erano dei testimoni.»

Lee scosse la testa. Inutili. «Non hanno visto niente.»

«Devono aver visto.»

«La sua schiena impediva la visuale. E poi non stavano guardando, erano semiaddormentati. Inoltre non parlano bene l'inglese. Non avevano niente da dirci. Credo volessero andarsene prima che iniziassimo a controllare le loro carte verdi.»

«E l'altro tizio? Era davanti a me. Era più che sveglio. Sembrava un cittadino regolare di madrelingua inglese.»

«Quale altro tizio?»

«Il quinto passeggero. Pantaloni sportivi di cotone e polo.»

Lee aprì il dossier. Scosse la testa. «C'erano solo quattro passeggeri più la donna.»

Lee prese un foglio di carta dal dossier, lo girò e me lo avvicinò fino a metà tavolo. Era una lista scritta a mano dei testimoni. Quattro nomi. Il mio, più una Rodriguez, un Frlujlov e una Mbele.

«Quattro passeggeri», ripeté.

«Ero sul treno. So contare. So quanti passeggeri c'erano», dissi. Poi rividi mentalmente la scena. Eravamo scesi dal treno, stavamo aspettando tra la piccola folla che s'aggirava. Arriva la squadra di paramedici. Subito dopo i poliziotti escono dal treno, si addentrano nella calca, afferrano un gomito ciascuno e portano via i testimoni in stanze separate. Io ero stato afferrato per primo dal grosso sergente. Impossibile dire se ci avessero seguito quattro poliziotti o tre.

«Dev'essere sgattaiolato via», affermai.

«Chi era?» chiese Docherty.

«Un tizio qualsiasi. Sveglio, ma non aveva niente di particolare. Della mia età, non povero.»

«Ha interagito in qualche modo con la donna?»

«Non che abbia visto.»

«Le ha sparato?»

«Si è sparata lei.»

Docherty scrollò le spalle. «Quindi è soltanto un testimone riluttante. Non vuole che da qualche documento risulti che era in giro alle due del mattino. Probabilmente tradisce la moglie. Succede in continuazione.»

«È scappato. Ma lui lo lasciate perdere e puntate invece su di me?»

«Ha appena testimoniato che non era coinvolto.»

«Nemmeno io.»

«Questo lo dice lei.»

«Mi credete per quanto riguarda quell'altro, ma non me?»

«Perché dovrebbe mentire riguardo all'altro tizio?»

«Questa è una perdita di tempo», dissi. E lo era. Era una perdita di tempo tanto grossolana e palese che mi resi conto d'un tratto che non era tale. Mi resi conto che in effetti, pur a modo loro, Lee e Docherty mi stavano facendo un piccolo favore.

Non si sa mai che ci sia più di quel che appare.

«Chi era quella donna?» dissi.

«Perché dovrebbe essere qualcuno?» replicò Docherty.

«Perché avete effettuato l'identificazione e i computer si sono illuminati come alberi di Natale. Qualcuno vi ha chiamato e vi ha detto di trattenermi fino al suo arrivo. Non volevate registrare un arresto sulla mia fedina, perciò mi state trattenendo con tutte queste stronzate.»

«Non ci interessa in particolare la sua fedina. Non volevamo semplicemente sobbarcarci tutte le carte.»

«Allora chi era?»

«A quanto risulta, lavorava per il governo. Un'agenzia federale sta venendo qui per interrogarla. Non possiamo rivelare quale.»

Mi lasciarono chiuso nella stanza. Era un posto mediocre. Sporco, caldo, rovinato, senza finestre, con poster datati sulla prevenzione del crimine alle pareti e un odore di sudore, d'ansia e di caffè bruciato nell'aria. Il tavolo e le tre sedie. Due per i detective, una per il sospettato. Un tempo forse il sospettato veniva malmenato e scaraventato giù dalla sedia. Forse capitava ancora. Difficile dire con esattezza cosa accade in una stanza senza finestre.

Calcolai mentalmente l'attesa. L'orologio segnava già un'ora dalla conversazione sottovoce di Theresa Lee nel corridoio di Grand Central. Perciò sapevo che non stava venendo da me l'FBI. Il loro ufficio di New York è il più grande del paese, ha sede giù a Federal Plaza, vicino al municipio. Dieci minuti per reagire, dieci minuti per mettere insieme una squadra, dieci minuti per dirigersi in centro con luci e sirene. L'FBI sarebbe arrivato da tempo. Questo tuttavia mi lasciava con un folto gruppo di altre agenzie a tre lettere. Scommisi con me stesso che chiunque stesse arrivando avesse IA come lettere finali sul distintivo. CIA, DIA. Central Intelligence Agency. Defence Intelligence Agency. Forse altre di recente invenzione e tuttora ignote. Le crisi nel cuore della notte rientravano decisamente nel loro stile.

Dopo che alla prima si fu aggiunta una seconda ora, supposi venissero dritti da D.C., il che implicava una piccola combriccola di specialisti. Chiunque altro avrebbe avuto un ufficio operativo più vicino. Smisi di fare congetture, reclinai la sedia, posai i piedi sul tavolo e mi addormentai.

Non scoprii con precisione chi fossero. Non in quel momento. Non me lo avrebbero mai detto. Alle cinque del mattino entrarono tre uomini in borghese e mi svegliarono. Erano educati e risoluti. I loro completi erano di prezzo medio, puliti e stirati. Le scarpe lucidate. I loro occhi vivi. Il taglio di capelli recente e corto. I volti erano rosei e arrossati. Il corpo tarchiato ma tonico. Sembravano in grado di correre una mezza maratona senza grandi problemi ma anche senza gran piacere. Dalla prima impressione pensai fossero da poco ex militari. Ufficiali di stato maggiore fin troppo zelanti a cui era stato offerto un incarico in qualche edificio di granito chiaro nella Beltway. Uomini veramente convinti, impegnati a svolgere un lavoro importante. Chiesi di vedere documenti, distintivi e credenziali, ma mi citarono il Patriot Act e mi dissero che non erano obbligati a identificarsi. Probabilmente era vero e di certo godettero nel dirlo. Valutai l'idea di chiudermi a riccio per ripicca, ma se ne accorsero e mi citarono un'altra parte della legge che non mi lasciò dubbi sul fatto che in fondo a quella strada avrei trovato una valanga di guai. Temo ben poche cose, ma è sempre meglio evitare fastidi con l'attuale sistema di sicurezza. Franz Kafka e George Orwell mi avrebbero dato lo stesso consiglio. Perciò alzai le spalle, dissi loro di procedere e di farmi le domande.

Iniziarono con l'affermare che sapevano del mio servizio nell'esercito e che lo rispettavano molto, il che era una scontata e insulsa banalità oppure significava che erano stati anche loro nella polizia militare. Poi dissero che mi avrebbero studiato con molta attenzione e avrebbero capito se avessi detto il vero o mentito. Il che era un'emerita stronzata perché solo i migliori di noi sono in grado di farlo e quegli uomini non lo erano, altrimenti si sarebbero trovati in una posizione molto più elevata, ossia a casa a letto in un quartiere residenziale in Virginia anziché a correre su e giù per la I-95 nel cuore della notte.

Ma non avevo niente da nascondere, quindi li invitai di nuovo a procedere.

Avevano tre punti principali d'interesse. Primo: conoscevo la donna che si era uccisa sul treno? L'avevo mai vista prima?

«No», risposi in modo conciso e garbato, calmo ma deciso.

Non ebbero altre domande. Il che mi fece capire più o meno chi fossero e cosa facessero esattamente. Erano la squadra B di qualcuno, spedita a nord per chiudere un'indagine in corso. Stavano facendo muro, seppellendo, cancellando qualcosa su cui qualcuno aveva nutrito un mezzo sospetto. Volevano una risposta negativa a ogni domanda, in modo che il file potesse essere chiuso e la questione dimenticata. Volevano essere sicuri che non ci fossero problemi irrisolti e non volevano attirare l'attenzione sulla faccenda trasformandola in un dramma. Volevano rimettersi in viaggio dopo essersi scordati l'intera cosa.

La seconda domanda fu: conoscevo una donna chiamata Lila Hoth?

«No», dissi perché non la conoscevo. Non allora.

La terza domanda fu più un dialogo prolungato. Lo avviò l'agente al comando. Il capo. Era un po' più vecchio e un po' più piccolo degli altri due. Forse anche un po' più sveglio. «Lei si è avvicinato alla donna sul treno», affermò.

Non replicai. Ero lì per rispondere alle domande, non per commentare affermazioni.

«Quanto si è avvicinato?» chiese l'uomo.

«Fino a due metri», dissi. «Più o meno.»

«Abbastanza da toccarla?»

«No.»

«Se avesse allungato il braccio e lei anche, vi sareste potuti toccare con le mani?»

«Forse», ammisi.

«È un sì o un no?»

«È un forse. So quanto sono lunghe le mie braccia. Non so quanto lo fossero quelle di lei.»

«Le ha passato qualcosa?»

«No.»

«Ha accettato qualcosa da lei?»

«No.»

«Ha preso qualcosa da lei quando è morta?»

«No.»

«Lo ha fatto qualcun altro?»

«Non che abbia visto.»

«Ha visto qualcosa caderle dalla mano, dalla borsa o dagli abiti?»

«No.»

«Le ha detto qualcosa?»

«Niente di rilevante.»

«Ha parlato con qualcun altro?»

«No.»

«Le spiace svuotarsi le tasche?» domandò l'uomo.

Scrollai le spalle. Non avevo niente da nascondere. Svuotai una tasca alla volta e ammucchiai il contenuto sul tavolo scassato. Un rotolo di banconote e alcune monete. Il mio vecchio passaporto. Il bancomat. Lo spazzolino pieghevole. La Metrocard che mi aveva permesso di salire sulla metropolitana. E il biglietto da visita di Theresa Lee.

L'uomo frugò nella mia roba con un dito e fece un cenno a un sottoposto, che si avvicinò per perquisirmi. Fece un lavoro da quasi-esperto, non trovò nient'altro e scosse la testa.

«Grazie, signor Reacher», disse il capo.

Poi se ne andarono, tutti e tre, rapidamente com'erano arrivati. Ne fui un po' sorpreso, ma anche abbastanza contento. Mi rimisi la roba in tasca, attesi che sgombrassero il corridoio e uscii. Il posto era silenzioso. Vidi Theresa che non faceva nulla a un tavolo e il suo collega, Docherty, che conduceva un uomo nella sala della squadra fino a un vano sul retro. Era sulla quarantina, sfinito, di corporatura media. Indossava una maglietta grigia spiegazzata e un paio di pantaloni rossi della tuta. Era uscito di casa senza pettinarsi. Quello era chiaro. Aveva i capelli grigi tutti scompigliati. Theresa Lee vide che lo osservavo e disse: «Un parente».

«Della donna?»

Annuì. «Nella borsa c'erano dei nomi. È il fratello. È anche lui un poliziotto. In una cittadina del New Jersey. È venuto dritto qui in macchina. »

« Poveraccio. »

« Lo so. Non gli abbiamo chiesto di effettuare l'identificazione ufficiale. È troppo conciata. Gli abbiamo detto che la scelta giusta era una bara chiusa. Ha afferrato il messaggio. »

« Quindi siete sicuri sia lei? »

Annuì di nuovo. « Le impronte digitali. »

« Chi era? »

« Non posso dirlo. »

« Ho finito qui? »

« I federali hanno terminato con lei? »

« A quanto pare. »

« Allora vada. Ha finito. »

Raggiunsi la cima delle scale e lei mi chiamò. « Non parlavo sul serio quando le ho detto che l'ha spinta oltre il limite », disse.

« Sì invece », risposi. « E forse aveva ragione. »

Uscii nel freddo dell'alba, svoltai a sinistra su 35th Street e mi diressi a est. *Ha finito.* Ma non era così. Proprio lì all'angolo c'erano altri quattro uomini in attesa di parlarmi. Tipi simili ai precedenti, ma non agenti federali. I vestiti erano troppo costosi.

Il mondo è la stessa giungla dappertutto ma New York ne è il distillato più puro. Ciò che altrove è utile, in questa grande città è vitale. Vedi quattro tizi radunati a un angolo che ti aspettano e senza esitare scappi come un matto nella direzione opposta oppure continui a camminare senza rallentare, accelerare o variare il passo. Guardi davanti a te con voluta neutralità, studi i loro volti e distogli lo sguardo come se dicessi *tutto qui quello che sapete fare?*

La verità è che è più furbo scappare. Lo scontro migliore è quello che eviti. Ma io non ho mai sostenuto di essere furbo. Solo ostinato e ogni tanto irritabile. Qualcuno sfoga le frustrazioni tirando calci. Io continuo a camminare.

I vestiti erano tutti blu notte e sembravano arrivare da quel genere di negozi che hanno un nome straniero di persona sopra la porta. Gli uomini che ci stavano dentro avevano un'aria competente. Come sottufficiali. Sapevano come andava il mondo ed erano fieri della propria capacità di portare a termine un lavoro. Erano di certo ex militari o ex appartenenti alle forze dell'ordine, o entrambi. Erano quel tipo di uomini che avevano fatto un passo all'insù nella gerarchia degli stipendi e uno in là rispetto a regole e regolamenti, e consideravano le due mosse altrettanto preziose.

Quando ero ancora a quattro passi di distanza, si divisero in due coppie. Mi lasciarono lo spazio per passare se lo avessi voluto, ma l'uomo davanti a sinistra alzò leggermente entrambi i palmi muovendoli a mezz'aria nel chiaro e duplice gesto che significava *si fermi, per favore* e *non la stiamo minacciando*. Sfruttai il passo successivo per decidere. Non puoi farti prendere in mezzo da quattro uomini. O ti fermi prima o li superi a forza. A quel punto avevo entrambe le alternative. Sarebbe stato facile fermarsi, facile continuare. Se avessero serrato i ranghi mentre avanzavo, sarebbero finiti stesi come birilli. Peso centotredici chili e mi muovevo a sei chilometri e mezzo all'ora. Loro non pesavano tanto e non si muovevano.

A due passi, l'uomo davanti disse: «Possiamo parlare?»

Mi fermai. «Di cosa?» dissi.

«Lei è il testimone, giusto?»

«E lei chi è?»

L'uomo rispose scostando il risvolto della giacca con fare lento e non minaccioso, senza mostrarmi altro che la fodera di satin rosso e la camicia. Niente pistola, niente fondina, niente cintura. Infilò le dita della destra nel taschino sinistro ed estrasse un biglietto da visita. Si allungò e me lo porse. Era un prodotto scadente. Sulla prima riga si leggeva: SURE AND CERTAIN, INC. Sulla seconda: PROTEZIONE, INVESTIGAZIONI, MEDIAZIONI. Sulla terza c'era un numero telefonico con un prefisso della zona 212. Manhattan.

«Kinko è un posto fantastico, vero?» osservai. «Forse mi procurerò dei biglietti con su scritto: JOHN SMITH, RE DEL MONDO.»

«Il biglietto è vero», rispose l'uomo. «E lo siamo anche noi.»

«Per chi lavorate?»

«Non possiamo dirlo.»

«Allora non posso aiutarvi.»

«Sarà meglio che parli con noi piuttosto che con il nostro cliente. Possiamo mantenere le cose su un piano civile.»

«Adesso ho davvero paura.»

«Solo un paio di domande. Nient'altro. Ci aiuti. Siamo solo individui che lavorano e cercano di farsi pagare. Come lei.»

«Io non sono una persona che lavora. Sono un nobiluomo che fa la bella vita.»

«Allora ci guardi dall'alto della sua posizione e abbia pietà.»

«Quali domande?»

«Quella donna le ha dato qualcosa?»

«Chi?»

«Lo sa chi. Ha preso qualcosa da lei?»

«E? Qual è l'altra domanda?»

«Le ha detto qualcosa?»

«Ha detto molte cose. Ha parlato da Bleecker a Grand Central.»

«Per dire cosa?»

44

«Non ho sentito molto.»
«Informazioni?»
«Non ho sentito.»
«Ha fatto nomi?»
«Forse.»
«Ha fatto il nome di Lila Hoth?»
«Non che abbia sentito.»
«Ha detto John Sansom?»
Non risposi. «Che c'è?» domandò l'uomo.
«Ho sentito quel nome da qualche parte», risposi.
«Da lei?»
«No.»
«Le ha dato qualcosa?»
«Che genere di cosa?»
«Qualsiasi.»
«Mi spieghi che differenza farebbe.»
«Il nostro cliente vuole saperlo.»
«Gli dica che venga a chiedermelo di persona.»
«È meglio che parli con noi.»
Sorrisi e continuai a camminare nel passaggio che avevano
creato. Ma uno degli uomini a destra si spostò di lato e cercò di
spingermi indietro. Lo presi con una spallata nel petto e facen-
dolo girare lo tolsi di mezzo. Tornò alla carica. Mi fermai, ri-
partii, feci una finta a sinistra e una a destra, gli scivolai alle
spalle e lo spintonai con forza nella schiena tanto che continuò
ad avanzare incespicando davanti a me. La sua giacca aveva un
unico spacco centrale. Secondo lo stile francese. Gli abiti inglesi ne hanno due laterali, quelli italiani nessuno. Mi chinai, afferrai i lembi, li sollevai e strappai la cucitura lungo tutta la
schiena. Poi lo spintonai di nuovo. Avanzò ancora incespicando e piegò a destra. La giacca gli penzolava dal colletto. Sbottonata sul davanti, aperta dietro come una camiciola ospedaliera.
Feci tre passi di corsa, mi fermai e mi girai. Continuare a
camminare lentamente sarebbe stato molto più distinto, ma
anche più stupido. L'indifferenza è una buona cosa, ma essere
pronti è meglio. Tutti e quattro furono presi da un momento
di effettiva indecisione. Volevano venire a prendermi. Quello
era certo. Ma si trovavano su West 35th Street all'alba. A quel-
l'ora praticamente tutto il traffico era costituito da poliziotti.

Perciò alla fine si limitarono a lanciarmi una dura occhiata e si allontanarono. Attraversarono la 35th in fila indiana e all'angolo si diressero a sud.

Ha finito.

Non era così. Mi voltai per avviarmi e dalla sede del distretto uscì un uomo che mi corse dietro. Maglietta grigia spiegazzata, pantaloni rossi della tuta, capelli grigi tutti scompigliati. Il parente. Il fratello. Il poliziotto della cittadina del New Jersey.

Mi raggiunse, mi afferrò per il gomito con una presa energica, mi disse che mi aveva visto dentro e che aveva supposto fossi il testimone. Poi mi disse che sua sorella non si era suicidata.

11

Lo portai in un coffee shop su Eighth Avenue. Molto tempo fa mi mandarono a un seminario di un giorno per poliziotti militari a Fort Rucker, per imparare a gestire con tatto chi aveva di recente subito un lutto. A volte i poliziotti militari dovevano dare la cattiva notizia ai parenti. Li chiamavamo i messaggi di morte. Le mie capacità erano ritenute di gran lunga insufficienti. Ero solito entrare e dirlo. Pensavo fosse la sostanza di un messaggio. Ma a quanto pareva mi sbagliavo. Perciò mi mandarono a Fort Rucker. Là imparai cose utili. Imparai a prendere sul serio i sentimenti. E soprattutto che i caffè, i ristoranti e i coffee shop sono ambienti adatti per riferire una brutta notizia. La presenza di pubblico limita le probabilità di crollo e il processo di ordinare, attendere e consumare interrompe il flusso di informazioni in modo da renderlo più facilmente assimilabile.

Scegliemmo un tavolo accanto uno specchio. Anche quello aiuta. Ci si può guardare a vicenda nello specchio. Faccia a faccia, ma non proprio. Il locale era pieno quasi a metà. Agenti del distretto, tassisti diretti ai posteggi del West Side. Prendemmo un caffè. Io volevo anche mangiare, ma non avrei ordinato se lui non lo avesse fatto. Non era rispettoso. Disse che non aveva fame. Rimasi seduto in silenzio e attesi. Lasciate che parlino per primi, avevano detto gli psicologi di Rucker.

Mi disse di chiamarsi Jacob Mark. Markakis in origine, ai tempi del nonno, quando un nome greco non era utile a nessuno a meno che non fossi nel giro dei deli, e suo nonno non lo era. Lui era nel giro delle costruzioni. Di qui il cambiamento. Disse che avrei potuto chiamarlo Jake. Risposi che avrebbe potuto chiamarmi Reacher. Mi spiegò di essere un poliziotto. Replicai che un tempo lo ero stato anch'io, nell'esercito. Aggiunse di non essere sposato e di vivere solo. Dissi che per me era lo stesso. Stabilite un terreno comune, avevano detto i docenti di Rucker. Da vicino, al di là della sciatteria fisica, era un tipo a posto. Aveva la patina di stanchezza caratteristica di ogni poliziotto, ma sotto di essa c'era un uomo comune di periferia. Con un diverso orientamento professionale sarebbe potuto diventare un insegnante di scienze, un dentista o il gestore di un negozio di ricambi per auto. Era sulla quarantina, già piuttosto grigio, ma aveva un volto giovanile e senza rughe. Aveva due occhi scuri, grandi, fissi ma quello era un aspetto temporaneo. Alcune ore prima, quando era andato a letto, doveva essere stato un bell'uomo. Mi piacque a prima vista e provai pena per la sua situazione.

Fece un respiro e mi disse che sua sorella si chiamava Susan Mark. Un tempo Susan Molina, ma era divorziata da molti anni e tornata single. Ora viveva sola. Parlava di lei al presente. Era ben lungi da qualsiasi senso di accettazione.

«Non può essersi uccisa. Non è semplicemente possibile», disse.

«Jake, io ero là», osservai.

La cameriera ci portò i caffè e per un attimo li sorseggiammo in silenzio. Per passare un po' di tempo, perché la realtà sedimentasse un po' di più. Gli psicologi di Rucker erano stati espliciti: chi ha subito di recente un lutto ha un QI da Labrador. Indelicati perché erano dell'esercito, ma precisi perché erano psicologi.

«Allora mi dica cos'è successo», affermò Jake.

«Lei di dov'è?» gli domandai.

Nominò una cittadina nel New Jersey settentrionale, più che all'interno dell'area metropolitana di New York, popolata da pendolari e da mamme che seguono le mille attività dei figli, fiorente, sicura, contenta. Disse che il dipartimento di polizia era ricco di fondi, di attrezzature e in genere sottoutilizzato. Gli chiesi se il suo dipartimento avesse una copia dell'elenco israeliano. Mi disse che dopo le Torri gemelle ogni dipartimento di polizia del paese era stato sommerso di carte e che ogni agente era stato obbligato a imparare ogni punto di ogni elenco.

«Sua sorella si comportava in modo strano, Jake. Ha fatto scattare tutti gli allarmi. Sembrava una kamikaze», spiegai.

«Stronzate», ribatté come avrebbe fatto qualsiasi bravo fratello.

«Ovviamente non lo era», aggiunsi. «Ma lei avrebbe pensato la stessa cosa. Sarebbe stato indotto a farlo dal suo addestramento.»

«Quindi l'elenco riguarda più i suicidi che i kamikaze.»

«A quanto pare.»

«Non era una persona infelice.»

«Doveva esserlo.»

Lui non rispose. Sorseggiammo un altro po' di caffè. La gente andava e veniva. Pagava il conto, lasciava mance. Sulla Eighth il traffico aumentò.

«Mi parli di lei», dissi.

«Che pistola ha usato?» chiese.

«Una vecchia Ruger Speed-Six.»

«La pistola di nostro padre. L'ha ereditata.»

«Dove viveva? Qui in città?»

Lui scosse la testa. «Ad Annandale, in Virginia.»

«Sapeva che era qui?»

Scosse di nuovo la testa.

«Perché venirci?»

«Non lo so.»

«Perché indossare una giacca invernale?»

«Non lo so.»

«Sono venuti alcuni agenti federali e mi hanno fatto domande. Poi, poco prima di lei, mi hanno trovato alcuni poliziotti privati. Parlavano tutti di una donna chiamata Lila Hoth. Ha mai sentito quel nome da sua sorella?»

«No.

«E John Sansom?»

«È un deputato della Carolina del Nord. Vuol diventare senatore. Un tipo inflessibile.»

Annuii. Me lo ricordavo vagamente. La stagione elettorale era alle porte. Avevo visto articoli di giornale e servizi televisivi. Sansom era entrato tardi in politica ed era un astro nascente. Era considerato un duro e un intransigente. E un ambizioso. Per un certo periodo aveva avuto successo nel mondo degli affari e prima ancora nell'esercito. Aveva lasciato intendere di aver fatto una splendida carriera nelle forze speciali senza fornire dettagli. Una carriera nelle forze speciali è ottima per quel genere di cose. Molto di quello che fanno è segreto o può essere dichiarato tale.

« Sua sorella ha mai nominato Sansom? » chiesi.

« Mi sembra proprio di no », rispose.

« Lo conosceva? »

« Non vedo come. »

« Cosa faceva per vivere? » domandai.

Non volle dirmelo.

12

Non fu tuttavia necessario che lo facesse. Ne sapevo già abbastanza da azzardare un'ipotesi. Le sue impronte digitali erano schedate; tre ex ufficiali di stato maggiore di tutto rispetto erano arrivati di corsa fin qui ma erano ripartiti nel giro di pochi minuti. Il che collocava Susan Mark in qualche ramo della Difesa, ma non in una posizione elevata. Inoltre viveva ad Annandale, in Virginia. A sud-ovest di Arlington, da quel che ricordavo. Probabilmente era cambiata da quando c'ero stato l'ultima volta. Ma probabilmente era ancora un posto decente in cui vivere e una buona base per andare al lavoro nel complesso di uffici più grande del mondo. Route 244, da un capo all'altro.

«Lavorava al Pentagono», dissi.

«Non poteva parlare del suo lavoro», affermò Jake.

Scossi la testa. «Se fosse stato davvero un segreto, le avrebbe detto che lavorava da Wal-Mart.»

Lui non rispose. «Una volta avevo un ufficio al Pentagono. Conosco il posto. Mi metta alla prova.»

Lui tacque per un attimo, poi alzò le spalle e disse: «Era un'impiegata civile, ma lo faceva sembrare eccitante. Lavorava per una struttura chiamata CGUSAHRC. Non mi ha mai detto molto al riguardo. La faceva apparire come una faccenda molto segreta. Oggi, dopo le Torri gemelle, non puoi più parlare tanto».

«Non è una struttura», replicai. «È una persona. CGUSAHRC significa Commanding General, United States Army, Human Resources Command. E non è un posto molto eccitante. È un dipartimento del personale. Carte e documenti.»

Jake non rispose. Pensai di averlo offeso sminuendo la carriera della sorella. Forse il seminario a Rucker non mi aveva insegnato abbastanza. Forse avrei dovuto prestare più attenzione. Il silenzio si protrasse un po' troppo e divenne imbarazzante. «Le ha mai raccontato qualcosa al riguardo?» domandai.

« Non proprio. Forse non c'era molto da raccontare.» Lo affermò con una nota d'amarezza, come se la sorella fosse stata sorpresa a mentire.

« Le persone infiorettano le cose, Jake. È la natura umana. Di solito non c'è cattiveria. Forse voleva solo competere, visto che lei è poliziotto.»

« Non eravamo molto legati.»

« Eravate pur sempre parenti.»

« Be', sì.»

« Le piaceva il suo lavoro?»

« Sì. Ed era adatto a lei. Aveva le giuste capacità per un dipartimento di carte. Ottima memoria, meticolosità, grande organizzazione. Era brava con il computer.»

Ripiombò il silenzio. Tornai a pensare ad Annandale.

Una comunità piacevole ma anonima. Sostanzialmente un dormitorio. Nelle circostanze attuali aveva solo una caratteristica rilevante.

Era molto lontana da New York.

Non era una persona infelice.

« Che c'è?» domandò Jake.

« Niente. Non sono affari miei», risposi.

« Ma che c'è?»

« Stavo solo pensando.»

« A cosa?»

Non si sa mai che ci sia più di quel che appare.

« Da quanto è poliziotto?»

« Da diciotto anni.»

« Sempre nello stesso posto?»

« Ho fatto l'addestramento nella polizia statale. Poi ho cambiato.»

« Ha visto molti suicidi nel New Jersey?»

« Un paio all'anno forse.»

« Qualcuno li aveva previsti?»

« Non proprio. Di solito sono una grossa sorpresa.»

« Come questo.»

« Proprio così.»

« Ma dietro ognuno dev'esserci un motivo.»

« Sempre. Economico, sessuale, casini di vario genere.»

« Quindi sua sorella doveva avere un motivo.»

«Non so quale.»

Tacque di nuovo. «Mi dica. Mi spieghi», incalzò Jake.

«Non spetta a me.»

«Lei era un poliziotto», affermò. «Ha pensato a qualcosa.»

Annuii. «Credo che tra i suicidi che ha visto, forse sette su dieci si sono uccisi a casa e tre su dieci sono andati in qualche stradina poco frequentata e si sono attaccati al tubo.»

«Più o meno.»

«Ma sempre in qualche luogo familiare. Tranquillo e solitario. Arrivi lì, ti calmi e lo fai.»

«Che intende?»

«Che non ho mai sentito di un suicidio in cui la persona si allontana da casa per centinaia di chilometri e lo fa mentre il viaggio è ancora in corso.»

«Glielo ho detto.»

«Mi ha detto che non si è uccisa. Ma Susan l'ha fatto. L'ho vista. Intendo però che l'ha fatto in un modo davvero bizzarro. Anzi, non ho mai sentito prima di un suicidio in una carrozza della metropolitana. Sotto, forse, ma non dentro. Ha mai sentito di un suicidio su un mezzo di trasporto pubblico in corsa?»

«E allora?»

«Allora niente. Mi stavo solo facendo delle domande, tutto qui.»

«Perché?»

«Perché... pensi da poliziotto, Jake. Non da fratello. Cosa fai quando qualcosa decisamente non torna?»

«Vai più a fondo.»

«Allora lo faccia.»

«Non la riporterà indietro.»

«Ma capire aiuta molto.» Il che era un altro concetto che mi avevano insegnato a Fort Rucker. Non però nel corso di psicologia.

Mi feci riempire di nuovo la tazza di caffè. Jacob Mark prese una bustina di zucchero e la rigirò tra le dita; il contenuto cadeva da un'estremità all'altra del rettangolo, ripetutamente, come in una clessidra. Vedevo la sua mente lavorare come quella di un poliziotto e il suo cuore come quello di un fratello. Era tutto lì, sul suo volto. *Vai più a fondo. Non la riporterà indietro.*

«Che altro c'è?» chiese.

«C'era un passeggero che se n'è andato prima che il NYPD arrivasse a lui.»

«Chi?»

«Un tizio qualsiasi. La polizia ha pensato che non volesse vedere il suo nome inserito nel sistema. Che forse stesse tradendo la moglie.»

«Possibile.»

«Sì», ammisi. «Possibile.»

«E?»

«Sia i federali che i poliziotti privati mi hanno chiesto se sua sorella mi avesse passato qualcosa.»

«Che genere di cosa?»

«Non lo hanno precisato. Immagino qualcosa di piccolo.»

«Chi erano i federali?»

«Non hanno voluto dirmelo.»

«Chi erano i poliziotti privati?»

Mi sollevai dalla panca e presi il biglietto da visita dalla tasca posteriore. Un prodotto scadente, già spiegazzato e aveva già preso un po' di blu dei jeans. Pantaloni nuovi, tintura recente. Lo misi sul tavolo, lo girai e glielo avvicinai. Jake lo lesse lentamente, forse due volte. SURE AND CERTAIN, INC. PROTEZIONE, INVESTIGAZIONI, MEDIAZIONI. Il numero di telefono. Prese un cellulare e fece il numero. Udii un'attesa e un dindon lieve, allegro di tre note con un messaggio registrato. Jake chiuse il telefono e disse: «Non è attivo. Un numero falso».

13

Mi feci riempire ancora la tazza di caffè. Jake restò a fissare la cameriera come se non avesse mai visto niente del genere. Alla fine lei perse ogni e interesse si allontanò. Jake mi riavvicinò il biglietto. Lo presi, me lo misi in tasca e lui disse: «La cosa non mi piace».

«Neanche a me piacerebbe», osservai.

«Dovremmo tornare a parlare con il NYPD.»

«Si è uccisa, Jake. Quello è il punto. È tutto ciò che hanno bisogno di sapere. A loro non interessa come, dove o perché.»

«Invece dovrebbero interessarsi.»

«Forse. Ma non è così. Lei lo farebbe?»

«Probabilmente no», ammise. Vidi il suo sguardo diventare assente. Forse stava ripensando a vecchi casi. Grandi case, strade verdi, avvocati che si godono la bella vita con i soldi dei clienti, incapaci di realizzare qualsiasi cosa, che sfuggono alle proprie responsabilità di fronte alla vergogna, allo scandalo e alla radiazione dall'albo. Insegnanti che mettono incinte le studentesse. Padri di famiglia che hanno un fidanzato a Chelsea o al West Village. I poliziotti locali armati di tatto e di rude comprensione, grossi e invadenti nelle abitazioni linde e tranquille, che controllano la scena, stabiliscono i fatti, scrivono i verbali, chiudono le pratiche, dimenticano, passano al compito seguente senza interessarsi di come, dove o perché.

«Ha una teoria?» disse.

«È troppo presto per una teoria. Tutto quello che abbiamo finora sono dei fatti», risposi.

«Quali fatti?»

«Il Pentagono non si fidava del tutto di sua sorella.»

«È un'affermazione pesante.»

«Era sotto sorveglianza, Jake. Per forza. Non appena il suo nome è stato inserito nel sistema, quei federali sono partiti alla carica. In tre. Seguendo una procedura.»

«Non sono rimasti molto.»

Annuii. «Il che significa che non nutrivano molti sospetti. Erano cauti, tutto qui. Forse avevano una vaga idea in testa, ma in fondo non ci credevano. Sono venuti qui per escluderla.»

«Che idea?»

«Informazioni», spiegai. «È tutto quello che lo Human Resources Command possiede.»

«Pensavano passasse informazioni?»

«Volevano escluderlo.»

«Il che significa che in qualche momento dovevano averlo pensato.»

Annuii di nuovo. «Forse è stata vista nell'ufficio sbagliato, ad aprire l'archivio sbagliato. Forse hanno pensato ci fosse una spiegazione innocente, ma volevano esserne certi. O forse è sparito qualcosa e non sapevano chi controllare, perciò li stavano controllando tutti.»

«Che genere di informazioni?»

«Non ne ho idea.»

«Come un dossier fotocopiato?»

«Più piccolo», dissi. «Un biglietto ripiegato, una memoria elettronica. Qualcosa che poteva essere passato da una mano all'altra in una carrozza della metropolitana.»

«Era una patriota. Amava il suo paese. Non lo avrebbe fatto.»

«E non l'ha fatto. Non ha passato niente a nessuno.»

«Perciò non abbiamo nulla.»

«Abbiamo sua sorella a centinaia di chilometri da casa con una pistola carica.»

«E terrorizzata», aggiunse Jake.

«Con addosso una giacca invernale con una temperatura di trenta gradi.»

«E due nomi buttati lì», aggiunse. «John Sansom e Lila Hoth, chiunque diavolo sia. Hoth sembra straniero.»

«Come Markakis un tempo.»

Tacque di nuovo e io sorseggiai il caffè. Il traffico stava rallentando sulla Eighth. Si stava avvicinando l'ora di punta del mattino. Il sole era alto, leggermente a sud-est. I suoi raggi non erano allineati con la griglia di strade. Formavano un angolo. E gettavano lunghe ombre diagonali.

«Mi dia qualcosa per iniziare», disse Jake.

«Non ne so abbastanza», ribattei.

«Faccia qualche ipotesi.»

«Non posso. Potrei inventare una storia, ma sarebbe piena di lacune. E potrebbe anche essere completamente sbagliata.»

«Ci provi. Mi dia qualcosa. Come in un brainstorming.»

Scrollai le spalle. «Ha mai incontrato qualche ex appartenente alle forze speciali?»

«Due o tre. Forse quattro o cinque, contando i poliziotti statali che conoscevo.»

«Probabilmente invece no. Parecchie carriere nelle forze speciali non sono mai esistite. È come la gente che racconta di essere stata a Woodstock. Se crede a tutti, sarebbero dovuti essere dieci milioni. O come i newyorkesi che hanno visto gli aerei colpire le Torri. A starli a sentire, li hanno visti tutti. In quel momento nessuno guardava da un'altra parte. Quelli che dicono di essere stati nelle forze speciali di solito raccontano balle. In genere non sono mai andati oltre la fanteria. Qualcuno di loro non è neanche mai stato nell'esercito. La gente infioretta le cose.»

«Come mia sorella.»

«È la natura umana.»

«Dove vuole arrivare?»

«Lavoro con quello che abbiamo. Abbiamo due nomi, una stagione elettorale agli inizi e sua sorella allo HRC.»

«Crede che John Sansom menta sul suo passato?»

«Probabilmente no», dissi. «Ma è un ambito in cui l'esagerazione è frequente. E la politica è un mestiere sporco. Può scommettere che in questo momento qualcuno stia controllando il tizio che vent'anni fa ha fatto le pulizie per John Sansom, per verificare se avesse la carta verde. Perciò è facile presumere che stiano controllando la sua vera biografia. È uno sport nazionale.»

«Allora forse Lila Hoth è una giornalista. Una ricercatrice. Di qualche pay TV o roba del genere. O di una talk radio.»

«Forse è l'avversaria di Sansom.»

«Non con un nome del genere. Non nella Carolina del Nord.»

«D'accordo, diciamo che sia una giornalista o una ricercatrice. Forse ha messo sotto pressione un impiegato dello HRC per ottenere il curriculum di Sansom. Forse ha preso di mira sua sorella.»

«Che arma aveva?»

«Questa è la prima grande lacuna nella storia», affermai. Il che era vero. Susan Mark era disperata e terrorizzata. Difficile immaginare che una giornalista avesse avuto in mano un'arma simile. I giornalisti possono essere manipolatori e persuasivi, ma non incutono molta paura.

«Susan si interessava di politica?» domandai.

«Perché?»

«Forse non le piaceva Sansom. Non le piaceva ciò che rappresentava. Magari era una collaboratrice. O una volontaria.»

«Allora perché essere tanto spaventata?»

«Perché infrangeva la legge», risposi. «Avrebbe avuto il cuore in gola.»

«E perché portare la pistola?»

«Di solito la portava?»

«Mai. Era un ricordo di famiglia. La teneva nel cassetto delle calze, come tanti.»

Scrollai le spalle. La pistola era la seconda grossa lacuna della storia. La gente prende la pistola dal cassetto per varie ragioni. Per proteggersi, per aggredire. Ma mai nel caso in cui senta l'improvviso impulso di uccidersi lontano da casa.

«Susan non si interessava molto di politica», dichiarò Jake.

«D'accordo.»

«Quindi non ci può essere un legame con Sansom.»

«Allora perché è saltato fuori il suo nome?»

«Non lo so.»

«Susan deve aver preso l'auto. Non puoi portare una pistola in aereo. In questo momento la staranno probabilmente rimuovendo con il carro attrezzi. Deve essere arrivata dallo Holland Tunnel e aver parcheggiato piuttosto in centro», osservai.

Jake non rispose. Il mio caffè era freddo. La cameriera aveva rinunciato a riempirci le tazze. Eravamo un tavolo non redditizio. Il resto della clientela si era già avvicendato due volte. Gente che lavorava, che si spostava rapida, che faceva il pieno di energie e si preparava per una giornata intensa. Immaginai Susan Mark dodici ore prima, che si preparava per una notte intensa. Si vestiva. Trovava la pistola del padre, la caricava, la metteva nella borsa nera. Saliva in macchina, prendeva la 236 fino alla Beltway, la seguiva in senso orario, forse faceva benzina, imboccava la 95 diretta a nord con gli occhi sgranati, disperati che perforavano il buio davanti a lei.

Faccia qualche ipotesi, aveva detto Jake. Ma d'un tratto non ne ebbi voglia. Perché sentivo Theresa Lee nella mia mente. La detective. *L'ha spinta oltre il limite.* Jake mi vide riflettere e chiese: «Che c'è?»

«Supponiamo che l'arma...» risposi. «Supponiamo che Susan stesse andando a consegnare qualsiasi informazione le avessero detto di procurarsi. E che queste persone siano dei criminali. Sapeva che non la avrebbero lasciata in pace. Probabilmente pensava che avrebbero aumentato la posta in gioco e chiesto altro. Era dentro e non vedeva alcun modo per uscirne. Soprattutto aveva paura di loro. Quindi era disperata. Perciò ha preso la pistola. Forse ha pensato di uscirne combattendo, ma non era ottimista sulle sue possibilità. Nel complesso non pensava che le cose sarebbero finite bene.»

«E allora?»

«Aveva un lavoro da sbrigare. Era quasi arrivata. Non le era mai passato per la mente di spararsi.»

«Ma l'elenco? I comportamenti?»

«Non cambia niente», dissi. «Stava andando in un luogo in cui si aspettava che qualcuno ponesse fine alla sua vita forse in qualche altro modo, letterale o figurato.»

14

«Non spiega la giacca», osservò Jake. Ma secondo me si sbagliava. Secondo me spiegava molto bene la giacca. E spiegava il fatto che avesse parcheggiato in centro e preso la metropolitana. Supposi intendesse piombare su chiunque dovesse incontrare da una direzione inattesa, da un buco nel terreno, armata, vestita tutta di nero, pronta per uno scontro al buio. Forse il parka invernale era l'unica giacca nera che possedeva.

E spiegava anche il resto. Il terrore, la sensazione di essere condannata. Forse il borbottio era il suo modo di ripetere suppliche, discolpe, argomenti di discussione o forse persino minacce. Forse ribadendoli all'infinito li rendeva più convincenti ai suoi occhi. Più plausibili. Più rassicuranti.

«Non poteva andare a consegnare qualcosa perché non aveva niente con sé», disse Jake.

«Forse aveva qualcosa nella sua testa. Mi ha detto che aveva un'ottima memoria. Unità, date, scadenze, qualsiasi cosa potesse essere utile.»

Lui tacque e cercò un argomento per controbattere.

Non lo trovò.

«Informazioni riservate», disse. «Segreti dell'esercito. Gesù, non posso crederci.»

«Era sotto pressione, Jake.»

«Che segreti possono esserci, in ogni caso, in un dipartimento del personale che possano spingere una persona al suicidio?»

Non risposi. Perché non ne avevo idea. Ai miei tempi lo HRC si chiamava PERSCOM. Personnel Command, non Human Resources Command. Avevo servito per tredici anni senza mai pensarci. Neanche una volta. Carte e documenti. Tutte le informazioni interessanti erano da qualche altra parte.

Jake si mosse sulla sedia. Si passò le dita tra i capelli non lavati, si premette i palmi sulle orecchie e ruotò la testa in un cerchio completo come per alleviare la rigidità del collo o esternare un tormento interiore che lo faceva girare in tondo, tornare alla domanda fondamentale.

«Allora perché? Perché all'improvviso si è uccisa prima di arrivare dov'era diretta?»

Tacqui per un istante. I rumori del caffè continuarono tutt'intorno a noi. Il cigolio delle scarpe sul linoleum, i tintinnii e gli stridii delle ceramiche, i suoni del telegiornale dagli apparecchi fissati in alto alle pareti, il tintinnio del timer del forno a microonde.

«Stava infrangendo la legge», risposi. «Stava violando ogni sorta di responsabilità e vincolo professionale. E avrà sospettato di essere sorvegliata in qualche modo. Forse era stata addirittura ammonita. Perciò era tesa, fin dal momento in cui è salita in macchina. Per tutta la strada avrà controllato nel retrovisore che non ci fossero luci rosse. Ogni poliziotto a ogni barriera era un potenziale pericolo. Ogni uomo con un completo addosso poteva essere un agente federale. E sul treno chiunque di noi poteva essere pronto a fermarla.»

Jake non rispose.

«Poi mi sono avvicinato a lei», aggiunsi.

«E?»

«Ha perso il controllo. Ha pensato stessi per arrestarla. Lì, in quel momento la partita era chiusa. Era giunta al termine della strada. Era condannata se lo avesse fatto, e lo era se non lo avesse fatto. Non poteva andare avanti, non poteva tornare indietro. Era in trappola. Qualsiasi minaccia avessero usato contro di lei sarebbe venuta meno e lei sarebbe finita in prigione.»

«Perché pensare che stesse per arrestarla?»

«Deve aver pensato che fossi un poliziotto.»

«Perché pensare che fosse un poliziotto?»

Sono un poliziotto, avevo detto. *Posso aiutarla. Possiamo parlare.*

«Era paranoica», affermai. «Comprensibilmente.»

«Non ha l'aria di un poliziotto. Ha l'aria di un barbone. Più probabilmente avrà pensato che volesse infastidirla per avere qualche spicciolo.»

«Forse ha pensato fossi sotto copertura.»

«Secondo lei era una semplice passacarte. Non aveva idea di come fosse un agente sotto copertura.»

«Jake, mi dispiace, ma le ho detto che ero un poliziotto.»

«Perché?»

«Pensavo fosse una kamikaze. Stavo solo cercando di indurla a non premere il pulsante per qualche altro secondo. Ero pronto a dire qualsiasi cosa.»

«Cosa ha detto di preciso?» domandò. Così glielo dissi e lui osservò: «Gesù, sembrano proprio tutte quelle cazzate degli affari interni».

Lei l'ha spinta oltre il limite.

«Mi dispiace», ripetei.

Nei minuti che seguirono fui preso di mira da tutte le parti. Jacob Mark mi guardava furioso perché avevo ucciso sua sorella. La cameriera era arrabbiata perché nel tempo in cui ci eravamo fermati a bere due tazze di caffè avrebbe potuto vendere all'incirca otto colazioni. Presi un biglietto da venti dollari e lo infilai sotto il piattino. Lei mi vide. L'equivalente delle mance di otto colazioni, proprio lì. Questo risolse il problema della cameriera. Il problema di Jacob Mark era più arduo. Era immobile, silenzioso, fremente di rabbia. Lo vidi distogliere lo sguardo, due volte. Si stava preparando a congedarmi. «Devo andare. Ho delle cose da fare. Devo trovare un modo di dirlo alla sua famiglia», affermò infine.

«Famiglia?» chiesi.

«Molina, l'ex marito. Hanno un figlio, Peter. Mio nipote.»

«Susan aveva un figlio?»

«Che importanza ha?»

Un QI da labrador.

«Jake, siamo stati seduti qui a parlare dell'arma di vostro padre e non ha pensato di dirmi che Susan aveva un bambino?»

Per un istante restò perplesso. «Non è un bambino. Ha ventidue anni. È all'ultimo anno alla USC. Gioca a football. È più grosso di lei. Non stava con la madre. Dopo il divorzio viveva con il padre.»

«Lo chiami», dissi.

«In California sono le quattro del mattino.»

«Lo chiami ora.»

«Lo sveglierò.»

«Lo spero proprio.»

«Bisogna prepararlo.»

«Prima bisogna che risponda al telefono.»

Così Jake prese di nuovo il cellulare, scorse la rubrica tra vari bip e premette il tasto verde all'altezza di un nome piuttosto in basso nell'elenco. Ordine alfabetico, supposi. P per Peter. Tenne il telefono all'orecchio e per i primi cinque squilli mantenne una certa aria di preoccupazione, al sesto ne assunse un'altra. Tenne il telefono sollevato ancora un po', quindi lo abbassò lentamente e disse: «Segreteria telefonica».

15

«Vada al lavoro. Chiami il LAPD o lo polizia del campus della USC e chieda un paio di favori, da collega a collega. Faccia mandare qualcuno a controllare se è a casa.»

«Mi rideranno dietro. È uno studente di college che non risponde al telefono alle quattro del mattino.»

«Lo faccia e basta», replicai.

«Venga con me», disse Jake.

Scossi la testa. «Resto qui. Voglio parlare di nuovo con quei poliziotti privati.»

«Non li troverà mai.»

«Saranno loro a trovare me. Non ho mai risposto alla loro domanda, se Susan mi abbia dato qualcosa. Credo vogliano richiedermelo.»

Stabilimmo di incontrarci dopo cinque ore, nello stesso coffee shop. Lo guardai risalire in macchina e poi mi incamminai a sud sulla Eighth, lentamente, come se non avessi un posto in particolare dove andare, cosa che in effetti era. Ero stanco perché non avevo dormito molto, ma teso per tutto il caffè, perciò supposi che nel complesso non fosse né un bene né un male in termini di prontezza ed energia. E che i poliziotti privati fossero sulla stessa barca. Eravamo stati svegli tutta la notte. Il che mi indusse a pensare al tempo. Le due del mattino erano l'ora sbagliata per un attacco kamikaze, ma erano anche un'ora strana perché Susan Mark andasse a un appuntamento per passare informazioni. Mi fermai dunque per un po' davanti al raccoglitore dei giornali di fronte a un deli e sfogliai i tabloid. Trovai quello che cercavo ben occultato all'interno del *Daily News*. La sera prima la New Jersey Turnpike era stata chiusa in direzione nord per quattro ore. Un incidente con un'autobotte, nella nebbia. Diverse vittime.

Immaginai Susan Mark bloccata sulla strada tra le uscite. Un ingorgo di quattro ore. Un ritardo di quattro ore. Incredulità. Tensione crescente. Nessuna possibilità di muoversi, né avanti, né indietro. Tra l'incudine e il martello. Il tempo che scorreva. Una scadenza che si avvicinava. Una scadenza non rispettata. Minacce, sanzioni, punizioni, presumibilmente ormai attive e operative. A me il treno della linea 6 era sembrato veloce. A lei doveva esser parso spaventosamente lento. *L'ha spinta oltre il limite.* Forse, ma non aveva avuto bisogno di una grande spinta.

Richiusi il giornale in modo che fosse vendibile e ripresi a camminare lento. Immaginai che l'uomo con la giacca strappata fosse andato a casa a cambiarsi, ma che gli altri tre fossero nei paraggi. Mi avevano di certo visto entrare nel coffee shop e mi avrebbero bloccato quando ne fossi uscito. Non li vedevo in strada, ma per la verità non li stavo cercando. Non aveva senso cercare qualcosa quando sapevi con sicurezza che era lì.

In passato la Eighth Avenue era una strada pericolosa. Lampioni rotti, lotti non occupati, negozi chiusi, crack, puttane, rapinatori. Ci avevo visto cose di ogni genere. Personalmente non ero mai stato aggredito. Il che non stupiva molto. Perché mi trasformi in una potenziale vittima, la popolazione del mondo dovrebbe ridursi a due persone. Io e un rapinatore, e in quel caso vincerei io. Adesso la Eighth era sicura come qualsiasi altro posto. Brulicava di attività commerciali e c'era gente dappertutto. Perciò non mi importava con precisione dove mi avrebbero avvicinato i tre tizi. Non feci alcun tentativo di pilotarli verso un luogo di mia scelta. Mi limitai a camminare. Che decidessero loro. Da calda la giornata stava diventando bollente e gli odori del marciapiede si levavano tutt'intorno a me come un rozzo calendario: i rifiuti puzzano d'estate e non puzzano d'inverno.

Mi avvicinarono un isolato più a sud del Madison Square Garden e del vecchio e grande ufficio postale. Un cantiere in un lotto d'angolo deviava i passanti in uno stretto passaggio recintato. Ne avevo percorso un metro quando un uomo mi si parò davanti, un altro mi si piazzò alle spalle e il capo mi affiancò.

Una buona mossa. «Siamo pronti a dimenticare la faccenda della giacca», affermò questi.

«Bene», affermai. «Perché io l'ho già fatto.»

«Ma dobbiamo sapere se ha qualcosa che ci appartiene.»

«A voi?»

«Al nostro cliente.»

«Chi siete?»

«Le ho dato il nostro biglietto.»

«Sulle prime ne sono rimasto molto colpito. Sembrava un'opera d'arte dal punto di vista aritmetico. Ci sono più di tre milioni di possibili combinazioni per un numero telefonico a sette cifre. Ma voi non avete scelto a caso. Ne avete preso uno che sapevate essere scollegato. Ho pensato fosse difficile da fare. Perciò sono rimasto colpito. Ma poi mi sono detto che in effetti era impossibile, data la popolazione di Manhattan. Qualcuno muore o trasloca e il suo numero viene riciclato piuttosto alla svelta. Perciò ho supposto aveste accesso a un elenco di numeri che non sono mai attivi. Le compagnie telefoniche ne riservano alcuni per quando un numero appare nei film o in TV. Non possono usare numeri veri perché i clienti potrebbero avere fastidi. A quel punto ho immaginato che conosceste gente nel mondo del cinema o della televisione. Probabilmente perché per gran parte della settimana prestate servizio come addetti alla security per strada, quando c'è qualche spettacolo in città. Pertanto, il massimo del vostro impegno è tenere a bada i cacciatori d'autografi. Il che deve essere una delusione per persone come voi. Sono sicuro che, quando avete iniziato l'attività, avevate in mente qualcosa di meglio. Peggio ancora, implica una certa erosione delle capacità per mancanza di pratica. Perciò nel complesso direi che il biglietto è stato un errore in termini di gestione dell'immagine.»

«Possiamo offrirle un caffè?» disse l'uomo.

Non dico mai di no a un caffè, ma ne avevo abbastanza di stare seduto, perciò accettai solo un caffè da asporto. Potevamo berlo e parlare camminando. Ci fermammo nel primo Starbucks che incontrammo, che come nella maggior parte delle città si trovava a mezzo isolato di distanza. Ignorai le miscele più strane e presi un bicchiere grande di quella della casa, nera, senza crema. Era la mia scelta classica da Starbucks. Una buona qualità, a mio parere. Non che in realtà me ne importi molto. Per me conta la caffeina, non il gusto.

Uscimmo e proseguimmo lungo la Eighth. Quattro persone costituiscono però un gruppo inadatto a conversare camminando e il traffico era rumoroso, perciò finimmo dieci metri più in su all'imbocco di una traversa, fermi, con il sottoscritto all'ombra, appoggiato a una ringhiera, e gli altri tre al sole di fronte a me, protesi verso di me come se avessero una posizione da sostenere. Ai nostri piedi un sacchetto rotto dell'immondizia spargeva pezzi vivaci del giornale della domenica sul marciapiede. L'uomo che faceva da portavoce disse: «Lei ci sta sottovalutando. Non vogliamo giocare a chi piscia più lontano».

«D'accordo», affermai.

«Lei è un ex militare, giusto?»

«Ero nell'esercito», risposi.

«Ne ha ancora l'aspetto.»

«Anche voi. Forze speciali?»

«No. Non siamo arrivati tanto in là.»

Sorrisi. Era un uomo onesto.

«Siamo stati assunti come riferimento locale per un'operazione temporanea. La donna morta trasportava una cosa di valore. Abbiamo il compito di recuperarla.»

«Quale cosa? Di quale valore?»

«Informazioni.»

«Non posso aiutarvi», dissi.

«Il nostro cliente presumeva fossero dati digitali su un chip informatico, come una chiavetta USB. Noi pensiamo di no, sono cose troppo difficili da far uscire dal Pentagono. Secondo noi erano in forma verbale. Del tipo leggi e memorizza.»

Non dissi nulla. Ripensai a Susan Mark sul treno. Al borbottio. Forse non ripeteva suppliche, discolpe, minacce o argomenti di discussione. Forse ripassava in continuazione i particolari che doveva riferire per non dimenticarseli o per non confonderli sotto stress, in preda al panico. Li imparava a memoria. E diceva a se stessa: *obbedisco, obbedisco, obbedisco*. Si rassicurava. Sperando che tutto andasse bene.

«Chi è il vostro cliente?» domandai.

«Non possiamo dirlo.»

«Che arma aveva la donna?»

«Non lo sappiamo. Non vogliamo saperlo.»

Sorseggiai il caffè. Non dissi nulla.

«La donna le ha parlato sul treno», dichiarò l'uomo.

«Sì», confermai. «L'ha fatto.»

«Perciò adesso l'ipotesi operativa è che qualsiasi cosa sapesse, ora lei la sa.»

«Possibile» ammisi.

«Il nostro cliente ne è convinto. Il che le crea un problema. I dati su un chip informatico non sono un gran guaio. Potremmo darle un colpo in testa e rivoltarle le tasche. Ma qualcosa che sta nella sua mente va recuperata in qualche altro modo.»

Non dissi nulla.

«Quindi è proprio il caso che ci dica cosa sa», proseguì l'uomo.

«Perché possiate far bella figura?»

Lui scosse la testa. «Perché lei possa rimanere integro.»

Bevvi un altro sorso di caffè e l'uomo disse: «Le sto parlando da uomo a uomo. Da soldato a soldato. Questo non riguarda noi. Se torniamo a mani vuote, certo, verremo licenziati. Ma lunedì mattina saremo di nuovo al lavoro per qualcun altro. Se però usciamo di scena, lei si ritrova esposto. Il nostro cliente ha assoldato un'intera squadra. In questo momento sono al guinzaglio perché qui sono fuori posto. Ma se noi ce ne andiamo, li sguinzaglierà. Non ci sono alternative. E non le farebbe certo piacere se venissero a parlarle».

«Non mi fa piacere che chicchessia venga a parlarmi. Né loro, né voi. Non amo parlare.»

«Non è uno scherzo.»

«Ha fatto centro. È morta una donna.»

«Il suicidio non è un crimine.»

«Ma qualsiasi cosa la abbia spinta a farlo potrebbe esserlo. Quella donna lavorava al Pentagono. C'è di mezzo una questione di sicurezza nazionale, chiara ed evidente. Di fronte a questo dovete ritirarvi. Dovreste parlare con il NYPD.»

L'uomo scosse la testa. «Andrei in prigione pur di non mettermi contro quelle persone. Ha sentito quello che ho detto?»

«Ho sentito», confermai. «Vi vanno bene i vostri cacciatori d'autografi.»

«Noi siamo il guanto di velluto. Dovrebbe approfittarne.»

«Voi non siete nessun tipo di guanto.»

«Che cos'era nell'esercito?»

«Un poliziotto militare», risposi.

«Allora è un uomo morto. Non ha mai visto una cosa del genere.»

«Chi è lui?»

L'uomo scosse la testa.

«Quanti sono?»

Scosse di nuovo la testa.

«Mi dia qualcosa.»

«Lei non mi ascolta. Se non parlo con il NYPD, perché diavolo dovrei parlare con lei?»

Scrollai le spalle, finii il caffè e mi staccai dalla ringhiera. Feci tre passi e gettai il bicchiere in un cestino dei rifiuti. «Chiamate il vostro cliente e ditegli che lui aveva ragione e voi torto. Ditegli che le informazioni della donna erano tutte in una chiavetta che al momento è nella mia tasca. Poi rassegnate le dimissioni al telefono, andate a casa e state alla larga da me.»

Attraversai la strada tra due auto in movimento e mi diressi verso la Eighth. Il capo mi chiamò, forte. Gridò il mio nome. Mi girai e lo vidi reggere il cellulare con il braccio teso. Lo teneva puntato verso di me e fissava lo schermo. Poi lo abbassò e i tre se ne andarono. Un camion bianco passò tra noi e loro scomparvero prima che mi rendessi conto di esser stato fotografato.

16

I Radio Shack sono all'incirca dieci volte meno comuni degli Starbucks, ma non si trovano mai a più di qualche isolato di distanza. E aprono presto. Mi fermai nel primo che incontrai e un uomo del subcontinente indiano si apprestò a servirmi. Mi sembrava sveglio. Forse ero il primo cliente della giornata. Gli chiesi dei cellulari con fotocamera. Disse che tutti in pratica l'avevano. Alcuni avevano persino la videocamera. Gli spiegai che volevo vedere come venissero le foto. Prese un apparecchio a caso, andai nel retro del negozio e lui mi scattò una foto dalla cassa. L'immagine risultante era piccola e priva di definizione. I tratti erano indistinti. Ma corporatura generale, forma e portamento erano stati colti piuttosto bene. Abbastanza da costituire un problema, a ogni modo. La verità è che la mia faccia è normale, comune. Molto facile da dimenticare. Ritengo che la gente mi riconosca in genere dalla sagoma, che non è comune.

Dissi all'uomo che non volevo il telefono. Cercò allora di vendermi una macchina fotografica digitale. Era piena di megapixel. Avrebbe scattato foto migliori. Dissi che non volevo nemmeno una macchina fotografica. Ma gli comprai una chiavetta. Un dispositivo USB per dati elettronici. Della capacità minore che aveva, del prezzo più basso. Era solo per scena e non volevo spendere una fortuna. Era un cosino in una grossa confezione di plastica dura. Gli chiesi di aprirla con le forbici. Con roba del genere ti puoi rovinare i denti. La chiavetta aveva in dotazione due custodie morbide di neoprene, una azzurra e una rosa. Presi la rosa. Susan Mark non aveva tanto l'aria di una donna amante del rosa, ma la gente vede quello che vuol vedere. Una custodia rosa equivale a un oggetto di proprietà femminile. Me la misi in tasca vicino allo spazzolino, ringraziai l'uomo per l'aiuto e lo lasciai mentre buttava via la scatola.

*

Percorsi due isolati e mezzo verso est su 28th Street. Per tutto il tragitto ebbi parecchie persone alle spalle, ma non ne conoscevo nessuna e nessuna sembrava conoscere me. Scesi nella metropolitana a Broadway e strisciai la tessera. Poi persi i successivi nove treni in direzione downtown. Rimasi semplicemente seduto su una panca di legno, nella calura, e li lasciai andare. In parte per prendermi una pausa, in parte per far passare il tempo fino all'apertura dei negozi della città, in parte per verificare di non essere stato seguito. Nove gruppi di passeggeri arrivarono e partirono e nove volte rimasi tutto solo sul marciapiede per qualche secondo. Nessuno mostrò il minimo interesse per me. Quando ebbi terminato di osservare la gente, iniziai a osservare i ratti. Mi piacciono i ratti. Ci sono parecchie leggende sul loro conto. Avvistarli è più raro di quanto non si creda. I ratti sono schivi. Quelli che si vedono sono di solito giovani, malati o morti di fame. Non mordono il viso dei neonati addormentati per divertimento. Sono attirati dagli avanzi di cibo, nient'altro. Lava la bocca del tuo bambino prima di metterlo a letto e starà bene. E non esistono ratti giganti, grossi come gatti. Hanno tutti le stesse dimensioni.

Non vidi alcun ratto e alla fine divenni inquieto. Mi alzai, diedi la schiena ai binari e guardai i manifesti sul muro. Uno era una carta dell'intera rete metropolitana. Due erano pubblicità di musical di Broadway. Uno un avviso ufficiale che proibiva una cosa chiamata subway surfing. C'era l'immagine in bianco e nero di un uomo attaccato come una stella marina fuori dalla porta di una carrozza della metropolitana. Le vecchie vetture della rete newyorkese avevano una predella sotto le porte, concepita per colmare parte dello spazio tra queste e i marciapiedi, e piccole grondaie sopra di esse, studiate per evitare che l'acqua gocciolasse all'interno. Sapevo che le nuove R142A non possedevano nessuna delle due caratteristiche. Me l'aveva detto quel fissato del mio compagno di viaggio. Ma con le vecchie carrozze era possibile aspettare sul marciapiede che le porte si chiudessero, mettere i piedi sulla predella e la punta delle dita delle mani nella grondaia e, abbracciando la carrozza, viaggiare nei tunnel all'esterno. Subway surfing. Per alcuni forse un grande spasso, ora però illegale.

Mi girai di nuovo verso i binari e salii sul decimo treno che arrivò. Era un treno della linea R. Aveva predelle e grondaie per la pioggia. Ma io viaggiai all'interno per due fermate, fino alla grande stazione di Union Square.

Sbucai nell'angolo nordoccidentale di Union Square e mi diressi verso un immenso negozio di libri che ricordavo su 17th Street. I politici impegnati in una campagna pubblicano di solito la propria biografia prima della stagione elettorale e le riviste di attualità sono sempre piene di servizi. Avrei potuto cercare un internet café, ma non sono esperto di quella tecnologia e comunque gli internet café sono molto più rari di un tempo. Ora tutti portano con sé piccoli apparecchi elettronici che hanno il nome di un frutto o di un albero. Gli internet café faranno la stessa fine delle cabine telefoniche, soppiantate dalle invenzioni wireless.

Il negozio di libri aveva diversi tavoli nella parte anteriore del pianterreno. Erano sommersi di pile di nuovi titoli. Trovai le ultime uscite di saggistica ma restai a mani vuote. Storia, biografie, economia, ma niente politica. Continuai e trovai ciò che volevo sul retro del secondo tavolo. Commenti e opinioni della destra e della sinistra, più le autobiografie dei candidati scritte da autori fantasma con le copertine lucide e le fotografie patinate, aerografate. Il libro di John Sansom era spesso poco più di un centimetro e si intitolava *Sempre in missione*. Lo presi e salii con la scala mobile al secondo piano, dove la guida del negozio mi spiegò dove si trovassero le riviste. Presi tutti i settimanali di attualità e li portai insieme al libro verso gli scaffali di storia militare. Lì passai qualche istante con alcuni testi di saggistica ed ebbi conferma di quanto sospettavo, ossia che lo Human Resources Command dell'esercito non faceva più di quello che il Personnel Command aveva fatto prima. Si era trattato solo di un cambiamento di nome. Di un rebranding. Non c'erano nuove funzioni. Carte e documenti, come sempre.

Poi mi sedetti sul davanzale di una finestra e mi accinsi a leggere la roba che avevo preso. Avevo la schiena calda per il sole che filtrava dal vetro e la parte anteriore del corpo fredda a causa di una bocchetta dell'aria condizionata proprio sopra di me. Di solito mi sentivo a disagio a leggere cose nei negozi senza avere l'intenzione di acquistarle. Ma i negozi sembrano piuttosto contenti di ciò. Incoraggiano persino a farlo. Alcuni forniscono addirittura poltrone allo scopo. A quanto pare è una forma di marketing. Inoltre, lo fanno tutti. Il negozio aveva appena aperto, ma sembrava già un centro rifugiati. C'erano persone dappertutto, sedute o sdraiate sul pavimento, circondate da pile di merce molto più consistenti della mia.

I settimanali di attualità contenevano tutti cronache sulla campagna, infilate tra pubblicità, storie di conquiste mediche e aggiornamenti tecnologici. Molti servizi riguardavano gli esponenti di spicco delle liste, ma alle controversie della Camera e del Senato erano dedicate poche righe. Mancavano quattro mesi alle prime primarie e quattordici alle elezioni; alcuni candidati erano già fuori gioco, ma Sansom era ancora più che in corsa. Stava ottenendo buoni voti nel suo stato, raccogliendo molti soldi; i suoi modi schietti piacevano e il suo passato militare lo faceva apparire qualificato per quasi tutto. Anche se a mio parere è come dire che un operaio delle fogne possa diventare sindaco. Forse sì, forse no. È un'ipotesi priva di logica. Ma chiaramente a molti giornalisti quell'uomo piaceva. E chiaramente lo vedevano tagliato per cose più grandi. Era considerato un potenziale candidato alla presidenza tra quattro o otto anni. Un autore aveva persino lasciato intendere che potesse essere rimosso dalla corsa al Senato per diventare già ora il candidato del suo partito alla vicepresidenza. Era già una specie di celebrità.

La copertina del suo libro era elegante. C'erano il nome, il titolo e due fotografie. La più grande era l'immagine sfocata e sgranata di un'azione, ingrandita abbastanza da servire da sfondo. Mostrava un giovane con l'uniforme da combattimento logora e sbottonata, il volto dipinto con la pittura mimetica e un berrettino. Sovrimposto c'era un ritratto più recente, realizzato in studio, dello stesso uomo molto più in là negli anni, in giacca e cravatta. Sansom ovviamente, un tempo e oggi. L'intera parabola della sua carriera in un unico quadro.

La fotografia recente era ben illuminata, perfettamente a fuoco e studiatamente in posa. Raffigurava un uomo piccolo e magro, all'incirca di un metro e settantacinque, di neanche settanta chili di peso. Un levriero o un terrier più che un pitbull, dotato di grande resistenza e di forte vigore, come sempre nel caso dei migliori soldati delle forze speciali. Anche se forse l'immagine più vecchia risaliva a un periodo precedente, in un'unità normale. Nei Ranger, forse. Secondo la mia esperienza gli uomini della Delta della sua età prediligevano la barba, gli occhiali da sole e una kefiah attorno al collo. In parte per i luoghi in cui con molta probabilità servivano, in parte perché desideravano apparire camuffati e anonimi, il che di per sé era da un lato una necessità e dall'altro una stravaganza di sapore teatrale. Ma il responsabile della campagna doveva aver scelto di persona la fotografia optando per l'unità meno importante al posto di un'immagine che era inequivocabile e inequivocabilmente americana. Forse le persone che sembravano strani hippy palestinesi non erano ben viste nella Carolina del Nord.

Tra le notizie sul risvolto di copertina spiccavano il nome per intero e il grado militare, scritti in modo alquanto formale: maggiore John T. Sansom, esercito degli Stati Uniti, in congedo. Poi si diceva che aveva vinto la Distinguished Service Cross, la Distinguished Service Medal e due Silver Star. Poi ancora che era stato un amministratore delegato di successo di una certa Sansom Consulting. Di nuovo, l'intera parabola della sua carriera. Mi chiesi a che servisse il resto del libro.

Lo sfogliai e scoprii che era diviso in cinque parti: i primi anni, l'epoca del servizio militare, il successivo matrimonio e la famiglia, il periodo lavorativo e la sua visione politica per il futuro. Le informazioni iniziali erano tipiche del genere. La giovinezza stentata, la mancanza di soldi e di comodità, la madre forte come una roccia, il padre che faceva due lavori per arrivare a fine mese. Quasi sicuramente esagerate. Se prendi i candidati politici come campione della popolazione, gli Stati Uniti sono un paese del Terzo Mondo. Tutti crescono poveri, considerano l'acqua corrente un lusso, le scarpe sono una rarità e un pasto abbondante è motivo di grande gioia.

Andai avanti al punto in cui aveva conosciuto la moglie e trovai altre banalità simili. Lei era una donna meravigliosa, i loro bambini splendidi. Fine della storia. Non capii molto della parte relativa al lavoro. La Sansom Consulting era stata formata da un gruppo di consulenti, il che aveva senso, ma non riuscii a comprendere con esattezza cosa avessero fatto. In sostanza avevano fornito suggerimenti e quindi rilevato quote delle società a cui avevano effettuato le consulenze, dopodiché le avevano rivendute e si erano arricchiti. Sansom stesso aveva fatto quella che descriveva come una fortuna. Non sapevo cosa intendesse. Con duecento dollari in tasca io mi sento tranquillo. Sospettavo che lui ne avesse realizzati molti di più, ma non specificava quanti. Una cifra con altri quattro zeri? Cinque? Sei?

Guardai la parte sulla visione politica per il futuro e non trovai molto che non avessi già pescato dalle riviste. Il tutto si riduceva all'idea di dare agli elettori ciò che volevano. Riduzione delle tasse, la avrete. Servizi pubblici, sicuro. Per me non aveva senso. Ma nel complesso Sansom sembrava un uomo rispettabile. Sentivo che avrebbe cercato di fare la cosa giusta, nella misura in cui tutti loro ci provano. Sentivo che si era buttato nella mischia per le ragioni giuste.

A metà libro c'erano alcune fotografie. Tutte tranne una erano istantanee stucchevoli che ripercorrevano la vita di Sansom dall'età di tre mesi al giorno d'oggi. Erano quel genere di cose che immagino la gente recuperi da una scatola da scarpe in fondo al ripostiglio. I genitori, l'infanzia, i giorni di scuola, gli anni del servizio militare, la futura sposa, i bambini, i ritratti del periodo lavorativo. La solita roba, probabilmente interscambiabile con le foto di tutte le altre biografie dei candidati.

Ma l'immagine diversa era curiosa.

17

L'immagine diversa era una fotografia di giornale che avevo visto in precedenza. Era di un politico americano chiamato Donald Rumsfeld a Baghdad, intento a stringere la mano a Saddam Hussein, il dittatore iracheno, nel lontano 1983. Donald Rumsfeld era stato due volte segretario della Difesa, ma al tempo della fotografia era un inviato speciale del presidente Ronald Reagan. Era andato a Baghdad a baciare il culo a Saddam, a dargli una pacca sulla schiena e una coppia di speroni d'oro massiccio come dono e simbolo dell'eterna gratitudine americana. Otto anni dopo, anziché baciargli il culo, glielo abbiamo riempito di calci. Quindici anni dopo ancora lo abbiamo ucciso. La didascalia messa da Sansom diceva: «A volte i nostri amici diventano i nostri nemici e a volte i nostri nemici diventano i nostri amici». Un commento politico, supposi. O un sermone aziendale, anche se nel testo non trovai alcun accenno all'episodio.

Tornai al servizio militare e mi accinsi a leggere con attenzione. Dopotutto, era il mio ambito di competenza. Sansom si era arruolato nell'esercito nel 1975 e se ne era andato nel 1992. Una finestra di diciassette anni, di quattro più lunga della mia grazie al fatto che aveva iniziato nove anni prima. Fondamentalmente una buona epoca, paragonata a molte altre. Il parossismo del Vietnam era finito, l'esercito nuovo, professionale, tutto di volontari era più che rodato e ancora ben finanziato. Sansom aveva apprezzato l'esperienza. Il suo racconto era coerente. Descriveva con precisione l'addestramento di base, inquadrava bene la scuola ufficiali, era piacevole quando illustrava i primi tempi di servizio in fanteria. Era schietto nel dichiarare le sue ambizioni. Si accaparrò qualsiasi qualifica disponibile, passò ai Ranger e quindi alla nascente Delta Force. Come sempre, enfatizzava il processo di investitura, le settimane d'inferno, il logorio, la resistenza, lo sfinimento. Come sempre, non ne criticava l'incompletezza. La Delta è piena di uomini che possono restare svegli per una settimana, percorrere centocinquanta chilometri a piedi e sparare nelle palle a una mosca tzetze, ma è relativamente priva di uomini in grado di fare ciò e di dirti anche la differenza tra uno sciita e uno sciatore.

Nel complesso però avevo la sensazione che Sansom fosse piuttosto onesto. La verità è che molte delle missioni Delta vengono cancellate ancor prima di iniziare e molte di quelle che iniziano falliscono. Alcuni uomini non vedono mai l'azione. Sansom non aveva abbellito le cose. Era stato sincero a proposito delle fasi altalenanti di fermento e franco in ordine agli insuccessi. Soprattutto non citava le capre nemmeno una volta. Le revisioni delle azioni delle forze speciali attribuiscono in genere il fallimento di una missione ai pastori nomadi. Alcuni uomini vengono infiltrati in quelle che sostengono essere regioni inospitali e praticamente disabitate e vengono subito scoperti dai contadini locali con grosse greggi di capre. Statisticamente improbabile. Nutrizionalmente improbabile vista l'aridità del suolo. Le capre devono mangiare qualcosa. Forse era vero un tempo, ma da allora è diventato un codice. Molto più facile dire: *Eravamo nascosti e un capraio ci ha trovati per caso*, che: *Abbiamo combinato un casino*. Sansom tuttavia non citava mai né i ruminanti né il personale agricolo che li accudiva, il che era un grosso punto a suo favore.

Anzi non citava granché. Soprattutto nella colonna dei successi. C'erano quelle che dovevano essere state cose abbastanza di routine nell'Africa occidentale, più Panama, più qualche caccia agli SCUD in Iraq durante la Prima guerra del Golfo nel 1991. A parte ciò niente. Solo un bel po' di addestramento e di allerte, sempre seguite da contrordini e altro addestramento. Le sue erano forse le prime memorie sulle forze speciali non esagerate che avessi visto. Anzi. Non solo non esagerate. Erano sminuite. Minimizzate e ridimensionate. Spogliate non abbellite.

Il che era interessante.

18

Tornando al coffee shop sulla Eighth prestai molta attenzione. *Il nostro cliente ha assoldato un'intera squadra.* Adesso sapevano tutti più o meno che aspetto avessi. Il tizio di Radio Shack mi aveva spiegato che fotografie e video potevano essere inviati via telefono da una persona all'altra. Da parte mia non sapevo che volto avesse il nemico, ma se il loro cliente era stato costretto ad assoldare uomini dagli abiti eleganti perché si mimetizzassero sul posto, allora la sua squadra personale aveva con molta probabilità un aspetto piuttosto diverso. Altrimenti non aveva senso. Vidi tantissime persone che avevano un aspetto diverso. Forse duecentomila. A New York capita sempre. Ma nessuna di loro mostrò interesse per me. Nessuna mi rimase accanto. Non che avessi reso le cose facili. Salii sulla linea 4 per Grand Central, feci due giri in mezzo alla folla, presi la navetta per Times Square, da lì percorsi un anello lungo, illogico fino alla Ninth Avenue e arrivai al ristorante da ovest, proprio oltre il 14° Distretto.

Jacob Mark era già dentro.

Era a un tavolo in fondo, ripulito, pettinato, indossava pantaloni scuri, una camicia bianca e una giacca a vento navy. Gli mancava solo il tatuaggio SBIRRO FUORI SERVIZIO in fronte. Appariva infelice, ma non spaventato. Mi infilai sulla panca di fronte a lui e mi sistemai di traverso per poter osservare la strada al di là delle vetrine.

«Ha parlato con Peter?» gli domandai.

Scosse la testa.

«Ma?»

«Credo stia bene.»

«Lo pensa o lo sa?»

Non rispose perché arrivò la cameriera. La stessa donna del mattino. Avevo troppa fame per preoccuparmi del fatto che Jake mangiasse o no. Ordinai un grosso piatto, insalata di tonno con uova e un po' di altra roba. Più del caffè. Jake seguì il mio esempio e ordinò un sandwich grigliato al formaggio e acqua.

«Mi dica cos'è successo», lo invitai.

«La polizia del campus mi ha aiutato. È stata disponibile. Peter è una star del football. Non era a casa. Perciò hanno interrogato i suoi amici e saputo la storia. Così è venuto fuori che Peter è via da qualche parte con una donna.»

«Dove?»

«Non lo sappiamo.»

«Che donna?»

«Una ragazza conosciuta in un bar. Quattro sere fa Peter e i suoi amici erano fuori. La ragazza era lì. Peter se n'è andato con lei.»

Non dissi nulla.

«Che c'è?» fece Jake.

«Chi ha rimorchiato chi?» chiesi.

Lui annuì. «È questo che mi fa sentire tranquillo. Ha fatto tutto lui. I suoi amici hanno detto che è stato un lavoro di quattro ore. Ha dovuto mettercela tutta. Come in una partita di campionato, hanno detto. Perciò non era Mata Hari o roba del genere.»

«Descrizione?»

«Un'autentica bambola. Sono parole di atleti, perciò dicono sul serio. Un po' più vecchia, ma non di tanto. Forse di venticinque o ventisei anni. Sei all'ultimo anno di college, hai davanti una sfida irresistibile.»

«Nome?»

Jake scosse il capo. «Gli altri si sono tenuti a distanza. Questione di etichetta.»

«È il loro luogo abituale?»

«È nel loro giro.»

«Una puttana? Un'esca?»

«Escluso. Quei ragazzi girano. Non sono idioti. Sono in grado di capirlo. E comunque è stato Peter a fare tutto. Quattro ore, tutto quello che aveva imparato.»

«Se lei lo avesse voluto, sarebbe finito in quattro minuti.»

Jake annuì di nuovo. «Mi creda, mi sarà capitato un centinaio di volte. Se c'è qualcosa di poco chiaro, un'ora basta a farlo sembrare pulito. Due al massimo. Nessuna arriverebbe a quattro ore. Perciò è a posto. Più che a posto, dal punto di vista di Peter. Quattro giorni con un'autentica bambola? Cosa avrebbe fatto lei a ventidue anni?»

«Ho capito», dissi. «A ventidue anni avevo lo stesso genere di priorità. Anche se una relazione di quattro giorni mi sarebbe sembrata lunga. In pratica come un fidanzamento o un matrimonio.»

«Ma?» osservò Jake.

«Susan ha avuto quattro ore di ritardo sulla Turnpike. Mi chiedo che genere di scadenza sia stata superata perché a una madre venga voglia di uccidersi.»

«Peter sta bene. Non si preoccupi. Presto tornerà a casa, con le gambe molli, ma felice.»

Non aggiunsi altro. La cameriera arrivò con il cibo. Aveva un bell'aspetto ed era abbondante. «I poliziotti privati l'hanno trovata?» domandò Jake.

Assentii e gli raccontai la storia tra una forchettata di tonno e l'altra.

«Conoscevano il suo nome? Questo non va bene», commentò.

«Non è l'ideale, no. E sapevano che ho parlato con Susan sul treno.»

«Come?»

«Sono ex poliziotti. Avranno ancora amici nell'ambiente. Non ci sono altre spiegazioni.»

«Lee e Docherty?»

«Forse. O forse qualcuno nel turno di giorno è arrivato e ha letto i dossier.»

«E le hanno scattato una foto? Anche questo non va bene.»

«Non è l'ideale», ripetei.

«C'è qualche segno dell'altra squadra di cui hanno parlato?» chiese.

Controllai la vetrina e risposi: «Finora nessuno».

«Che altro c'è?»

«John Sansom non esagera a proposito della sua carriera. Sembra non abbia fatto niente di davvero particolare. E in verità non è un'affermazione che valga la pena confutare.»

«Un vicolo cieco, allora.»

«Forse no», risposi. «Era maggiore. Una promozione automatica più due ottenute per meriti. Deve aver fatto qualcosa che è piaciuto. Anch'io ero maggiore. So come funziona.»

«Lei cosa ha fatto che è piaciuto?»

«Qualcosa di cui probabilmente si sono pentiti dopo.»

«La durata del servizio», osservò Jake. «Rimani e vieni promosso.»

Scossi la testa. «Non è così che funziona. Inoltre quell'uomo si è guadagnato tre delle quattro medaglie principali alla sua portata, una due volte. Perciò deve aver fatto qualcosa di speciale. Quattro qualcosa di speciale, in effetti.»

«Tutti ottengono qualche medaglia.»

«Non quelle. Anch'io ho avuto una Silver Star, che per quell'uomo è una bazzecola. E so con certezza che non le trovi nelle scatole dei cereali. Ho avuto una Purple Heart, che a quanto sembra Sansom non ha ricevuto. Nel libro non la cita. Nessun politico si scorderebbe di una ferita subita in azione. Mai e poi mai. Ma è piuttosto insolito guadagnarsi una medaglia al valore senza una ferita. Di solito le due cose vanno insieme.»

«Allora forse spara stronzate a proposito delle medaglie.»

Scossi di nuovo la testa. «Non è possibile. Forse con un nastrino con una stella per azioni di combattimento in Vietnam o qualcosa del genere, ma quelli sono riconoscimenti importanti. Quell'uomo ha tutto tranne la Medaglia d'onore.»

«E allora?»

«Allora credo che spari stronzate sulla sua carriera, ma al contrario. Ha omesso delle cose, non le ha aggiunte.»

«Perché lo avrebbe fatto?»

«Perché ha partecipato ad almeno quattro missioni segrete e non può ancora parlarne. Il che le rende davvero molto segrete, perché quell'uomo è nel mezzo di una campagna elettorale e l'ansia di parlarne dev'essere spaventosa.»

«Che genere di missioni segrete?»

«Potrebbe trattarsi di tutto. Operazioni sotto copertura, azioni clandestine contro chiunque.»

«Forse a Susan sono stati chiesti i dettagli.»

«Impossibile», replicai. «Gli ordini, i rapporti delle operazioni e le revisioni delle azioni non sono neanche lontanamente vicini allo HRC. Vengono distrutti o tenuti sotto chiave per ses-

81

sant'anni a Fort Bragg. Senza offesa, sua sorella non sarebbe potuta arrivare neanche a un milione di chilometri da essi.»

«Allora in che modo questo ci aiuta?»

«Elimina la carriera di combattente di Sansom, così ci aiuta. Se Sansom è in qualche modo coinvolto, lo è in altra veste.»

«È coinvolto?»

«Per quale altra ragione avrebbero fatto il suo nome?»

«In quale veste?»

Posai la forchetta, finii il caffè e dissi: «Non voglio restare qua dentro. Per quell'altra squadra è ground zero. Il primo posto in cui controlleranno».

Lasciai la mancia sul tavolo e mi diressi alla cassa. Stavolta la cameriera era contenta. Eravamo entrati e usciti a tempo di record.

Manhattan è nello stesso tempo il luogo migliore e quello peggiore al mondo per essere inseguiti. Il migliore perché pullula di persone e in ogni metro quadrato ci sono centinaia di testimoni. Il peggiore perché pullula di persone e devi controllarle una a una per prudenza, il che è stancante, frustrante, estenuante e alla fine ti fa diventare matto o pigro. Perciò per praticità tornammo sulla West 35th e percorremmo su e giù il lato in ombra della strada, di fronte alla fila di auto parcheggiate della polizia, che ci sembrava il pezzo di marciapiede più sicuro della città.

«In quale veste?» ripeté Jake.

«Quali mi ha detto erano le ragioni dei suicidi che ha visto nel New Jersey?»

«Economiche o sessuali.»

«E Sansom non ha fatto i soldi nell'esercito.»

«Pensa avesse una relazione con Susan?»

«Possibile», dissi. «Potrebbe averla incontrata sul lavoro. È il tipo d'uomo che bazzica il posto. Occasioni per scattare foto, roba del genere.»

«È sposato.»

«Esatto. E siamo nella stagione elettorale.»

«Non mi convince. Susan non era così. Perciò ipotizziamo che non avesse una relazione con lei.»

82

«Allora forse la aveva con un'altra dipendente dello HRC e Susan era una testimone.»

«Ancora non mi convince.»

«Non convince nemmeno me», replicai. «Perché non vedo come c'entrino le informazioni. Informazioni è una parola grossa. Una relazione implica una risposta sì-no.»

«Forse Susan lavorava con Sansom. Non contro di lui. Forse Sansom voleva infangare qualcun altro.»

«Allora perché venire a New York anziché andare a Washington o nella Carolina del Nord?»

«Non lo so», ammise Jake.

«E perché a ogni modo Sansom si sarebbe rivolto a Susan? Possiede centinaia di fonti migliori di un'impiegata sconosciuta dello HRC.»

«Allora dove sta il legame?»

«Forse Sansom ha avuto una relazione molto tempo fa, con qualcun'altra, quando era ancora nell'esercito.»

«A quel tempo non era sposato.»

«Ma esistevano regole. Forse si scopava una subalterna. Sono cose che oggi in politica fanno notizia.»

«Succedeva?»

«In continuazione.»

«A lei è capitato?»

«Ogniqualvolta possibile. In entrambi i sensi. A volte ero io il subalterno.»

«Ha passato dei guai?»

«Allora no. Ma oggi me lo contesterebbero se mi candidassi a qualche carica.»

«Quindi pensa circolino voci su Sansom e che a Susan sia stato chiesto di confermarle?»

«Non avrebbe potuto confermare il comportamento. Quel genere di cose sta in un'altra serie di dossier. Forse avrebbe potuto confermare che la persona A e la persona B avevano servito nello stesso posto e nello stesso momento. Allo HRC sono bravi proprio in questo.»

«Forse Lila Hoth era nell'esercito con lui. Forse qualcuno sta cercando di associare i due nomi per creare un grosso scandalo.»

«Non lo so», osservai. «Sembra tutto molto bello. Ma ho un

duro del posto troppo spaventato per parlare con il NYPD, minacce terribili di ogni sorta e la storia di un branco di barbari pronto a liberarsi dal guinzaglio. La politica è un affare sporco ma arriva tanto in basso?»

Jake non rispose.

«E non sappiamo dove sia Peter», dissi.

«Non si preoccupi per Peter. È una persona adulta. Un placcatore. Entrerà nella NFL. È una montagna di centotrenta chili di muscoli. Sa badare a se stesso. Si ricordi questo nome: Peter Molina. Un giorno leggerà di lui sui giornali.»

«Non troppo presto, mi auguro», osservai.

«Si rilassi.»

«Allora cosa vuol sapere?» domandai.

Jake scrollò le spalle e andò su e giù per il marciapiede con passo pesante, incapace di esprimersi e bloccato per di più dalla complessità dei sentimenti che provava. Si fermò, si appoggiò a un muro esattamente di fronte all'ingresso del 14° Distretto. Guardò tutti i mezzi parcheggiati da sinistra a destra, le Impala e le Crown Vic con e senza insegne, e i piccoli strani veicoli per il controllo del traffico.

«È morta», disse. «Niente la riporterà indietro.»

Rimasi in silenzio.

«Perciò chiamerò le pompe funebri», aggiunse.

«E poi?»

«Niente. Si è sparata. Conoscere la ragione non servirà. Parecchie volte, a ogni modo, non conosci mai veramente la ragione. Anche quando pensi di sì.»

«Io voglio conoscere la ragione», affermai.

«Perché? Era mia sorella, non la sua.»

«Lei non l'ha visto succedere.»

Jake non disse nulla. Si limitò a osservare le auto parcheggiate di fronte. Vidi il veicolo usato da Theresa Lee. Era il quarto da sinistra. Una delle Crown Vic senza insegne più in giù lungo la fila era più nuova delle altre. Più lucida. Brillava al sole. Era nera con due antenne corte e sottili sul bagagliaio, simili ad aghi. I federali, pensai. Un'agenzia con un grosso budget e facoltà di scelta quando si trattava di mezzi di trasporto. E di apparecchi di comunicazione.

«Lo dirò alla sua famiglia, la seppelliremo e andremo avanti.

La vita è crudele e poi ti ritrovi morto. Forse c'è un motivo perché non ci importa di come, dove o perché. Meglio non saperlo. Non ne può venire niente di buono. Solo altro dolore. Solo qualcos'altro di brutto pronto a scoppiarti in faccia.»

«È una sua scelta», osservai.

Lui annuì e non disse più nulla. Si limitò a darmi la mano e si allontanò. Lo vidi entrare in un garage dell'isolato a ovest della Ninth e quattro minuti dopo vidi uscire un piccolo suv verde della Toyota. Andò a ovest con il traffico. Supposi fosse diretto al Lincoln Tunnel e a casa. Mi chiesi quando l'avrei rivisto. In un arco compreso fra tre giorni e una settimana, pensai.

Mi sbagliavo.

Ero ancora esattamente di fronte all'ingresso del 14º Distretto sull'altro lato della strada quando Theresa Lee uscì con due uomini in abito blu e camicia bianca button-down. Aveva un'aria stanca. Aveva ricevuto la chiamata alle due del mattino, il che la collocava nel turno di notte, perciò se ne sarebbe dovuta andare verso le sette ed essere a letto per le otto. Aveva già fatto sei ore di straordinario. Ottimo per il conto corrente, non tanto per il resto. Rimase nella luce del sole, sbatté le palpebre, si stirò, poi mi vide sul marciapiede opposto ed ebbe la classica reazione a scoppio ritardato. Diede una gomitata all'uomo al suo fianco e mi indicò. Ero troppo lontano per udire le parole, ma il suo linguaggio corporeo fu come un urlo, *Ehi, è lui laggiù*, più un grande punto esclamativo data la veemenza del gesto.

Gli uomini in abito blu controllarono automaticamente a sinistra se venissero macchine, al che capii che erano distaccati in città. Le strade con i numeri dispari vanno da est a ovest, quelle con i numeri pari da ovest a est. Loro lo sapevano, nel profondo del cuore. Perciò erano locali. Ma erano più abituati a guidare che a camminare perché non controllarono eventuali fattorini in bicicletta contromano. Si limitarono ad attraversare la strada schivando le auto, scattando di qua e di là, dividendosi e arrivandomi addosso contemporaneamente da destra e da sinistra, il che mi fece capire che erano in certo qual modo stati addestrati sul campo, e in fretta. Supposi che la Crown Vic con le antenne sottili fosse loro. Rimasi nell'ombra e li aspettai. Avevano scarpe nere, cravatta blu e all'altezza del collo si intravedevano le canottiere, bianco su bianco. Il lato sinistro delle giacche era più gonfio del destro. Agenti destrimani con fondine ascellari. Avevano poco meno o poco più di quarant'anni. Erano al culmine della carriera. Né reclute né prossimi alla pensione.

Videro che non stavo andando da nessuna parte, perciò rallentarono un po' e mi si avvicinarono a passo svelto. FBI, pensai, più simili a poliziotti che a paramilitari. Non mi mostrarono i documenti. Immaginarono sapessi chi fossero.

«Dobbiamo parlarle», disse l'uomo a sinistra.

«Lo so», risposi.

«Come?»

«Perché siete corsi in mezzo al traffico per venire qui.»

«Sa perché?»

«Non ne ho idea. A meno che non sia per offrirmi assistenza psicologica per la mia esperienza traumatica.»

La bocca dell'uomo assunse una piega impaziente, come se fosse sul punto di fare una sfuriata per il mio sarcasmo. Poi la sua espressione si tramutò in un sorriso amaro e disse: «Va bene, ecco qui la sua assistenza. Risponda ad alcune domande e si scordi di essere mai stato su quel treno».

«Quale treno?»

Fece per ribattere, ma si bloccò. Aveva capito tardi che lo stavo provocando e si sentiva imbarazzato per la sua lentezza.

«Quali domande?» chiesi.

«Qual è il suo numero di telefono?» domandò.

«Non ho un numero di telefono.»

«Neanche un cellulare?»

«Soprattutto non un cellulare», precisai.

«Davvero?»

«Sono quell'uomo», risposi. «Congratulazioni. Mi avete trovato.»

«Quale uomo?»

«L'unico uomo al mondo che non ha un cellulare.»

«È canadese?»

«Perché dovrei essere canadese?»

«Il detective ci ha detto che parla francese.»

«Molte persone parlano francese. In Europa c'è un intero paese.»

«È francese?»

«Mia madre lo era.»

«Quando è stato l'ultima volta in Canada?»

«Non ricordo. Anni fa probabilmente.»

«Ne è sicuro?»

«Piuttosto.»

« Ha amici o colleghi canadesi? »

« No. »

L'uomo tacque. Theresa Lee era ancora sul marciapiede davanti alla porta del 14º Distretto. Stava in piedi al sole e ci osservava dall'altra parte della strada. L'altro agente disse: « È stato solo un suicidio su un treno. Sconvolgente, ma niente di importante. Sono cose che succedono. Intesi? »

« Abbiamo finito? » domandai.

« Le ha dato qualcosa? »

« No. »

« Ne è sicuro? »

« Sì. Abbiamo finito? »

« Ha programmi? » chiese lui.

« Lascio la città. »

« Per andare dove? »

« In un altro posto. »

L'uomo annuì. « Bene, abbiamo finito. Adesso sparisca. »

Rimasi dov'ero. Lasciai che si allontanassero per tornare alla macchina. Salirono, attesero una pausa nel traffico e si avviarono. Probabilmente avrebbero preso la West Side Highway fino in centro, per tornare in ufficio.

Theresa Lee era ancora sul marciapiede.

Attraversai la strada, mi infilai tra due auto di pattuglia bianche e blu parcheggiate, salii sul cordolo e rimasi accanto a lei, abbastanza lontano da apparire rispettoso e abbastanza vicino da essere udito. Ero rivolto verso l'edificio in modo da non avere il sole negli occhi. « Cos'è tutta questa faccenda? »

« Hanno trovato l'auto di Susan Mark. Era posteggiata nel cuore di SoHo. L'hanno portata via stamattina. »

« E? »

« Ovviamente l'hanno perquisita. »

« Perché ovviamente? Stanno sollevando un polverone per qualcosa che sostengono non sia niente di importante. »

« Non spiegano come ragionano. Non a noi, per lo meno. »

« Cos'hanno scoperto? »

« Un pezzo di carta con quello che pensano sia un numero di telefono. Una specie di biglietto scribacchiato. Appallottolato come carta straccia. »

« Che numero era? »

«Aveva un prefisso 600, che dicono sia di un gestore mobile canadese. Una rete speciale. Poi un numero, poi la lettera D come un'iniziale.»

«A me non dice niente.»

«Nemmeno a me. Tranne per il fatto che secondo me non è affatto un numero telefonico. Non c'è un numero così. E poi ha troppe cifre.»

«Se è una rete speciale, potrebbe esserlo.»

«Non mi torna.»

«Allora cos'è?»

Mi rispose prendendo un piccolo bloc-notes dalla tasca posteriore. Non qualcosa d'ordinanza della polizia. Aveva una copertina nera di cartoncino rigido e un elastico che lo teneva chiuso. Era leggermente curvo, come se avesse passato molto tempo nella tasca. Tolse l'elastico, lo aprì e mi mostrò una pagina color fulvo chiaro con sopra scritto in bella calligrafia *600-82219-D*. La sua calligrafia, supposi. Una semplice informazione, non un fac-simile. Non una riproduzione esatta di un biglietto scribacchiato.

600-82219-D.

«Nota qualcosa?» domandò.

«Forse i cellulari canadesi hanno più numeri», dissi. Sapevo che le varie compagnie telefoniche del mondo temevano di restarne senza. Aggiungere una cifra aumenta di dieci volte la capacità di un prefisso. Trenta milioni, non tre. Anche se il Canada aveva una popolazione scarsa. Una gran quantità di terra ma perlopiù deserta. Circa trentatré milioni di persone, pensai. Meno della California. E la California se la cavava bene con i normali numeri telefonici.

«Non è un numero telefonico. È qualcos'altro. Come un codice, un numero seriale. O il numero di un file. Quelli stanno perdendo tempo», affermò Lee.

«Forse non c'è alcun nesso. Una carta straccia in una macchina: potrebbe essere qualsiasi cosa.»

«Non è un mio problema.»

«C'era bagaglio in macchina?» domandai.

«No. Niente tranne le solite porcherie che si accumulano in auto.»

«Quindi doveva essere un viaggio rapido. Andata e ritorno.»

Lee non rispose. Sbadigliò e non disse nulla. Era stanca.

«Quegli uomini hanno parlato con il fratello di Susan?» chiesi.

«Non lo so.»

«A quanto sembra vuol gettarsi tutto alle spalle.»

«Comprensibile», osservò lei. «C'è sempre una ragione e non è mai molto piacevole. Questa è in ogni caso la mia esperienza.»

«Avete intenzione di chiudere la pratica?»

«È già chiusa.»

«A lei sta bene?»

«Perché non dovrebbe?»

«Per le statistiche», osservai. «L'ottanta per cento dei suicidi sono uomini. Il suicidio è molto più raro in Oriente che in Occidente. E il luogo in cui lo ha fatto è strano.»

«Ma lo ha fatto. Lei l'ha vista. Non ci sono dubbi, né obiezioni. Non è stato un omicidio abilmente mascherato.»

«Forse è stata spinta. Forse è stato un omicidio per procura.»

«Allora tutti i suicidi lo sono.»

Guardò di qua e di là lungo la strada, ansiosa di andare, ma troppo educata per dirlo. «Bene, è stato un piacere incontrarla», esclamai.

«Lascia la città?»

Annuii. «Vado a Washington D.C.»

20

Presi il treno dalla Penn Station. Altri trasporti pubblici. Il percorso per raggiungerla fu carico di tensione. Era solo una camminata di tre isolati in mezzo alla folla, ma cercavo persone intente a confrontare facce sugli schermi dei cellulari e sembrava che il mondo intero ne avesse in mano uno. Arrivai tuttavia sano e salvo e comprai un biglietto pagando in contanti.

Il treno era pieno e molto diverso dalla metropolitana. Tutti i passeggeri erano rivolti in avanti ed erano ben nascosti da poltrone con lo schienale alto. Le uniche persone che vedevo erano quelle al mio fianco. Una donna nella poltrona accanto a me e due uomini dall'altra parte del corridoio. Immaginai fossero tutti e tre avvocati. Non grandi campioni. Giocatori di serie A probabilmente, soci anziani dalla vita molto impegnata. Non, a ogni modo, dei kamikaze. Gli uomini si erano rasati di recente e tutti e tre erano irritabili, ma a parte quello non c'era niente che mi facesse scattare qualche campanello. Non che il treno Amtrak per Washington attirerebbe un kamikaze. Piuttosto sarebbe adatto per le valigie esplosive. Alla Penn il binario viene comunicato all'ultimo minuto. La folla si aggira nell'atrio, poi si precipita e si ammucchia. Non c'è security. I trolley neri tutti uguali vengono impilati nelle rastrelliere per i bagagli. Sarebbe abbastanza semplice per chiunque scendere a Filadelfia lasciando a bordo la valigia per farla esplodere poco dopo con un cellulare mentre il treno entra alla Union Station, proprio nel cuore della capitale, senza di lui.

Arrivammo tuttavia sani e salvi e raggiunsi incolume Delaware Avenue. Washington era calda come New York e più umida. I marciapiedi davanti a me erano costellati di crocchi di turisti. Perlopiù gruppi familiari di tutte le parti del mondo. Genitori premurosi, bambini imbronciati, tutti con pantaloncini e magliette sgargianti, una cartina in mano e la macchina fotografica pronta. Non che io fossi ben vestito o un visitatore assiduo. Avevo lavorato occasionalmente in zona, ma sempre sulla sinistra del fiume. Sapevo però dove andare. La mia destinazione era facile da riconoscere e proprio lì di fronte. Il Campidoglio degli Stati Uniti. Era stato costruito per far colpo. Nei primi giorni di vita della repubblica i diplomatici stranieri che arrivavano in visita dovevano andarsene convinti che la nuova nazione fosse un valido interlocutore. L'idea aveva avuto successo. Dietro di esso, dall'altra parte di Independence Avenue, c'erano gli uffici della Camera. In passato avevo acquisito una conoscenza rudimentale della politica del Congresso. Talvolta le indagini portavano direttamente ai comitati. Sapevo che il Rayburn Building era pieno di vecchi e tronfi maneggioni che stavano a Washington da una vita. Immaginai che a un uomo relativamente nuovo come Sansom fosse stato invece assegnato uno spazio al Cannon Building. Prestigioso, ma non di primo piano.

Il Cannon Building dava su Independence e First, acquattato di fronte all'angolo più lontano del Campidoglio come se gli rendesse omaggio o volesse minacciarlo. Era dotato di ogni sorta di dispositivi di sicurezza all'ingresso. Chiesi a un uomo in uniforme se il signor Sansom della Carolina del Nord si trovasse lì. Questi controllò un elenco e rispose di sì. Gli chiesi se era possibile mandargli un messaggio. L'uomo rispose ancora di sì. Indirizzai la busta al *Maggiore John T. Sansom, esercito degli Stati Uniti, in congedo* e aggiunsi la data e l'ora. Sul foglio scrissi: *Stamattina presto ho visto morire una donna con il suo nome sulle labbra.* Non era vero, ma vi si avvicinava abbastanza. Aggiunsi: *Scalinata della Biblioteca del Congresso tra un'ora.* Firmai *Maggiore Jack Reacher, esercito degli Stati Uniti, in congedo.* In fondo c'era un riquadro da contrassegnare. Chiedeva: *Sei un mio elettore?* Lo contrassegnai. Non era propriamente vero. Non vivevo nel distretto di Sansom, ma non più di quanto vivessi negli altri 434 distretti. Avevo servito nella Carolina del Nord in tre occasioni distinte. Perciò ritenni di avere il diritto di farlo. Chiusi la busta, la consegnai e tornai fuori ad aspettare.

21

Camminai nella calura sulla Independence fino all'Air and Space Museum, poi feci dietrofront e mi diressi alla Biblioteca. Mi sedetti sui gradini quando erano trascorsi cinquanta minuti su sessanta. La pietra era calda. C'erano alcuni uomini in uniforme dietro le porte sopra di me, ma nessuno uscì. Nelle esercitazioni di valutazione del pericolo la Biblioteca doveva essere stata collocata in fondo alla lista.

Attesi.

Non mi aspettavo che arrivasse Sansom in persona. Pensai piuttosto che sarebbero venuti i suoi collaboratori. Forse gli addetti alla campagna. Non avrei saputo dire di che età e quanti. Tra uno e quattro forse, tra il diploma di specializzazione e la carriera già avviata. Ero curioso di scoprirlo. Un ragazzino avrebbe indicato che Sansom non aveva preso molto seriamente il biglietto. Quattro persone anziane che era sensibile alla questione. E forse aveva qualcosa da nascondere.

La scadenza dei sessanta minuti arrivò e passò. Non mi vennero incontro né collaboratori né addetti alla campagna, né giovani né vecchi. Arrivarono invece la moglie di Sansom e il suo capo della sicurezza. Dieci minuti dopo la scadenza vidi una coppia male assortita scendere da una Town Car, fermarsi ai piedi della scalinata e guardarsi attorno. Riconobbi la donna dalle fotografie nel libro di Sansom. Di persona aveva proprio l'aspetto che la moglie di un milionario doveva avere. Un'acconciatura da parrucchiere costoso, una bella ossatura, un corpo molto tonico e probabilmente era più alta del marito di cinque centimetri. Di dieci con i tacchi. L'uomo con lei sembrava un veterano della Delta con un completo addosso. Era piccolo ma forte, asciutto e duro. Lo stesso tipo fisico di Sansom, ma più rozzo di quanto questi non sembrasse in fotografia. L'abito era di foggia tradizionale, realizzato con buona stoffa, però tutto spiegazzato e sgualcito come un'uniforme da battaglia molto logora.

I due rimasero vicini, guardarono le persone nei dintorni e scartarono una possibilità dopo l'altra. Quando rimasi solo io, sollevai una mano in segno di saluto. Non mi alzai. Supposi che si sarebbero avvicinati e fermati sotto di me, perciò se mi fossi alzato sarei parso più alto di un metro rispetto alle loro teste. Restare seduto era meno intimidatorio. Avrebbe favorito la conversazione. E mi consentiva di risparmiare energia. Ero stanco.

Vennero verso di me, la signora Sansom con le sue belle scarpe e passi leggeri, precisi, e il tizio della Delta al suo fianco, alla stessa andatura. Si fermarono due livelli più in basso e si presentarono. La signora Sansom disse di chiamarsi Elspeth e l'uomo Browning. Aggiunse che si scriveva come la pistola automatica, il che aveva forse lo scopo di creare un'aura di minaccia. Mi era nuovo. Non era nel libro di Sansom. Proseguì illustrando tutto il suo pedigree, che iniziava quando aveva prestato servizio militare accanto a Sansom, continuava con il servizio civile effettuato in qualità di capo della sicurezza durante l'attività societaria di questi e l'incarico alla Camera e contemplava la stessa incombenza quando il politico fosse arrivato al Senato o più su. L'intera presentazione era incentrata sulla lealtà. La moglie e il fedele seguace. Pensai volessero togliermi qualsiasi dubbio sulla natura dei loro interessi. Stroncare tutto con forza persino esagerata, forse. Anche se ritenni che mandare la moglie fin dall'inizio fosse una mossa furba dal punto di vista politico. Molti scandali s'inaspriscono quando un uomo ha a che fare con qualcosa di cui la moglie non sa. Coinvolgerla fin dapprincipio comunicava un certo messaggio.

«Finora abbiamo vinto numerose elezioni e ne vinceremo molte altre. Hanno già cercato di fare quello che lei sta tentando una decina di volte. Non ci sono riusciti e anche lei non ci riuscirà», affermò.

«Io non sto tentando niente. E non m'interessa chi vincerà le elezioni. Una donna è morta, e io voglio sapere perché», risposi.

«Quale donna?»

«Un'impiegata del Pentagono. Si è sparata alla testa la scorsa notte sulla metropolitana di New York.»

Elspeth Sansom lanciò un'occhiata a Browning; Browning annuì e disse: «L'ho letto on line. Sul *New York Times* e sul *Washington Post*. È accaduto troppo tardi per le edizioni cartacee».

«Un po' dopo le due del mattino», precisai.

Elspeth Sansom tornò a guardarmi e chiese: «In che modo è coinvolto?»

«Come testimone», dissi.

«Ha fatto il nome di mio marito?»

«Questa è una cosa che dovrò discutere con lui. O con il *New York Times* e il *Washington Post*.»

«È una minaccia?» chiese Browning.

«Suppongo di sì», risposi. «Cosa avete intenzione di fare?»

«Se lo metta bene in testa», replicò. «Non fai quello che John Sansom ha fatto nella sua vita se sei un debole. E neanche io lo sono. Né lo è la signora Sansom.»

«Grande», osservai. «Abbiamo stabilito che nessuno di noi è un debole. Anzi, siamo tutti duri come rocce. Ora andiamo avanti. Quando incontrerò il suo capo?»

«Che cos'era quando era militare?»

«Quel genere di uomo che anche lei avrebbe dovuto temere. Anche se probabilmente non era così. Non che importi. Non ho intenzione di fare del male a nessuno. A meno che, s'intende, qualcuno non abbia bisogno di farsi del male.»

«Alle sette stasera», disse Elspeth Sansom. Nominò quello che supposi fosse un ristorante a Dupont Circle. «Mio marito le concederà cinque minuti.» Poi mi guardò di nuovo e aggiunse: «Non venga vestito così, non la faranno entrare».

Risalirono sulla Town Car e si allontanarono. Avevo tre ore da impiegare. Presi un taxi fino all'angolo di 18th Street e Massachusetts Avenue, trovai un negozio e comprai un paio di pantaloni blu e una camicia azzurra a scacchi con il colletto. Poi camminai fino a un hotel che avevo visto due isolati più a sud sulla 18th. Era grande e piuttosto sontuoso, ma gli alberghi grandi e sontuosi sono di solito i migliori per trovare ufficiosa-

mente un po' di comodità. Mi feci strada tra il personale
dell'atrio a forza di cenni di saluto, presi l'ascensore per un piano a caso e percorsi il corridoio finché mi imbattei in un'inser-
viente che stava pulendo una stanza vuota. Erano le quattro
passate del pomeriggio. Il check in era alle due. Perciò la stanza
sarebbe rimasta vuota quella sera. E forse anche la sera successiva. I grandi alberghi sono di rado tutti pieni. E non trattano
mai bene le inservienti. Perciò la donna fu contenta di prendersi trenta dollari in contanti e trenta minuti di pausa. Immaginai che sarebbe passata alla stanza seguente sull'elenco e tornata
dopo.

Non era ancora arrivata al bagno, ma sul portasciugamani
c'erano due salviette pulite. Nessuno riusciva a usare tutti gli
asciugamani che fornivano i grandi alberghi. C'era una sapo-
netta ancora sigillata accanto al lavandino e mezza boccetta di
shampoo nel box doccia. Mi lavai i denti e feci una lunga doccia. Mi asciugai e indossai pantaloni e camicia nuovi. Trasferii
il contenuto delle tasche e lasciai i vecchi abiti nel cestino del
bagno. Trenta dollari per la stanza. Più economico di una spa.
E più rapido. Ventotto minuti dopo ero di nuovo in strada.

Arrivai fino a Dupont Circle e studiai il ristorante. Cucina afghana, tavoli esterni in un cortile anteriore, tavoli interni dietro
una porta di legno. Sembrava quel genere di posto che si riem-
pie di persone influenti disposte a pagare venti dollari per un
aperitivo che costava venti centesimi per le strade di Kabul. Il
cibo mi andava bene, ma non i prezzi. Pensai che avrei parlato
con Sansom e sarei poi andato a mangiare da qualche altra parte.

Continuai a camminare su P Street a ovest del Rock Creek
Park e scesi con un po' di fatica vicino all'acqua. Mi sedetti su
un sasso largo e piatto ad ascoltare questa sotto di me e il traffico sopra. Con il passare del tempo il traffico si fece più rumoroso e l'acqua più sommessa. Quando l'orologio nella mia
mente segnò le sette meno cinque, m'inerpicai su e mi diressi al
ristorante.

22

Alle sette di sera Washington stava diventando buia e tutti i locali di Dupont Circle avevano le luci accese. Il ristorante afghano aveva appeso varie lanterne di carta in tutto il cortile. Il marciapiede era pieno zeppo di limousine. Molti tavoli esterni erano già occupati. Ma non da Sansom e dai suoi. Tutte le persone che vidi erano giovani uomini con un completo addosso e giovani donne con la gonna. Erano divisi in coppie, terzetti e quartetti, parlavano, facevano telefonate con il cellulare, leggevano e-mail su apparecchi portatili, prendevano carte dalle valigette e le riponevano. Supposi che Sansom fosse dentro, dietro la porta di legno. Accanto al marciapiede c'era la pedana della direttrice di sala, ma prima che vi arrivassi Browning si fece strada in mezzo a un gruppo e mi si parò davanti. Indicò con un cenno una Town Car nera a venti metri di distanza e disse: «Andiamo».

«Dove? Pensavo che Sansom fosse qui», affermai.

«Ci rifletta bene. Non mangerebbe in un posto del genere. E non lo lasceremmo neanche se volesse. La componente demografica non va bene, è troppo rischiosa.»

«Allora perché portarmi qui?»

«Da qualche parte dovevamo portarla.» Rimase lì come se non gli importasse assolutamente nulla che lo seguissi o me ne andassi.

«Allora dov'è?» chiesi.

«Vicino. Ha una riunione. Le può concedere cinque minuti prima che inizi.»

«D'accordo», risposi. «Andiamo.»

C'era un autista seduto nella Town Car. Il motore era già acceso. Io e Browing salimmo dietro, l'autista si scostò dal marciapiede, percorse gran parte della rotonda, dopodiché si allontanò in direzione sud-ovest lungo New Hampshire Avenue. Superammo la Historical Society. Da quel che ricordavo di New

Hampshire Avenue, davanti a noi non avevamo molto tranne una serie di alberghi e poi la George Washington University.

Non ci fermammo in nessun albergo. Svoltammo invece in velocità a destra su Virginia Avenue, percorremmo duecento metri e ci fermammo al Watergate. Il famoso vecchio complesso. La scena del crimine. Stanze d'albergo, appartamenti, uffici, il Potomac lento e scuro al di là di essi. L'autista si fermò davanti a un palazzo per uffici. Browning rimase al suo posto. «Queste sono le regole di base. Io la porto su. Lei entra solo. Ma io sarò esattamente al di là della porta. Intesi?»

Annuii. Intesi. Scendemmo. Oltre la porta, a una scrivania, c'era un addetto alla sicurezza in uniforme ma non ci prestò attenzione. Entrammo in ascensore. Browning premette il quattro. Salimmo in silenzio. Uscimmo dall'ascensore e camminammo per circa sei metri sulla moquette grigia fino a una porta con la scritta UNIVERSAL RESEARCH. Un nome neutro e una tavola di legno anonima. Browning la aprì e mi fece entrare. Vidi una sala d'attesa arredata con un budget medio. Un banco della reception vuoto, quattro poltroncine di pelle, uffici interni a sinistra e a destra. Browning indicò a sinistra e disse: «Bussi ed entri. Io la aspetterò qui».

Mi avvicinai alla porta a sinistra, bussai ed entrai.

Nell'ufficio interno c'erano tre uomini ad aspettarmi.

Nessuno di loro era Sansom.

23

La stanza era un ambiente semplice perlopiù privo di mobili. I tre uomini erano i tre agenti federali che avevano fatto il viaggio fino al 14º Distretto di New York. Non sembravano contenti di rivedermi. All'inizio non parlarono. Il capo estrasse un piccolo oggetto d'argento dalla tasca. Un registratore vocale. Digitale. Un apparecchio da ufficio, fabbricato dalla Olympus. Premette un tasto, ci fu un breve silenzio, poi udii la sua voce chiedere: «Le ha detto qualcosa?» Le parole erano confuse per effetto della distorsione e coperte dall'eco, ma le riconobbi. Erano dell'interrogatorio delle cinque del mattino, con me seduto sulla sedia, assonnato, e loro svegli in piedi, nell'aria un odore di sudore, ansia e caffè bruciato.

Mi sentii rispondere. «Niente di rilevante.»

L'uomo premette un altro tasto e il suono registrato svanì. Ripose l'apparecchio in una tasca e da un'altra estrasse un foglio di carta piegato. Lo riconobbi. Era il foglio di carta da lettera della Camera che la guardia del Campidoglio mi aveva dato all'ingresso del Cannon Building. L'uomo lo aprì e lesse a voce alta. «Stamattina presto ho visto morire una donna con il suo nome sulle labbra.» Mi porse il biglietto in modo che potessi vedere la mia calligrafia.

«Le ha detto qualcosa di rilevante. Ha mentito a degli investigatori federali. La gente va in prigione per questo», affermò.

«Ma io no», replicai.

«Lei crede? Che cosa la rende speciale?»

«Niente. Ma che cosa rende voi investigatori federali?»

L'uomo non rispose.

«Non potete volere la botte piena e la moglie ubriaca. Volete fare tutto in gran segreto e vi rifiutate di mostrare i documenti; come faccio allora a sapere chi siete? Potevate essere impiegati degli archivi del NYPD, arrivati presto al lavoro e smaniosi di ammazzare il tempo. Non c'è una legge che proibisce di mentire a un civile. Altrimenti i vostri capi sarebbero tutti in carcere.»

«Le abbiamo detto chi eravamo.»

«La gente dice di tutto.»

«Abbiamo l'aria di impiegati degli archivi?»

«Piuttosto. E in ogni caso forse non ho mentito a voi. Forse ho mentito a Sansom.»

«Allora quale delle due?»

«Sono affari miei. Non ho ancora visto i documenti.»

«Cosa fa esattamente qui a Washington? Con Sansom?»

«Anche questi sono affari miei.»

«Vuole fargli domande?»

«Avete una legge che proibisce di far domande alle persone?»

«Lei è un testimone. Ora si è messo a indagare?»

«È un paese libero», replicai.

«Sansom non può permettersi di dirle nulla.»

«Forse sì», dissi. «Forse no.»

L'uomo tacque per un istante e aggiunse: «Le piace il tennis?»

«No», risposi.

«Ha sentito parlare di Jimmy Connors? Di Bjorn Borg? Di John McEnroe?»

«Giocatori di tennis di molto tempo fa», affermai.

«Che accadrebbe se giocassero agli U.S. Open il prossimo anno?»

«Non ne ho idea.»

«Le prenderebbero di santa ragione per tutto il campo. Si vedrebbero portare la propria testa su un vassoio. Persino le donne li batterebbero. Grandi campioni in passato ma adesso sono dei vecchi che appartengono a un'epoca completamente diversa. Il tempo va avanti. Il gioco cambia. Capisce cosa intendo?»

«No», risposi.

«Abbiamo letto il suo curriculum. In epoca preistorica era un tipo tosto. Ma questo è un mondo nuovo. Lei si trova in una situazione per la quale non è all'altezza.»

Mi girai e lanciai un'occhiata alla porta. «Browning è ancora là fuori? O mi ha scaricato?»

«Chi è Browning?»

«L'uomo che mi ha portato qui. L'uomo di Sansom.»

«Se n'è andato. Il suo nome non è Browning. Lei è come una bambola indifesa in mezzo al bosco.»

Non dissi nulla. Udii la parola *bambola* e pensai a Jacob Mark, e a suo nipote, Peter.

Una ragazza trovata in un bar. Un'autentica bambola. Peter se n'è andato con lei.

Uno degli altri due nella stanza disse: «La deve piantare di fare l'investigatore, d'accordo? Si attenga al ruolo di testimone. Dobbiamo sapere in che modo il nome di Sansom sia legato alla donna morta. Non uscirà da questa stanza finché non lo avremo scoperto».

«Uscirò da questa stanza esattamente quando lo deciderò io. Ci vuole ben altro che tre impiegati degli archivi per trattenermi dove non voglio», affermai.

«Grandi parole.»

«Comunque sia, là fuori il nome di Sansom circola già. L'ho sentito da quattro investigatori privati a New York.»

«Chi erano?»

«Quattro tizi in borghese e un biglietto da visita fasullo.»

«È quanto di meglio sa fare? È una storia piuttosto debole. Io credo lo abbia sentito da Susan Mark in persona.»

«Perché mai vi importa? Cosa potrebbe sapere una dipendente dello HRC che possa nuocere a un uomo come Sansom?»

Nessuno parlò, ma il silenzio fu molto strano. Sembrava racchiudere in sé una tacita risposta che saliva a spirale nell'aria, che si espandeva verso l'alto e all'esterno: *Non ci preoccupa solo Sansom, ma l'esercito, i militari, il passato, il futuro, il governo, il paese, l'intero mondo, l'intero maledetto universo.*

«Voi chi siete?» domandai.

Nessuna risposta.

«Cosa diavolo ha fatto a suo tempo Sansom?»

«A suo tempo quando?»

«Durante i suoi diciassette anni.»

«Cosa pensa abbia fatto?»

«Quattro missioni segrete.»

Nella stanza calò il silenzio.

«Come sa delle missioni di Sansom?» chiese l'agente capo.

«Ho letto il suo libro», dissi.

«Non sono nel libro.»

«Ma le promozioni e le medaglie sì. Senza una chiara spiegazione che ne dimostri una diversa provenienza.»

Nessuno parlò.

«Susan Mark non sapeva niente. Non poteva. Non è semplicemente possibile. Avrebbe potuto rivoltare lo HRC per un anno senza trovarne il minimo accenno», affermai.

«Ma qualcuno le ha chiesto di farlo.»

«E allora? Non è successo niente. È tutto come prima.»

«Vogliamo sapere chi sia, nient'altro. Cerchiamo di tenerci al corrente di cose del genere.»

«Non so chi sia.»

«Ma chiaramente vuole saperlo. Altrimenti perché sarebbe qui?»

«L'ho vista spararsi. Non è stato bello.»

«Non lo è mai. Ma non è una ragione per diventare sentimentali. O cacciarsi nei guai.»

«Siete preoccupati per me?»

Nessuno rispose.

«O siete preoccupati che scopra qualcosa?»

«Cosa le fa credere che si tratti di due preoccupazioni diverse? Forse sono la stessa cosa. Scopre qualcosa e finisce dentro a vita. O in mezzo al fuoco incrociato», osservò il terzo uomo.

Non dissi nulla. Nella stanza calò di nuovo il silenzio.

«Ultima possibilità. Si attenga al ruolo del testimone. La donna ha fatto il nome di Sansom o no?» disse l'agente capo.

«No», risposi. «Non lo ha fatto.»

«Ma là fuori il suo nome circola lo stesso.»

«Sì», dissi. «Circola.»

«E non sa chi sta facendo domande.»

«No», dichiarai. «Non lo so.»

«D'accordo», affermò l'uomo. «Adesso si dimentichi di noi e prosegua la sua vita. Non abbiamo alcun desiderio di complicargliela.»

«Ma?»

«Lo faremo se dovremo. Si ricorda dei guai che poteva causare alla gente, quando era nella 110ª? Adesso è molto peggio. Cento volte peggio. Perciò faccia la cosa intelligente. Se vuol giocare, resti nel giro degli anziani. Stia alla larga da tutto questo. Il gioco è cambiato.»

Mi lasciarono andare. Scesi in ascensore, superai l'uomo alla porta e rimasi in piedi in un'ampia zona lastricata a guardare il fiume scorrere lento. Le luci riflesse si muovevano con la corrente. Pensai a Elspeth Sansom. Mi aveva colpito. *Non venga vestito così, non la faranno entrare.* Mi aveva fregato in pieno. Mi aveva ingannato. Avevo comprato una camicia di cui non avevo bisogno e che non volevo.

Non era una persona debole.

Quello era maledettamente certo.

La sera era calda. L'aria era pesante e pregna di odori portati dall'acqua. Tornai verso Dupont Circle. Due chilometri, calcolai. Venti minuti a piedi, forse meno.

24

I pasti al ristorante a Washington duravano di rado meno di un'ora e più di due. Quella era la mia esperienza. Perciò mi aspettavo di trovare Sansom intento a finire il piatto principale o a ordinare il dessert. Forse stava già bevendo il caffè e pensando a un sigaro.

Al ristorante circa metà dei tavoli nel cortile avevano cambiato clienti. C'erano altri giovani in abito scuro e altre giovani con la gonna. Più coppie ora rispetto ai terzetti e ai quartetti, più storie d'amore che lavoro. Più chiacchiere brillanti studiate per far colpo e meno consultazioni di apparecchi elettronici. Superai la postazione della direttrice di sala e la donna che era lì mi chiamò. «Sono con il deputato», dissi. Superai la porta di legno e scrutai la sala interna. Era uno spazio rettangolare basso pervaso di luce soffusa, odori speziati, conversazioni rumorose e sporadiche risate.

Sansom non c'era. Nessuna traccia di lui, della moglie, né dell'uomo che si era definito Browning, nessuna banda di collaboratori smaniosi o di volontari addetti alla campagna.

Tornai fuori; la donna alla postazione della direttrice di sala mi guardò con aria interrogativa e chiese: «Con chi si doveva incontrare?»

«John Sansom», risposi.

«Non è qui.»

«Evidentemente.»

Un ragazzo a un tavolo accanto al mio gomito commentò: «Quattordicesimo Carolina del Nord? Ha lasciato la città. Domani ha una colazione per raccogliere fondi a Greensboro. Banche e assicurazioni, niente tabacco. L'ho sentito raccontare tutto al mio capo». L'ultima frase era rivolta alla ragazza di fronte a lui, non a me. Forse lo era l'intero discorso. *Il mio uomo.* Chiaramente quel ragazzo era un pezzo maledettamente importante o voleva sembrarlo.

Tornai sul marciapiede, rimasi immobile per un secondo, poi partii per Greensboro nella Carolina del Nord.

Arrivai con un pullman notturno che faceva sosta prima a Richmond, in Virginia, poi a Raleigh, quindi a Durham e a Burlington. Non prestai caso all'itinerario. Dormii per tutto il percorso. Arrivammo a Greensboro verso le quattro del mattino. Superai agenzie per il recupero dei crediti, banchi dei pegni chiusi e ignorai un paio di ristorantini sudici finché trovai il genere di locale che volevo. Non scelsi in base al cibo. Per me il cibo di qualsiasi ristorante ha lo stesso sapore. Stavo cercando elenchi telefonici e quotidiani locali gratuiti e dovetti camminare a lungo per trovarli. Il posto che scelsi stava aprendo in quel momento. Un uomo in maglietta era occupato a ungere una griglia. Il caffè stava gocciolando nel contenitore. Portai le pagine gialle a un tavolo e controllai la A per alberghi. Greensboro ne aveva molti. Era un centro di discrete dimensioni. Forse duecentocinquantamila persone.

Immaginai che una colazione per raccogliere fondi si svolgesse in un luogo alquanto prestigioso. I donatori sono ricchi e non vanno alla Red Roof Inn per cinquecento dollari al piatto. Non se lavorano nelle banche e nelle assicurazioni. Supposi allo Hyatt o allo Sheraton. Greensboro li aveva entrambi. Chiusi le pagine gialle e cominciai a sfogliare i giornali gratuiti in cerca di conferme. I giornali gratuiti riportano tutte le notizie locali.

Trovai un pezzo su una colazione nel secondo quotidiano che aprii. Ma mi ero sbagliato a proposito dell'hotel. Non era lo Hyatt né lo Sheraton. Sansom aveva prenotato in un posto chiamato O. Henry Hotel, che ipotizzai portasse il nome del famoso scrittore della Carolina del Nord. C'era l'indirizzo. L'evento sarebbe iniziato alle sette del mattino. Strappai il pezzo, lo piegai più volte e lo misi in tasca. L'uomo dietro il banco terminò di preparare e mi portò una tazza di caffè senza che gliela avessi chiesta. Ne bevvi un sorso. Non c'è niente di meglio di un caffè fresco nel primo minuto della sua esistenza. Poi ordinai il combo più grande del menu, mi appoggiai allo schienale e guardai l'uomo che lo cucinava.

*

Presi un taxi per l'O. Henry Hotel. Sarei potuto andare a piedi, e ci volle più tempo a trovare il taxi che a compiere il tragitto in macchina ma volevo arrivare con stile. Lo raggiunsi alle sei e un quarto. L'albergo era la copia moderna di un vecchio palazzo elegante. Sembrava una struttura indipendente ma probabilmente non lo era. Pochi alberghi lo sono. L'atrio era sontuoso, illuminato da luci soffuse e pieno di esclusive poltrone di pelle. Le superai dirigendomi al banco della reception con tutta la spocchia e la baldanza che poteva avere un uomo con una camicia spiegazzata da diciannove dollari. Dietro il banco era di turno una giovane donna. Sembrava incerta, come se fosse appena arrivata e non si fosse ancora ambientata. Mi guardò e io dissi: «Sono qui per la colazione di Sansom».

La giovane non rispose. Faticò a capire come reagire, quasi la stessi mettendo in imbarazzo con troppe informazioni. «Dovevano lasciare qui il biglietto.»

«Il biglietto?»

«L'invito.»

«Chi?»

«Elspeth», risposi. «La signora Sansom, intendo. O il loro uomo.»

«Quale uomo?»

«L'addetto alla sicurezza.»

«Il signor Springfield?»

Sorrisi tra me. Springfield era una ditta che fabbricava armi automatiche, come la Browning. A quel tizio piaceva giocare, il che era divertente ma stupido. I nomi falsi funzionano meglio se sono completamente slegati dalla realtà.

«Li ha già visti stamattina?» chiesi. Tentai un'astuzia. Ritenevo che Greensboro non fosse nel distretto congressuale di Sansom. Una campagna per il Senato richiedeva finanziamenti e visibilità a livello statale. Supposi che nella sua zona avesse già finito e stesse ormai gettando le reti più in là. Probabilmente si era quindi fermato in albergo per la notte, pronto a iniziare presto il giorno dopo. Ma non potevo esserne sicuro. Chiedere se fosse già sceso mi avrebbe fatto sembrare un idiota qualora se ne fosse andato cinque minuti prima. Chiedere se fosse già arrivato mi avrebbe fatto fare la stessa brutta figura qualora si fosse trovato a trecento chilometri di distanza. Perciò puntai sulla neutralità.

«Sono ancora di sopra per quanto ne so», rispose la donna.

«Grazie», risposi e tornai nell'atrio tenendomi lontano dagli ascensori in modo che non avesse nulla di cui preoccuparsi. Aspettai finché il telefono non squillò e lei non prese a battere sulla tastiera, a concentrarsi sullo schermo del computer, dopodiché mi portai via via verso la periferia della sala e premetti il pulsante.

Ritenevo che Sansom si trovasse in una grande suite e che le grandi suite si trovassero all'ultimo piano, perciò premetti il numero più alto della pulsantiera. Dopo un po' imboccai un corridoio ricoperto di moquette che attutiva i passi e vidi un poliziotto in uniforme in piedi, rilassato, davanti a una porta di mogano a due battenti. Un agente di pattuglia del dipartimento di Greensboro. Non era giovane. Un veterano che provava a fare qualche facile straordinario. Una presenza simbolica. Mi diressi verso di lui con un sorriso mesto sul volto come per dire: *Ehi, lavori tu e lavoro anch'io, che ci possiamo fare?* Pensai avesse già controllato alcuni visitatori. Addetti al servizio in camera con il caffè, collaboratori con ragioni legittime per essere lì, forse giornalisti. Gli feci un cenno e dissi: «Jack Reacher per il signor Sansom», mi protesi e bussai alla porta. Non reagì. Non protestò. Rimase là come un manichino, quale in effetti era. Qualsiasi cosa fosse diventato Sansom in futuro, era ancora un parlamentare di provincia e aveva davanti una lunga strada prima di poter usufruire di una seria protezione.

Ci fu una breve attesa, poi la porta della suite si aprì. Dietro c'era la moglie di Sansom con la mano sulla maniglia interna. Era vestita, pettinata, truccata e pronta per la giornata.

«Salve, Elspeth», dissi. «Posso entrare?»

25

Nello sguardo di Elspeth Sansom vidi un calcolo rapido, esperto, da moglie di politico. Primo istinto: buttar fuori il vagabondo. Ma: c'era un poliziotto in corridoio, probabilmente i media nell'edificio e quasi certamente personale dell'albergo a portata d'orecchio. E la gente del luogo parla. Perciò deglutì una volta e disse: «Maggiore Reacher, che piacere rivederla», quindi indietreggiò per lasciarmi passare.

La suite era grande e buia per via delle tende tirate alle finestre, piena di mobili pesanti dai colori cupi e smorti. C'era un soggiorno con un tavolo per la colazione e una porta aperta che forse dava in una stanza da letto. Elspeth Sansom mi condusse nel centro del locale e si bloccò, come se a quel punto non sapesse che fare di me. Poi John Sansom uscì dalla stanza da letto per capire cosa succedesse.

Era in mutande, camicia, cravatta e calze. Niente scarpe. Sembrava piccolo, come un uomo in miniatura. Corporatura asciutta, spalle strette. La testa era un po' grande rispetto al resto del corpo. I capelli erano tagliati corti e pettinati con cura. La pelle era abbronzata ma segnata, come nel caso di chi fa una vita attiva, all'aria aperta. Niente lampade solari per quell'uomo. Risplendeva di salute, di forza, di energia e di carisma. Era facile capire come avesse vinto parecchie elezioni. Come i settimanali se ne fossero innamorati. Mi guardò, poi guardò la moglie e domandò: «Dov'è Springfield?»

«È sceso giù a controllare alcune cose. Non si saranno incrociati in ascensore.»

Sansom assentì con un solo e rapido movimento delle palpebre. Era abile a prendere decisioni e concreto, non molto incline a piangere sul latte versato. Mi guardò e disse: «Lei non molla».

«Non l'ho mai fatto», risposi.

«Non ha ascoltato i federali a Washington?»

«Chi erano esattamente?»

«Quelli? Sa com'è. Potrei dirglielo, ma poi dovrei ucciderla. In ogni caso, avrebbero dovuto scoraggiarla.»

«Il messaggio non è arrivato.»

«Mi hanno girato il suo curriculum. Gli ho detto che avrebbero fallito.»

«Mi hanno parlato come se fossi un imbecille. E mi hanno detto che ero troppo vecchio. Il che rende lei fin troppo vecchio.»

«Sono fin troppo vecchio. Per buona parte di queste stronzate, in ogni caso.»

«Ha dieci minuti?»

«Gliene posso dare cinque.»

«C'è un po' di caffè?»

«Sta perdendo tempo.»

«Abbiamo molto tempo. Più di cinque minuti, comunque. Persino più di dieci. Si deve allacciare le scarpe e mettere la giacca. Quanto può volerci?»

Sansom scrollò le spalle, si avvicinò al tavolo e mi versò una tazza di caffè. Me la portò e me la porse dicendo: «Adesso venga al punto. So chi è e perché è qui».

«Conosceva Susan Mark?» gli domandai.

Scosse la testa. «Non l'ho mai incontrata, non avevo nemmeno mai sentito parlare di lei prima di ieri sera.»

Stavo osservando i suoi occhi e gli credetti. «Perché costringere un'impiegata dello HRC a fare indagini su di lei?» chiesi.

«È questo che è accaduto?»

«È l'ipotesi più probabile.»

«Allora non ne ho idea. Lo HRC è il nuovo PERSCOM, giusto? Che cosa mai ottenevi dal PERSCOM? Che cosa mai qualcuno ha ottenuto? Che cosa hanno lì? Date e unità, nient'altro. In ogni caso la mia vita è di dominio pubblico. Sono stato alla CNN un centinaio di volte. Mi sono arruolato, sono entrato nella scuola ufficiali, sono stato nominato ufficiale, promosso tre volte e me ne sono andato. Non ci sono segreti.»

«Le sue missioni Delta erano segrete.»

La stanza si fece un po' più silenziosa. «Come lo sa?» chiese Sansom.

«Ha ottenuto quattro medaglie importanti. Non spiega perché.»

Lui annuì.

«Quel dannato libro», disse. «Anche le medaglie rientrano nel curriculum. Non potevo rinnegarle. Non sarebbe stato rispettoso. La politica è un campo minato. Ti condannano se lo fai, ti condannano se non lo fai. In qualsiasi modo ti beccano.»

Non dissi nulla. Sansom mi guardò e chiese: «Quanti faranno la stessa associazione? Oltre a lei, intendo?»

«Circa tre milioni», risposi. «Forse più. Tutti quelli nell'esercito e tutti i veterani con una vista ancora abbastanza buona da poter leggere. Sanno come funzionano le cose.»

Lui scosse il capo. «Non così tanti. In genere le persone non hanno una mente avida di sapere. E anche se ce l'hanno, rispettano di solito la segretezza di faccende del genere. Non credo ci siano problemi.»

«Da qualche parte un problema c'è. Altrimenti perché far domande a Susan Mark?»

«Ha davvero citato il mio nome?»

Scossi la testa. «Era per attirare la sua attenzione. Ho sentito il suo nome da un gruppo di uomini che presumo siano stati assoldati dalla persona che ha fatto domande.»

«In che modo questo la riguarda?»

«In nessun modo. Ma Susan sembrava una brava persona, presa tra incudine e martello.»

«Le importa?»

«Importa anche a lei, anche se in misura molto ridotta. Non è in politica solo per quello che può ricavare per sé. Almeno mi auguro proprio non sia così.»

«È sul serio un mio elettore?»

«Non finché la eleggeranno presidente.»

Sansom tacque per un istante e poi aggiunse: «Anche l'FBI mi ha ragguagliato. Sono in una posizione in cui posso far loro dei favori, perciò stanno attenti a tenermi informato. Dicono che secondo il NYPD lei sta reagendo all'intera faccenda per senso di colpa. Come se sul treno avesse tirato troppo la corda. E il senso di colpa non è mai una base solida per prendere buone decisioni».

«È solo l'opinione di una donna», replicai.

«Si sbaglia?»

Non dissi nulla.

«Non le dirò un accidente di niente delle missioni.»

«Non mi aspetto lo faccia», osservai.

«Ma?»

«Quanto potrebbe riaffiorare e trasformarsi in una spina nel fianco?»

«Niente in questa vita è perfettamente bianco o nero. Lo sa. Ma non sono stati commessi crimini. E comunque sia nessuno potrebbe arrivare alla verità da un'impiegata dello HRC. Questo è un tentativo di estorcere informazioni. La forma peggiore di un giornalismo dilettantesco, abborracciato, scandalistico.»

«Non credo lo sia», obiettai. «Susan Mark era terrorizzata e suo figlio è scomparso.»

Sansom lanciò un'occhiata alla moglie, poi tornò a guardare me. «Questo non lo sapevamo», disse.

«Non è stato divulgato. È studente alla USC. Cinque giorni fa è uscito da un bar con una ragazza. Da allora non è stato più visto. Lo si ritiene assente ingiustificato, intento a spassarsela alla grande.»

«Questo come lo sa?»

«Dal fratello di Susan Mark. Lo zio del ragazzo.»

«Non crede alla storia?»

«È una coincidenza troppo strana.»

«Non necessariamente. I ragazzi lasciano in continuazione i bar con le ragazze.»

«Lei è un genitore», affermai. «Per cosa sarebbe pronto a uccidersi?»

Nella stanza il silenzio aumentò ancora. «Merda», esclamò Elspeth Sansom. John Sansom assunse invece quello sguardo lontano che avevo visto in passato nei bravi ufficiali superiori di fronte a un inconveniente tattico. Ripensa, rischiera, riorganizza, il tutto rapidamente in un paio di secondi. Lo vidi ripercorrere vari episodi della storia e giungere a una conclusione certa. «Mi dispiace per la situazione familiare dei Mark, sul serio. Li aiuterei se potessi, ma non posso. Nella mia carriera alla Delta non c'è niente che possa essere accessibile tramite lo HRC. Niente di niente. O questo riguarda una cosa completamente diversa o qualcuno sta cercando nel posto sbagliato.»

«In quale altro posto dovrebbe cercare?»

«Lei sa dove. E sa che non riuscirebbe mai ad avvicinarvisi. Qualcuno che ne sappia abbastanza da volere i verbali della Delta saprebbe con sicurezza dove cercarli e dove no. Perciò questo non riguarda le forze speciali. Non è possibile.»

«Cos'altro potrebbe riguardare allora?»

«Niente. Sono senza macchia.»

«Davvero?»

«Al cento per cento. Non sono un idiota. Non sarei entrato in politica se avessi la più piccola cosa da nascondere. Non per come vanno le cose oggi. Non ho mai preso neanche una multa per divieto di sosta.»

«Va bene», dissi.

«Mi dispiace per la donna della metropolitana.»

«Va bene», ripetei.

«Ma ora dobbiamo proprio andare. Abbiamo un bel po' di questue da fare.»

«Ha mai sentito il nome Lila Hoth?»

«Lila Hoth?» chiese Sansom. «No, mai sentito.»

Stavo osservando i suoi occhi ed ebbi la sensazione che dicesse l'assoluta verità. E che mentisse spudoratamente con le labbra. Nello stesso momento.

26

Incrociai Springfield mentre riattraversavo l'atrio dell'hotel. Io ero diretto all'ingresso, lui usciva da una sala da pranzo. Alle sue spalle vidi vari tavoli rotondi con tovaglie candide come neve e grandi decorazioni floreali nel centro. Mi guardò senza alcuna sorpresa sul volto. Era come se stesse valutando la mia azione e la trovasse soddisfacente. Come se fossi arrivato ai suoi capi all'incirca nel lasso di tempo che s'aspettava. Non rapidamente, non lentamente ma proprio nella finestra che aveva concesso. Mi lanciò un'occhiata di stima professionale e proseguì senza dire una parola.

Tornai a New York nello stesso modo in cui l'avevo lasciata ma al contrario. Un taxi fino alla stazione di Greensboro, un pullman fino a Washington e poi il treno. Il viaggio richiese tutto il giorno e parte della sera. L'orario dei pullman e quello dei treni non si combinavano bene e i primi due treni da Washington erano tutti pieni. Passai il tempo del viaggio a riflettere, innanzitutto su quanto Sansom aveva detto e su quanto non aveva detto. *Niente in questa vita è perfettamente bianco o nero. Lo sa. Ma non sono stati commessi crimini. E comunque sia nessuno potrebbe arrivare alla verità da un'impiegata dello* HRC. Non aveva negato attività discutibili. Anzi quasi il contrario. In pratica aveva fatto una confessione. Ma riteneva di non aver superato il limite. *Niente crimini.* Ed era sicuro che i dettagli restassero sotto chiave per sempre. Una posizione tutto sommato comune tra gli ex militari più rigidi. *Discutibile* era una parola grossa per tutti noi. Undici lettere e una marea di implicazioni. Di certo la mia stessa carriera non reggerebbe a un esame esteso. Non passo le notti in bianco per questo, ma in genere sono contento che i dettagli restino sotto chiave. E chiaramente lo era anche Sansom. Conosco i dettagli che mi riguardano. Ma quali erano i dettagli che riguardavano lui? Cose che, come è ovvio, gli avrebbero nuociuto a livello personale o elettorale. O in entrambi i casi, inevitabilmente. I federali lo avevano chiarito alla perfezione. *Sansom non può permettersi di dirle nulla.* Ma avrebbero nuociuto anche in un contesto più ampio, altrimenti perché in primo luogo coinvolgere i federali?

E chi diavolo era Lila Hoth?

Mi feci queste domande per tutto il viaggio in pullman tra i sobbalzi e per tutta la lunga sosta alla Union Station, poi quando il treno che presi si diresse a nord attraversando Baltimora lasciai perdere. Non mi avevano portato da nessuna parte e a quel punto stavo pensando a un'altra cosa. A dove con precisione fosse diretta Susan Mark a New York. Era arrivata da sud e aveva in programma di mollare la macchina e raggiungere la destinazione in metropolitana. Tatticamente furbo, e forse non aveva altra scelta. In auto non aveva indossato la giacca invernale. Troppo caldo. Forse l'aveva messa sul sedile posteriore o ancor meglio nel bagagliaio, con la borsa e la pistola, posto dove sarebbe stata al sicuro da sguardi indiscreti. Perciò aveva deciso di parcheggiare, di scendere dall'auto, di prepararsi per la battaglia a distanza e con una certa privacy.

Ma non troppo a distanza. Non troppo lontano dalla meta finale. Perché era stata trattenuta. Era molto in ritardo. Perciò se fosse stata diretta nel cuore dei quartieri a nord, avrebbe parcheggiato a midtown. Invece aveva parcheggiato in centro. A SoHo. Probabilmente era salita sul treno a Spring Street, una fermata prima di me. Dopo 33rd Street era ancora ferma al suo posto. Poi le cose erano precipitate. Se così non fosse stato, immaginai sarebbe rimasta sul treno oltre Grand Central e scesa a 51st Street. Forse a 59th Street. Di certo non dopo. La 68th era una fermata troppo in là. Più che all'interno dell'Upper East Side. Un quartiere tutto nuovo. Se fosse stata diretta lassù, avrebbe usato il Lincoln Tunnel non lo Holland e si sarebbe spinta più a nord prima di parcheggiare. Perché aveva poco tempo. Perciò la stazione di 59th Street era il limite massimo. Ma una volta arrivata ovunque fosse diretta, pensai che avrebbe cercato di tornare indietro seguendo una curva, anche se solo lieve. È la psicologia del dilettante. Ti avvicini da sud, agisci

con fin troppa forza, torni indietro da nord. E sperava che i
suoi avversari fossero rivolti dalla parte sbagliata.

Perciò tracciai un quadrato nella mia testa, da 42nd Street a
59th, e da Fifth Avenue alla Third. Sessantotto isolati quadrati.
Che contenevano cosa?

Quasi otto milioni di cose diverse.

Smisi di contarle ben prima che raggiungessimo Filadelfia. A
quel punto ero stato sviato dalla ragazza dall'altra parte del corridoio. Aveva più o meno venticinque anni ed era assolutamente fantastica. Forse una modella, forse un'attrice, forse solo
un'avvocatessa o una lobbista splendida. Un'autentica bambola, come potrebbe dire uno studente della USC.

Il che mi indusse a pensare di nuovo a Peter Molina e all'evidente contraddizione di qualcuno abbastanza abile da usarlo
come arma contro una fonte inutile.

Il nostro cliente ha assoldato un'intera squadra. La città di New
York ha cinque accessi principali per i mezzi di trasporto: gli
aeroporti di Newark, La Guardia e il JFK, più la Penn Station e
il Grand Central Terminal e la stazione dei pullman della Port
Authority. Newark ha tre terminal, il La Guardia ne ha tre più
il terminal delle navette, il JFK ne ha otto, la Penn Station è
grande, il Grand Central enorme e la Port Authority un dedalo. Per compiere un tentativo sensato di sorveglianza ci vorrebbero in totale quasi quaranta uomini. Ottanta o più per una
copertura ventiquattr'ore su ventiquattro. E ottanta uomini
erano un esercito, non una squadra. Perciò scesi dal treno con
nient'altro che la solita cautela. Il che fortunatamente bastò.

27

Vidi subito la sentinella. Era appoggiato a un pilastro nel centro dell'atrio della Penn Station, inerte, con quella sorta di immobilità fisica totale che deriva da un lungo periodo di lavoro. Era fermo e il mondo si muoveva frettoloso accanto a lui come un fiume attorno a un sasso. Aveva in mano un cellulare aperto, lo teneva basso contro la coscia. Era un uomo alto ma sottile. Giovane, forse sulla trentina. A prima vista non ti colpiva. Aveva la pelle pallida, la testa rasata e un'ombra di barba rossiccia. L'aspetto non era granché. Forse incuteva maggior paura di un cacciatore d'autografi ma non più di tanto. Indossava una camicia con un disegno floreale e sopra un giubbotto corto aderente di pelle probabilmente marrone ma che appariva di un arancione chiaro sotto le luci. Fissava la folla in arrivo con occhi stanchi da tempo e quindi annoiati.

L'atrio era pieno di gente. Mi mossi seguendo il flusso, lentamente, mi lasciai circondare. Fui trasportato dalla corrente. La sentinella era dieci metri più avanti, a sinistra. Teneva lo sguardo fermo. Lasciava che la gente entrasse in un campo visivo fisso. Io mi trovavo a circa tre metri da esso. Sarebbe stato come passare attraverso un metal detector all'aeroporto.

Rallentai un po' e qualcuno mi venne addosso alle spalle. Mi girai rapido per controllare che non mi stessero pedinando in squadra. Non era così. La persona dietro di me era una donna con un passeggino grande quanto un suv con dentro due neonati, forse gemelli. Ci sono tantissimi gemelli a New York. Molte madri non più giovani, pertanto molte fecondazioni artificiali. I gemelli nel passeggino dietro di me piangevano entrambi, forse perché era tardi ed erano stanchi, o forse perché erano disorientati e sconcertati dalla selva di gambe intorno a loro. I loro versi si confondevano con il baccano generale. L'atrio era piastrellato e pieno di echi.

Mi portai a poco a poco a sinistra con l'intenzione di spostarmi di lato di un paio di metri nei successivi tre. Arrivai quasi al margine del flusso e attraversai il punto focale della sentinella. Aveva gli occhi di un azzurro chiaro ma appannati per la fatica. Non reagì. Non all'inizio. Poi, dopo un lungo secondo di attesa, li sgranò, sollevò il telefono e mosse la parte chiudibile per illuminare lo schermo. Lo guardò. Mi guardò. Aprì la bocca per la sorpresa. A quel punto mi trovavo a poco più di un metro da lui.

Poi svenne. Mi gettai in avanti, lo presi e lo stesi delicatamente a terra. Un buon samaritano che si prodigava durante un'emergenza medica improvvisa. Questo era quello che la gente vide, per lo meno. Ma solo perché la gente vede quello che vuol vedere. Se avessero riesaminato mentalmente la breve sequenza e l'avessero analizzata con grande attenzione, avrebbero forse notato che mi ero gettato in avanti un attimo prima che l'uomo si accasciasse. Che, se la mia mano destra si era mossa per afferrarlo per il colletto, lo aveva fatto solo una frazione di secondo dopo che la sinistra lo aveva colpito al plesso solare con molta forza, a distanza ravvicinata, nello spazio tra i nostri corpi, nascosta e furtiva.

Ma la gente vede quello che vuol vedere. Lo ha sempre fatto e sempre lo farà. Mi chinai sull'uomo fingendomi sempre un cittadino responsabile e la donna con il passeggino proseguì passandomi alle spalle. Dopodiché si radunò una piccola folla in ansia. La fama di città ostile di New York è immeritata. La gente di solito si dà molto da fare. Una donna si accovacciò accanto a me. Altri rimasero nelle vicinanze e guardarono in basso. Vedevo le loro gambe e le loro scarpe. L'uomo con il giubbotto di pelle era steso sul pavimento, si contorceva per gli spasmi al petto e ansimava disperato in cerca d'aria. Un forte colpo al plesso solare provoca questo. Ma anche un attacco cardiaco e numerose altre condizioni patologiche.

«Cos'è successo?» chiese la donna accanto.

«Non lo so. Si è piegato in due. Ha alzato gli occhi al cielo», dissi.

«Dovremmo chiamare un'ambulanza.»

«Mi è caduto il telefono», osservai.

La donna prese ad armeggiare nella borsetta. «Aspetti. Potrebbe aver avuto un episodio. Dobbiamo controllare se abbia con sé una tessera», affermai.

«Un episodio?»

«Un attacco, un accesso. Di epilessia o qualcosa di simile.»

«Che genere di tessera?»

«La gente le porta con sé. Con le istruzioni. Forse dobbiamo impedire che si morda la lingua. E magari ha con sé dei farmaci. Gli controlli le tasche.»

La donna tastò le tasche del giubbotto dall'esterno. Aveva mani piccole, dita lunghe e molti anelli. Le tasche esterne erano vuote. Là non c'era niente. La donna scostò il giubbotto e controllò all'interno. Io osservai con attenzione. La camicia era diversa da qualsiasi cosa avessi mai visto. Acrilica, floreale, un'orgia di colori pastello. Il giubbotto era di poco prezzo, rigido. Con una fodera di nylon. C'era un'etichetta interna piuttosto elaborata con una scritta in cirillico.

Anche le tasche interne erano vuote.

«Provi nei pantaloni», dissi. «In fretta.»

«Non posso», replicò la donna. Allora un manager abituato a prendere le situazioni in mano si accovacciò vicino a noi e infilò le dita nelle tasche anteriori dei pantaloni dell'uomo. Niente. Sfruttò i lembi delle tasche per far rotolare l'uomo prima su un fianco, poi sull'altro per controllare quelle posteriori. Niente, nemmeno là.

Non c'era niente da nessuna parte. Niente portafoglio, niente documenti, niente di niente.

«Bene, sarà meglio chiamare un'ambulanza», osservai. «Vedete il mio telefono?»

La donna si guardò attorno, poi frugò sotto il braccio dell'uomo ed estrasse il cellulare. La parte superiore si era aperta e lo schermo era illuminato. La mia foto era proprio lì, grande ed evidente. Di qualità migliore di quanto non pensassi. Migliore del tentativo fatto dal commesso di Radio Shack. La donna la guardò. Sapevo che le persone tengono le foto nei cellulari. Le ho viste. Del compagno, del cane, del gatto, dei figli. Come una home page o uno sfondo. Forse la donna pensò fossi un terribile egocentrico visto che usavo una mia foto. Ma mi porse lo stesso il telefono. A quel punto il manager abituato a prendere le situazioni in mano stava già effettuando la chiamata d'emergenza. Perciò mi allontanai e dissi: «Vado a cercare un poliziotto».

Mi feci di nuovo strada nella marea di persone e lasciai che mi trasportasse via, fuori dalla porta, sul marciapiede, nel buio, lontano.

28

Adesso non ero più l'unico uomo al mondo senza un cellulare. Mi fermai nel buio caldo a tre isolati di distanza sulla Seventh Avenue e guardai il mio trofeo. Un Motorola. Di plastica verde, trattata e lucidata in modo da sembrare metallo. Armeggiai con il menu e non trovai altre foto tranne la mia. Era riuscita piuttosto bene. La trasversale a ovest della Eighth, il sole intenso del mattino, io colto nell'attimo di girarmi in risposta a chi mi aveva chiamato per nome. C'erano parecchi dettagli, dalla testa ai piedi. C'era chiaramente un numero enorme di megapixel. Riuscivo a distinguere abbastanza bene i miei tratti. E considerato che non avevo quasi dormito pensai di avere un aspetto piuttosto decente. Nelle vicinanze c'erano alcune auto e una decina di astanti che davano il senso delle proporzioni, come il righello dipinto sul muro dietro le segnaletiche della polizia. Il mio atteggiamento era esattamente quello che vedo allo specchio. Molto caratteristico.

Era stato colto proprio bene dal punto di vista fotografico.

Quello era maledettamente certo.

Tornai al menu delle chiamate e controllai eventuali telefonate fatte. Non ce n'erano. Controllai le telefonate ricevute e ne trovai solo tre, tutte nell'arco delle ultime tre ore, tutte dallo stesso numero. Supposi che la sentinella dovesse cancellare le informazioni con regolarità, forse persino dopo ogni chiamata, ma che nelle ultime tre ore fosse diventato pigro, il che era sicuramente coerente con il suo comportamento e i tempi di reazione. Immaginai che il numero da cui erano giunte le chiamate rappresentasse una specie di organizzatore o coordinatore. Forse persino il gran capo in persona. Se fosse stato un numero di cellulare, non mi sarebbe servito a nulla. Assolutamente a nulla. I cellulari possono essere dappertutto. Quello è il loro scopo.

Ma non era un numero di cellulare. Era un numero 212.

Una linea fissa di Manhattan.

Che aveva una sede fissa. Quello è lo scopo delle linee fisse.

Il metodo migliore per risalire a un nome da un numero telefonico dipende da quanto in alto stai nella catena alimentare. Poliziotti e investigatori privati hanno elenchi telefonici al contrario. Controlli il numero, hai un nome e un indirizzo. L'FBI possiede ogni sorta di database sofisticati. Sono lo stesso genere di cose, ma più costose. La CIA probabilmente possiede le compagnie telefoniche.

Io non ho niente di tutto ciò. Perciò seguo l'approccio lowtech.

Compongo il numero e vedo chi risponde.

Premetti il pulsante verde e il telefono mi recuperò il numero. Lo premetti di nuovo e iniziò a comporlo. Udii squillare. Il suono fu interrotto piuttosto alla svelta e una voce di donna rispose: «Four Seasons. Desidera?»

«L'albergo?» dissi.

«Sì, chi sta cercando?»

«Mi dispiace, ho sbagliato numero», risposi.

Chiusi la telefonata.

Il Four Seasons Hotel. Lo avevo visto. Non ci ero mai entrato. Era un po' al di sopra del mio reddito attuale. Si trovava su 57th Street tra Madison e Park Avenue. Proprio là nel mio riquadro di sessantotto isolati quadrati, un po' a ovest e molto a nord del suo centro geografico. Ma era una breve passeggiata per qualcuno che scendesse dalla linea 6 a 59th Street. Centinaia di stanze, centinaia di numeri telefonici interni, tutti indirizzati all'esterno attraverso il centralino, tutti con lo stesso ID del chiamante.

Utile ma non molto.

Riflettei per un istante, mi guardai bene attorno, quindi cambiai direzione e mi incamminai verso il 14° Distretto.

Non avevo idea dell'ora in cui un detective del NYPD arrivasse per il turno di notte, ma prevedevo che Theresa Lee si sarebbe fatta vedere all'incirca nel giro di un'ora. Prevedevo di doverla aspettare nell'atrio dabbasso. Quello che non prevedevo era di trovare Jacob Mark lì, prima di me. Era seduto su una sedia dritta contro un muro e tamburellava le dita sulle ginocchia. Mi guardò senza stupirsi affatto e disse: «Peter non si è fatto vedere agli allenamenti».

29

Lì nell'atrio del distretto Jacob Mark parlò per cinque minuti di fila con quella scioltezza incoerente tipica di chi è davvero in ansia. Disse che quelli del football della USC avevano atteso per ore e poi chiamato il padre di Peter, che aveva chiamato lui. Che per uno studente brillante dell'ultimo anno che godeva di una borsa di studio totale perdere un allenamento era assolutamente inconcepibile. Anzi, allenarsi al di là di quanto succedeva era un aspetto fondamentale della cultura. Terremoti, rivolte, guerre, morti in famiglia, malattie letali: si presentavano tutti. Ricordava al mondo quanto importante fosse il football e di conseguenza quanto importanti fossero i giocatori per l'università. Perché gli studenti sportivi erano rispettati dai più, ma disprezzati da qualcuno. E c'era il tacito ordine di vivere secondo gli ideali della maggioranza e di cambiare la mentalità della minoranza. Poi c'era anche l'aspetto legato al machismo. Perdere l'allenamento era come se un pompiere si rifiutasse di uscire, se un battitore colpito da un lancio si sfregasse il braccio, se un pistolero restasse all'interno del saloon. Inconcepibile. Inaudito. Non succedeva. Postumi di sbornie, fratture alle ossa, strappi muscolari, lividi: niente contava. Ti presentavi. Inoltre Peter sarebbe entrato nella NFL e sempre più le squadre professionistiche guardano all'indole. Troppe volte erano rimaste scottate. Perciò perdere un allenamento era come gettar via il buon pasto. Inspiegabile. Incomprensibile.

Ascoltai senza prestare molta attenzione. Invece contai le ore. Quasi quarantotto da quando Susan Mark aveva superato la scadenza. Perché non avevano trovato il corpo di Peter?

A quel punto Theresa Lee arrivò con una notizia.

*

Prima però dovette occuparsi del problema di Jacob Mark. Ci portò nella stanza della squadra al primo piano, lo ascoltò dall'inizio alla fine e chiese: «Peter è stato ufficialmente dichiarato scomparso?»

«Intendo farlo ora», rispose Jacob.

«Non può», osservò lei. «Almeno non con me. È scomparso a Los Angeles, non a New York.»

«Susan è stata uccisa qui.»

«Si è suicidata qui.»

«Quelli della USC non accettano denunce di persone scomparse. E il LAPD non la prenderebbe sul serio. Non capiscono.»

«Peter ha ventidue anni. Non è un bambino.»

«Manca da più di cinque giorni.»

«Il tempo non è rilevante. Non vive a casa. E chi dice che è scomparso? Chi dice quali potrebbero essere le sue normali abitudini? Magari sparisce per lunghi periodi senza contattare la famiglia.»

«Questo è diverso.»

«Qual è la vostra linea di condotta lassù nel New Jersey?»

Jake non rispose.

«È un adulto indipendente. È come se fosse salito su un aereo e andato in vacanza. Come se i suoi amici fossero stati all'aeroporto e lo avessero visto partire. Capisco l'atteggiamento del LAPD.»

«Ma ha perso l'allenamento di football. Questo non succede.»

«A quanto pare, è appena successo.»

«Susan era stata minacciata», replicò Jake.

«Da chi?»

Jake mi guardò. «Glielo dica, Reacher.»

«Era qualcosa che riguardava il suo lavoro. Con una grossa arma. Doveva essere per forza così. Credo che una minaccia al figlio calzi», affermai.

«D'accordo», disse Lee. Guardò nella stanza e trovò il collega, Docherty. Stava lavorando a una delle due scrivanie appaiate in fondo alla stanza. Tornò a guardare Jake e disse: «Vada a fare una dichiarazione completa. Tutto ciò che sa e tutto ciò che pensa di sapere».

Jake assentì grato e si diresse verso Docherty. Io attesi fin quando si fu allontanato e le domandai: «Adesso riaprirà il file?»

«No. Il file è chiuso e lo resterà. Perché per come stanno le cose non c'è niente di cui preoccuparsi. Ma quell'uomo è un poliziotto e dobbiamo essere cortesi. Inoltre lo voglio fuori dai piedi per un'ora.»

«Perché non c'è niente di cui preoccuparsi?»

Così mi riferì la notizia.

«Sappiamo perché Susan Mark è venuta qui», affermò.

«Come?»

«*Abbiamo* una denuncia di persona scomparsa», spiegò. «A quanto pare, Susan stava aiutando qualcuno in un'indagine e quando non si è fatta vedere, il soggetto in questione si è preoccupato ed è venuto a segnalarne la scomparsa.»

«Che genere di indagine?»

«Qualcosa di personale, credo. Io non c'ero. I colleghi del turno di giorno hanno detto che sembrava tutto piuttosto semplice. E così doveva essere, davvero, altrimenti per quale altra ragione venire in una stazione di polizia?»

«Perché Jacob Mark non deve saperlo?»

«Ci servono molti più particolari. Ottenerli sarà più facile senza di lui. È troppo coinvolto. È un parente. Strillerebbe e urlerebbe. L'ho già visto prima.»

«Chi è il soggetto in questione?»

«Una persona straniera arrivata per un breve periodo qui in città allo scopo di condurre le ricerche per le quali Susan la stava aiutando.»

«Aspetti», dissi. «Arrivata per un breve periodo in città? Sta in albergo?»

«Sì», rispose Lee.

«Il Four Seasons?»

«Sì», rispose Lee.

«Come si chiama quest'uomo?»

«È una lei, non un lui», replicò Lee. «Si chiama Lila Hoth.»

Era molto tardi, ma Lee chiamò ugualmente e Lila Hoth acconsentì a incontrarci al Four Seasons subito. Ci andammo con l'auto senza insegne di Lee e parcheggiammo nella zona di carico dell'albergo, accanto al marciapiede. L'atrio era magnifico. Tutto arenaria chiara, ottone, vernice marrone e marmo dorato, a metà tra una soffusa intimità e un vivo modernismo. Lee mostrò il distintivo al banco, l'addetto chiamò di sopra e poi ci indicò gli ascensori. Eravamo diretti a un altro piano alto e da come si era espresso l'impiegato ebbi la sensazione che la stanza di Lila Hoth non fosse la più piccola né la più economica del posto.

In effetti la stanza di Lila Hoth era un'altra suite. Aveva una porta a due battenti, come quella di Sansom in Carolina del Nord, ma senza un poliziotto all'esterno. C'era solo un corridoio silenzioso, deserto. Qua e là c'erano alcuni vassoi utilizzati del servizio in camera e alcune maniglie avevano appeso il cartello non disturbare o l'ordine per la colazione. Theresa Lee si fermò, controllò due volte il numero e bussò. Per un minuto non accadde niente. Poi il battente di destra si aprì e vedemmo una donna oltre la soglia con una luce gialla tenue esattamente dietro le spalle. Era sulla sessantina, forse anche di più, era bassa, grossa e pesante con i capelli grigio acciaio tagliati in modo semplice, tutti della stessa lunghezza. Aveva gli occhi scuri, molte rughe e le palpebre cadenti. Un volto bianco come una lastra di marmo, grassoccio, immobile e triste, un'espressione circospetta, indecifrabile. Indossava una brutta vestaglia marrone di una spessa stoffa sintetica.

«La signora Hoth?» domandò Lee.

La donna chinò la testa, sbatté le palpebre e mosse le mani

emettendo una sorta di verso di scuse generiche. La scena muta universale di chi non capiva.

«Non parla inglese», dissi.

«Quindici minuti fa lo parlava», osservò Lee.

La luce dietro la donna proveniva da una lampada da tavolo collocata in fondo alla stanza. Si offuscò leggermente quando una seconda figura vi si stagliò davanti e si diresse verso di noi. Un'altra donna. Ma molto più giovane. Sui venticinque anni. Molto elegante. E molto, molto bella. Rara ed esotica. Come una modella. Sorrise con fare un po' timido e disse: «Sono io che quindici minuti fa ho parlato inglese. Sono Lila Hoth. Questa è mia madre».

Si chinò e parlò rapidamente in una lingua straniera. Dell'Est europeo, in modo sommesso, più o meno nell'orecchio dell'anziana. Spiegò, fornì il contesto, la coinvolse. L'anziana si illuminò e sorrise. Ci presentammo dicendo il nostro nome. Lila Hoth parlò per la madre. Disse che si chiamava Svetlana Hoth. Ci stringemmo tutti la mano in maniera alquanto formale, incrociandoci, due persone dalla nostra parte e due dalla loro. Lila Hoth era mozzafiato. E molto naturale. Al confronto la ragazza che avevo visto sul treno sembrava affettata. Era alta ma non troppo, sottile ma non troppo. Aveva la pelle scura come se fosse perfettamente abbronzata in spiaggia. E lunghi capelli neri. Niente trucco. Possedeva due occhi enormi, ipnotici, dell'azzurro più intenso che avessi mai visto. Come se fossero illuminati dall'interno. Si muoveva con una sorta di flessuosa economia. Per metà sembrava giovane, sexy e *gamine*, per metà adulta e padrona di sé. Per metà inconsapevole di quanto fosse bella, per metà un po' vergognosa di esserlo. Indossava un semplice abito da cocktail nero che probabilmente arrivava da Parigi e costava più di un'auto. Ma non le serviva. Avrebbe potuto indossare anche un abito fatto con la tela di vecchi sacchi di patate senza che l'effetto venisse meno. La seguimmo all'interno e la madre seguì noi. La suite era composta da tre stanze. Un soggiorno al centro e le camere da letto ai lati. Il soggiorno era arredato con vari mobili tra cui un tavolo da pranzo. Sopra c'erano gli avanzi di una cena servita in camera. In un angolo della stanza c'erano alcuni sacchetti di negozi. Due di Bergdorf Goodman e due di Tiffany. Theresa Lee estrasse il distintivo; Lila Hoth si allontanò fino a una credenza sotto uno specchio, tornò con due sottili libretti e glieli porse. I passaporti. Pensava che due visitatori ufficiali a New York dovessero vedere le carte. I passaporti erano di colore marrone rossiccio; avevano ciascuno il disegno di un'aquila stampata in oro nel centro della copertina e sia sopra sia sotto di esso alcune parole in cirillico che sembravano NACNOPT YKRAIHA in caratteri latini. Lee li sfogliò, si scostò e li rimise sulla credenza.

Poi ci sedemmo tutti. Svetlana Hoth fissò dritta davanti a sé inespressiva, tagliata fuori dalla lingua. Lila Hoth ci guardò con attenzione, per stabilire la nostra identità. Un poliziotto del distretto e il testimone del treno. Finì per guardarmi dritto in faccia, forse perché riteneva che fossi stato quello più colpito dagli eventi. Non protestai. Non riuscivo a staccarle gli occhi di dosso.

«Mi dispiace così tanto per quello che è successo a Susan Mark», disse.

La voce era bassa. La dizione precisa. Parlava inglese molto bene. Con un po' d'accento e un pizzico di formalità. Come se avesse imparato la lingua dei film in bianco e nero, americani e inglesi.

Theresa Lee non parlò. «Non sappiamo cosa le sia successo. Non pròprio. Al di là dei fatti ovvi, intendo», affermai io.

Lila Hoth assentì gentile, delicata, un po' mortificata. «Volete capire in che modo io sia coinvolta», disse.

«Sì, è così.»

«È una storia lunga. Ma devo dirvi subito che niente che la riguarda potrebbe spiegare gli eventi della metropolitana.»

«Allora sentiamola», esclamò Theresa Lee.

E così la sentimmo. La prima parte erano tutte informazioni sugli antefatti. Puramente biografiche. Lila Hoth aveva ventisei anni. Era ucraina. A diciotto anni si era sposata con un russo. Questi era ben addentro al mondo imprenditoriale moscovita, secondo lo stile degli anni Novanta. Dallo stato a pezzi si era accaparrato concessioni petrolifere e diritti per lo sfruttamento del carbone e dell'uranio. Era diventato un miliardario a una cifra. Il passo successivo era diventarne uno a due cifre. Non vi riuscì. Il collo di bottiglia era stretto. Tutti volevano superarlo, ma non c'era spazio. Un anno prima un avversario gli aveva sparato in testa davanti a un night. Il corpo era rimasto steso nella neve sul marciapiede per tutto il giorno seguente. Un messaggio, secondo lo stile moscovita. La neovedova Lila Hoth aveva colto il suggerimento, venduto tutto e si era trasferita a Londra con la madre. Le piaceva Londra e aveva in progetto di viverci per sempre, piena di soldi ma senza molto altro da fare.

«Si presume che i giovani che si arricchiscono facciano qualcosa per i genitori. Lo si vede sempre tra le pop star, le stelle del cinema e gli atleti. Una cosa del genere rispecchia un sentimento molto ucraino. Mio padre è morto prima della mia nascita. Mia madre è tutto ciò che mi rimane. Perciò ovviamente le ho offerto tutto ciò che voleva. Case, automobili, vacanze, crociere. Ha rifiutato tutto. Il suo unico desiderio era che l'aiutassi a rintracciare un uomo del suo passato. Era come se la polvere si fosse depositata dopo una vita lunga e turbolenta e che fosse finalmente libera di concentrarsi su ciò che per lei contava di più.»

«Chi era quell'uomo?» domandai.

«Un soldato americano di nome John. Era l'unica cosa che sapevamo. All'inizio mia madre sosteneva che fosse solo un conoscente. Poi però è emerso che era stato molto gentile con lei in un luogo e in un momento particolari.»

«Dove e quando?»

«A Berlino per un breve periodo all'inizio degli anni Ottanta.»

«È vago.»

«Era prima che nascessi. Nel 1983. Dentro di me pensavo che cercare di ritrovare quell'uomo fosse un'impresa disperata. Che mia madre stesse diventando una vecchia rimbambita, ma fui contenta di mostrarle che mi davo da fare. Non si preoccupi, non capisce quello che stiamo dicendo.»

Svetlana Hoth sorrise e annuì senza riferirsi a qualcosa di particolare.

«Perché sua madre era a Berlino?» domandai.

«Era con l'Armata Rossa», rispose la figlia.

«A fare che?»

«Era con un reggimento di fanteria.»

«In che veste?»

«Era un commissario politico. Tutti i reggimenti ne avevano uno. Anzi tutti i reggimenti ne avevano parecchi.»

«Allora cosa ha fatto per rintracciare l'americano?» domandai.

«Mia madre era stata chiara sul fatto che il suo amico John era nell'esercito, non nei Marine. Sono partita da lì. Perciò da Londra ho telefonato al vostro dipartimento della Difesa e chiesto cosa dovessi fare. Dopo tante spiegazioni mi hanno indirizzata allo Human Resources Command. Lì hanno un ufficio stampa. L'uomo con cui ho parlato si è commosso. La trovava una storia dolce. Forse aveva colto qualche risvolto sotto il profilo delle relazioni pubbliche, non lo so. Forse finalmente c'era una buona notizia invece delle tante cattive. Ha detto che avrebbe fatto indagini. Personalmente ritenevo che avrebbe perso tempo. John è un nome molto comune. E da quanto capisco, parecchi soldati americani si avvicendano in Germania e visitano Berlino. Perciò ho pensato che la rosa di possibilità sarebbe cresciuta in modo enorme. Cosa che a quanto sembrava è successa. Poi, settimane dopo, mi ha telefonato un'impiegata, una certa Susan Mark. Non ero a casa. Ha lasciato un messaggio dicendo che le avevano assegnato l'incarico. Che alcuni nomi che suonano come John sono in realtà abbreviazioni di Jonathan, scritto senza la lettera H. Voleva sapere se mia madre avesse mai visto il nome scritto, forse su un biglietto. L'ho domandato a mia madre, ho richiamato Susan Mark e le ho spiegato che eravamo sicure fosse John con la lettera H. La conversazione con Susan è stata molto gradevole e ne sono seguite molte altre. Eravamo quasi diventate amiche, per quanto puoi diventarlo al telefono. Come amici di penna, o meglio... di cornetta. Mi ha raccontato parecchio di sé. Era una donna molto sola e forse le nostre conversazioni le rallegravano le giornate.»

«Poi cos'è accaduto?» domandò Lee.

«Alla fine ho ricevuto notizie da Susan. Mi ha detto di aver trovato qualcosa. Le ho proposto di incontrarci qui a New York, quasi per suggellare la nostra amicizia. Sa, una cena e poi forse uno spettacolo. Un modo per dirle grazie per l'impegno, sicuramente. Ma non è mai arrivata.»

«A che ora l'aspettava?» chiesi.

« Verso le dieci. Ha detto che sarebbe partita dopo il lavoro. »

« Troppo tardi per una cena e uno spettacolo. »

« Aveva intenzione di fermarsi. Le avevo riservato una stanza. »

« Quando è arrivata qui? »

« Tre giorni fa. »

« Come? »

« Con la British Airways da Londra. »

« Ha assoldato una squadra locale », dissi.

Lila Hoth assentì.

« Quando? » chiesi.

« Poco prima di arrivare. »

« Perché? »

« È previsto », rispose, « e a volte utile. »

« Dove li ha trovati? »

« Si fanno pubblicità nei quotidiani di Mosca e nei giornali degli espatriati a Londra. Per loro è un buon affare e per noi è una specie di status symbol. Se vai all'estero senza assistenza, appari debole. Meglio non farlo. »

« Mi hanno detto che si era portata dietro una squadra personale. »

Lei sembrò sorpresa.

« Non ho una squadra personale », osservò. « Perché mai lo avranno detto? Non capisco. »

« Hanno detto che si era portata dietro una banda di tipi minacciosi. »

Per un attimo assunse un'aria confusa e un po' seccata. Poi il suo volto s'illuminò. Pareva svelta ad analizzare le situazioni. « Forse hanno usato l'inventiva per ragioni strategiche. Quando Susan non è arrivata, li ho mandati a cercarla. Ho pensato: li pago, possono anche lavorare un po'. E mia madre ha investito molte speranze in questa impresa. Perciò non volevo fare tutta questa strada e fallire all'ultimo. Quindi ho offerto loro un extra. Siamo cresciuti con l'idea che in America i soldi siano il mezzo più convincente. Perciò forse quegli uomini hanno inventato una storia per lei. Hanno escogitato un'alternativa minacciosa. Per essere certi di ottenere i soldi in più. Per indurla a parlare. »

Non dissi nulla.

Poco dopo il suo volto s'illuminò di nuovo. Una nuova intuizione. «Non ho una squadra, come lei l'ha chiamata. Solo un uomo. Leonid, uno del vecchio team di mio marito. Non è riuscito a trovarsi un nuovo lavoro. È un incapace, purtroppo. Perciò l'ho tenuto. In questo momento è alla Penn Station. La sta aspettando. La polizia mi ha detto che il testimone era andato a Washington. Ho immaginato che avrebbe preso il treno e sarebbe tornato nello stesso modo. Non è così?»

«Sì, sono tornato in treno», dissi.

«Allora dev'essere sfuggito a Leonid. Aveva la sua fotografia. Doveva chiederle di telefonarmi. Poveraccio, dev'essere ancora là.»

Si alzò e si avvicinò alla credenza per prendere il telefono. Il che mi creò un piccolo problema tattico. Perché il cellulare di Leonid era nella mia tasca.

31

In linea di principio so come spegnere un cellulare. L'ho visto
fare e l'ho fatto io stesso in più di un'occasione. Con molti modelli premi il tasto rosso per due lunghi secondi. Ma il telefono
era in tasca. Non avevo spazio per aprirlo e nessuna possibilità
di trovare il tasto rosso soltanto col tatto. Sarebbe stato troppo
sospetto estrarlo e spegnerlo sotto gli occhi di tutti.

Lila Hoth premette il nove per avere la linea e compose il
numero.

Misi la mano in tasca; con l'unghia del pollice trovai la chiusura del coperchio della batteria. La staccai dal telefono e la girai di lato per evitare ogni contatto elettrico accidentale.

Lila Hoth attese, poi sospirò e riagganciò.

«È senza speranza», affermò. «Ma molto leale.»

Cercai di ricostruire i presunti progressi di Leonid nella mia
mente. La polizia, i paramedici, probabilmente un viaggio
d'obbligo al pronto soccorso del St Vincent, nessun documento d'identità, forse nessuna parola di inglese, forse ansie, domande e la detenzione. Poi il viaggio di ritorno in direzione
uptown.

Di che durata fosse stata la detenzione, non lo sapevo.

Quanto veloce fosse il viaggio di ritorno, non potevo preve-
derlo.

«La squadra locale ha fatto il nome di John Sansom», dissi.

Lila Hoth sospirò di nuovo e scosse la testa in un impercettibile gesto di esasperazione. «Quando siamo arrivati, ovviamente li ho ragguagliati. Ho raccontato loro la storia. E ci siamo ritrovati tutti d'accordo. Sapevamo di stare perdendo tempo, accontentando mia madre. Ci siamo anche scambiati battute al riguardo. Uno degli uomini stava leggendo un pezzo sul
giornale a proposito di Sansom. Ha detto: 'Ecco un soldato
americano chiamato John più o meno della giusta età'. Ha detto: 'Forse Sansom è l'uomo che state cercando'. Per un paio di

giorni è diventato una specie di ritornello. Uno scherzo tra noi, immagino. Dicevamo: 'Chiamiamo John Sansom e facciamola finita'. Davvero, stavo solo scherzando naturalmente, perché quante probabilità c'erano? Un milione a una, forse. E anche loro scherzavano, davvero, ma tempo dopo si sono fatti in certo qual modo seri. Forse per l'impatto che avrebbe avuto, perché è un politico così famoso.»

«Quale impatto? Cosa ha fatto sua madre con quest'uomo chiamato John?»

Svetlana Hoth fissò nel vuoto senza capire. Lila Hoth si risedette. «Mia madre non ne ha mai parlato in dettaglio. Di certo non può essere stato spionaggio. Mia madre non era una traditrice. Lo dico non da figlia, ma da persona realista. È ancora viva. Perciò non è mai stata sospettata. E nemmeno il suo amico americano era un traditore. Creare i collegamenti con i traditori stranieri era compito del KGB, non dell'esercito. Personalmente dubito che nutrisse un interesse romantico. Era più probabilmente un aiuto di qualche tipo, un'assistenza personale, economica o politica. Forse segreta. Erano brutti tempi per l'Unione Sovietica. Ma forse era qualcosa di romantico. Tutto ciò che ha detto è che quell'uomo è stato molto gentile con lei. È molto riservata sull'argomento.»

«Glielo chieda di nuovo, ora.»

«Gliel'ho chiesto molte volte, come potrete immaginare. Non parla.»

«Ma non pensa che Sansom sia davvero coinvolto?»

«No, per niente. Si è trattato di uno scherzo che ci ha preso la mano. Nient'altro. A meno che ovviamente non sia davvero quella possibilità su un milione. Sarebbe straordinario, non crede? Scherzare su qualcosa e scoprire che è vero.»

Non replicai.

«Adesso posso farle una domanda? Susan Mark le ha dato informazioni destinate a mia madre?» chiese Lila Hoth.

Svetlana Hoth sorrise e annuì di nuovo. Cominciai a pensare che riconoscesse le parole *mia madre*. Come un cane che scodinzola quando sente il suo nome. «Perché secondo lei Susan Mark mi avrebbe dato delle informazioni?» osservai.

«Perché le persone che ho assoldato qui mi hanno riferito che ha detto loro che lo ha fatto. Informatizzate, in una chiavetta USB. Mi hanno dato il messaggio, trasmesso la sua fotografia e rassegnato le dimissioni. Non so perché. Li pagavo molto bene.»

Mi mossi sulla sedia e infilai la mano in tasca. Cercai tastoni al di là del telefono smembrato e trovai la chiavetta USB di Radio Shack. Sentii la custodia morbida di neoprene rosa contro le unghie. La estrassi, la tenni sollevata e studiai gli occhi di Lila Hoth con molta attenzione. Guardò la chiavetta come un gatto un uccellino.

«È proprio quella?» domandò.

Theresa Lee si agitò sulla sedia e mi guardò. Come per chiedermi: *Lo dice lei o lo faccio io?* Lila Hoth colse lo sguardo e domandò: «Che c'è?»

«A me l'intera faccenda è apparsa molto diversa, mi spiace. Sul treno Susan Mark era terrorizzata. Era in grossi guai. Non aveva l'aria di una persona che viene in città per incontrare un'amica per una cena o uno spettacolo.»

«Gliel'ho già ho detto. Non so spiegarlo», replicò Lila Hoth.

Rimisi la chiavetta in tasca. «Susan non aveva con sé una borsa per la notte», osservai.

«Non so spiegarlo.»

«Ha lasciato la macchina e si è mossa in metropolitana. Il che è strano. Se era pronta a riservarle una stanza, sono sicuro che non avrebbe battuto ciglio per il servizio di posteggio.»

«Battuto ciglio?»

«Glielo avrebbe pagato.»

«Certo.»

«E portava con sé una pistola carica.»

«Viveva in Virginia. So che là è obbligatorio.»

«È legale», la corressi. «Non obbligatorio.»

«Non so spiegarlo. Mi dispiace.»

«Suo figlio è scomparso. L'ultima volta lo hanno visto uscire da un bar con una donna della sua età e piuttosto simile a lei.»

«Scomparso?»

«Svanito.»

«Una donna piuttosto simile a me?»

«Un'autentica bambola.»

«Che significa?»

«Una giovane donna di bell'aspetto.»

«Quale bar?»

«Uno da qualche parte a Los Angeles.»

«Los Angeles?»

«In California.»

«Non sono mai stata a Los Angeles. Mai in vita mia. Sono stata solo a New York.»

Non dissi nulla. «Si guardi attorno. Sono qui a New York da tre giorni con un visto turistico. Occupo tre stanze in un albergo commerciale. Non ho una squadra personale, come l'ha definita. Non sono mai stata in California.»

Non dissi nulla.

«L'aspetto è soggettivo. Non sono l'unica donna di quest'età. Nel mondo ci sono sei miliardi di persone. Tendenzialmente giovani, certo. Metà di loro ha quindici anni o anche meno. Il che significa che restano ancora tre miliardi di persone di sedici anni o più. Seguendo la curva, forse il dodici per cento di loro è sui venticinque. Cioè trecentosessanta milioni di persone. Quasi la metà sono donne. Cioè centottanta milioni. Anche se solo una su cento venisse giudicata di bell'aspetto, in un bar della California, la probabilità che John Sansom sia l'amico di mia madre resta sempre dieci volte maggiore rispetto a quella che io abbia avuto qualcosa a che fare con il figlio di Susan Mark.»

Annuii. Dal punto di vista matematico il ragionamento di Lila Hoth non faceva una grinza. «Comunque sia, è probabilmente vero che Peter sia da qualche parte con una ragazza. Sì, so il suo nome. Anzi so tutto di lui. Me ne ha parlato Susan. Al telefono. Abbiamo parlato di tutti i nostri problemi. Odiava il figlio. Disprezzava ciò che è. Un ragazzo superficiale dall'atteggiamento immaturo che fa parte di un'associazione studentesca. L'ha rifiutata preferendo il padre. E sa perché? Perché era ossessionato dal suo lignaggio. Susan era stata adottata. Lo sapevate? Il figlio la vedeva solo come una persona concepita al di fuori del matrimonio. La odiava per questo. So più di chiunque altro sul conto di Susan. Era una donna sola. Io ero sua amica. Era entusiasta di venire qui a conoscermi», disse.

*

A quel punto percepii che Theresa Lee doveva andare e io di certo volevo essere lontano da lì prima che il giovane Leonid si ripresentasse. Perciò annuii, scrollai le spalle come se non avessi altro da aggiungere né altre questioni da sviscerare. Lila Hoth mi chiese se potessi darle la chiavetta che Susan Mark mi aveva passato. Non dissi né sì né no. Non risposi. Ci limitammo a stringerci di nuovo la mano e ce ne andammo. La porta si chiuse alle nostre spalle; percorremmo il corridoio silenzioso e l'ascensore si aprì con un trillo. Entrammo, ci guardammo nelle pareti a specchio e Lee disse: «Be', che ne pensa?»

«Che è bella», risposi. «Una delle donne più belle che abbia mai visto.»

«A parte questo.»

«Due occhi incredibili.»

«A parte gli occhi.»

«Penso che anche lei sia sola. Parlava di Susan, ma avrebbe potuto parlare di sé.»

«E la sua storia?»

«Le persone belle godono automaticamente di maggiore credibilità?»

«Non per quanto mi riguarda, amico. E comunque se la tolga di testa. Fra trent'anni sarà come la madre. Le crede?»

«Lei?»

Assentì. «Le credo. Perché una storia come quella è ridicolmente facile da verificare. Solo un idiota ci darebbe tante possibilità per smentirlo. Per esempio, l'esercito ha davvero addetti stampa?»

«Centinaia.»

«Perciò tutto quello che dobbiamo fare è trovare quello con cui ha parlato e chiedere. Potremmo persino rintracciare le telefonate da Londra. Potrei mettermi in contatto con Scotland Yard. Mi piacerebbe. Ci pensa? Docherty m'interrompe e io gli dico: 'Lasciami in pace, amico, sono al telefono con Scotland Yard'. Il sogno di ogni detective.»

«La NSA avrà le telefonate», osservai. «Un numero straniero per il dipartimento della Difesa? Saranno già inserite in un'analisi dell'intelligence da qualche parte.»

«E potremmo rintracciare le telefonate di Susan Mark dal Pentagono. Se hanno parlato spesso come Lila sostiene, le individueremo facilmente. Le chiamate internazionali verso il Regno Unito probabilmente sono registrate a parte.»

«Allora lo faccia. Controlli.»

«Lo farò», rispose. «Quella donna sa che posso farlo. Mi è sembrata intelligente. Sa che la British Airways e la Homeland Security possono rintracciare i suoi spostamenti da e verso il paese. Sa che possiamo verificare se sia mai andata a Los Angeles. Sa che possiamo chiedere a Jacob Mark se la sorella sia stata adottata. È tutto così facile da confermare. Sarebbe una follia mentire su cose del genere. In più è venuta alla sede del distretto e si è esposta volontariamente. Inoltre mi ha appena mostrato il passaporto. Il che è l'esatto opposto di un comportamento sospetto. Questi sono grossi punti a suo favore.»

Presi il cellulare dalla tasca e reinserii la batteria. Premetti il tasto d'accensione e lo schermo s'illuminò. Indicava una chiamata senza risposta. Lila Hoth presumibilmente, dalla sua stanza, dieci minuti prima. Vidi Lee osservare il telefono e dissi: «È di Leonid. Gliel'ho preso».

«Sul serio l'ha trovata?»

«L'ho trovato io. Per questo sono arrivato fino all'albergo.»

«Dov'è adesso?»

«Starà tornando a casa dal St Vincent Hospital, probabilmente.»

«Vuol proprio raccontare una cosa del genere a un detective del NYPD?»

«È svenuto. Io l'ho aiutato. Questo è tutto. Parli con i testimoni.»

«Comunque sia, susciterà un vespaio con Lila.»

«Pensa che in Virginia sia obbligatorio possedere una pistola. Probabilmente penserà che a New York lo siano le aggressioni a scopo di rapina. È cresciuta con la propaganda.»

Uscimmo nell'atrio e ci dirigemmo verso il portone. «Ma se tutto è così innocente, perché sono coinvolti i federali?»

«Se la storia è vera, un soldato americano si è incontrato con un commissario politico dell'Armata Rossa ai tempi della guerra fredda. I federali vogliono essere assolutamente sicuri che sia innocente. Per questo la risposta dello HRC è stata ritardata di settimane. Stavano prendendo decisioni sulla politica da seguire e istituendo una sorveglianza.»

Salimmo sull'auto di Lee. «Lei non è d'accordo con me, vero?» chiese.

«Se le questioni familiari delle Hoth sono innocenti, amen. Ma qualcosa non è innocente. Questo è maledettamente certo. E stiamo dicendo che quel qualcosa ha portato Susan Mark nello stesso punto preciso e nello stesso momento preciso. Il che è un accidenti di coincidenza.»

«E?»

«Quante volte le risulta si sia verificata una probabilità su un milione?»

«Mai.»

«Anche a me. Ma credo che qui stia accadendo. John Sansom è una probabilità su un milione, ma secondo me è coinvolto.»

«Perché?»

«Gli ho parlato.»

«A Washington?»

«A dire il vero ho dovuto seguirlo in Carolina del Nord.»

«Lei non molla, vero?»

«È quello che ha detto lui. Poi gli ho chiesto se avesse sentito il nome Lila Hoth. Ha detto di no. Stavo osservando il suo volto. Gli ho creduto e ho pensato che stesse anche mentendo. Entrambe le cose insieme. Forse è andata così.»

«Come?»

«Forse aveva sentito il nome Hoth ma non Lila. Perciò tecnicamente no, non aveva sentito il nome Lila Hoth. Ma forse aveva sentito il nome Svetlana Hoth. Forse gli era molto familiare.»

«Questo cosa significherebbe?»

«Forse più di quello che pensiamo. Perché se Lila Hoth dice il vero, allora ci troviamo davanti a una specie di strana logica. Perché Susan Mark si sarebbe data tanta pena per un caso del genere?»

«Per senso di solidarietà.»

«Perché lei in particolare?»

«Non lo so.»

«Perché era stata adottata. Nata al di fuori del vincolo coniugale, presumibilmente ogni tanto si chiedeva chi fossero i suoi veri genitori. Provava solidarietà per le altre persone nella stessa situazione. Come Lila Hoth, forse. Un uomo è stato molto gentile con sua madre prima che nascesse? Ci sono molti modi di interpretare un'espressione del genere.»

«Per esempio?»

«Nel caso migliore le ha dato un cappotto caldo d'inverno.»

«In quello peggiore?»

«Forse John Sansom è il padre di Lila Hoth.»

32

Io e Lee tornammo dritti al distretto. Jacob Mark aveva finito con Docherty. Quello era chiaro. E qualcosa era cambiato. Anche quello era chiaro. Erano seduti l'uno di fronte all'altro al tavolo del detective. Non parlavano più. Jake aveva un'aria più serena. Docherty aveva un'espressione paziente sul volto, come se avesse appena sprecato un'ora. Non appariva risentito. I poliziotti sono abituati a perder tempo. Statisticamente gran parte di quello che fanno non porta a niente. Io e Lee ci avvicinammo e Jake disse: «Peter ha chiamato il suo allenatore».

«Quando?» domandai.

«Due ore fa. L'allenatore ha chiamato Molina e Molina ha chiamato me.»

«Allora dov'è?»

«Non l'ha detto. Ha dovuto lasciare un messaggio. Il suo allenatore non risponde mai al telefono quando è a cena. È un momento per la famiglia.»

«Ma Peter sta bene?»

«Ha detto che non tornerà presto. Forse non tornerà mai. Pensa di lasciare il football. C'era una ragazza che ridacchiava in sottofondo.»

«Dev'essere proprio uno schianto», commentò Docherty.

«A lei sta bene?» domandai a Jake.

«No, maledizione. Ma è la sua vita. In ogni caso cambierà idea. L'unico interrogativo è con che tempi», rispose lui.

«Intendevo: è sicuro che il messaggio sia vero?»

«L'allenatore conosce la sua voce. Probabilmente meglio di me.»

«Qualcuno ha cercato di richiamarlo?»

«Tutti noi. Ma il telefono è di nuovo staccato.»

«Allora siamo a posto?» chiese Theresa Lee.

«Suppongo.»

«Si sente meglio?»

«Mi sento sollevato.»

«Posso farle una domanda su un altro argomento?»

«Spari.»

«Sua sorella è stata adottata?»

Jake tacque. Cambiò marcia. Annuì. «Siamo stati adottati entrambi. Da neonati. Separatamente, a tre anni di distanza. Susan per prima.» Poi chiese: «Perché?»

«Devo confermare alcune nuove informazioni ricevute», spiegò Lee.

«Quali nuove informazioni?»

«Sembra che Susan sia venuta qui per incontrare un'amica.»

«Quale amica?»

«Una donna ucraina, una certa Lila Hoth.»

Jake mi lanciò un'occhiata. «Ne abbiamo già parlato. Non ho mai sentito quel nome da Susan.»

«Si sarebbe aspettato di sentirlo? Quanto eravate legati? Pare un'amicizia piuttosto recente», gli domandò Lee.

«Non eravamo molto legati.»

«Quando è stata l'ultima volta che vi siete parlati?»

«Qualche mese fa, forse.»

«Quindi non è molto aggiornato sulla sua vita sociale.»

«Immagino di no», ammise Jake.

«Quante persone sapevano che Susan era stata adottata?» chiese Lee.

«Certo non lo sbandierava. Ma non è un segreto.»

«In quanto tempo una nuova amica lo avrebbe scoperto?»

«Abbastanza presto, probabilmente. Tra amiche si parla di cose del genere.»

«Come descriverebbe il rapporto di Susan con il figlio?»

«Che razza di domanda è?»

«Una domanda importante.»

Jake esitò. Si chiuse a riccio e si voltò dall'altra parte, come a voler sfuggire la domanda. Come a ripararsi da un colpo. Forse perché era restio a lavare i panni sporchi in pubblico, nel qual caso il linguaggio corporeo fu davvero la risposta che ci serviva. Ma Theresa Lee voleva i dettagli. «Me lo dica, Jake. Da poliziotto a poliziotto. È una cosa che devo sapere», affermò.

Jake rimase in silenzio per un po'. Poi alzò le spalle e affermò: «Lo si poteva definire un rapporto di amore-odio».

«In che senso?»

«Susan amava Peter, Peter la odiava.»

«Perché?»

Di nuovo un'esitazione. Con un'altra alzata di spalle aggiunse: «È complicato».

«Come?»

«Peter ha attraversato una certa fase, come molti ragazzi. Le femmine vorrebbero essere principesse dei tempi perduti, i maschi che il nonno fosse un ammiraglio, un generale o un famoso esploratore. Per un periodo ognuno vuol essere qualcosa che non è. Peter in sostanza voleva vivere in una pubblicità di Ralph Lauren. Voleva essere Peter Molina il quarto o almeno il terzo. Voleva che il padre avesse una proprietà a Kennebunkport e che la madre fosse una ricca ereditiera. Susan non reagì bene. Era figlia di una prostituta adolescente tossicodipendente di Baltimora e non ne aveva fatto un segreto. Pensava che l'onestà fosse la linea di condotta migliore. Peter la prese male. Non si gettarono mai veramente la questione alle spalle, poi arrivò il divorzio e Peter si schierò con il padre. Non la superarono mai.»

«Lei cosa prova al riguardo?»

«Capivo entrambi i punti di vista. Non ho mai indagato sulla mia vera madre. Non ho voluto sapere. Ma ho passato un periodo in cui ho desiderato fosse un'illustre vecchia signora carica di diamanti. L'ho superato. Ma Peter no, il che è stupido, lo so, ma comprensibile.»

«A Susan Peter piaceva come persona, al di là che lo amasse come figlio?»

Jake scosse il capo. «No. Il che rendeva le cose ancora peggiori. Susan non provava simpatie per gli studenti sportivi, per i giubbotti che ne reclamizzavano i successi e cose del genere. Immagino che a scuola e al college avesse avuto brutte esperienze con personaggi del genere. Non le piaceva che il figlio diventasse uno di loro. Ma quelle cose erano importanti per Peter, all'inizio di per sé, poi come arma contro di lei. Era una famiglia disfunzionale, non c'erano dubbi.»

«Chi conosce questa storia?»

«Intende dire se un'amica la conoscesse?»

Lee assentì.

«Un'amica stretta potrebbe», disse Jake.

«Un'amica stretta conosciuta piuttosto di recente?»

«Non è questione di tempo, ma di fiducia, no?»

«Mi ha detto che Susan non era una persona infelice», osservai.

«È così. So che suona strano. Ma le persone adottate hanno una visione diversa della famiglia. Hanno aspettative diverse. Mi creda, lo so. Susan era tranquilla a questo proposito. Era un fatto della vita. Nient'altro», rispose.

«Si sentiva sola?»

«Sono certo di sì.»

«Si sentiva isolata?»

«Sono certo di sì.»

«Le piaceva parlare al telefono?»

«Piace a tantissime donne.»

«Lei ha figli?» chiese Lee.

Jake scosse di nuovo la testa.

«No», rispose, «non ho figli. Non sono nemmeno sposato. Ho cercato di imparare dall'esperienza di mia sorella maggiore.»

Lee rimase zitta per un po' e poi affermò: «Grazie, Jake, sono contenta che Peter stia bene. E mi dispiace di averla costretta a rivangare tutte queste brutte cose». Poi si allontanò. La seguii e mi disse: «Verificherò anche le altre cose, ma ci vorrà tempo perché i canali sono sempre lenti, però al momento la mia ipotesi è che quella Lila Hoth ne verrà fuori piuttosto bene. Finora sono due su due, sulla faccenda dell'adozione e sulla faccenda madre-figlio. Sa cose che solo una vera amica saprebbe».

Le feci un segno di assenso. «È interessata a quell'altra cosa? A ciò che, di qualsiasi natura sia, ha spaventato tanto Susan?»

«Non finché non vedrò le prove concrete di un crimine commesso a New York, da qualche parte tra Ninth Avenue e la Park, e tra 30th Street e la 45th.»

«È questo distretto?»

Lei assentì. «Qualsiasi altra cosa sarebbe lavoro di volontariato.»

«È interessata a Sansom?»

«Nemmeno un po'. Lei?»

«Sento di doverlo avvertire, forse.»

«Di cosa? Di una probabilità su un milione?»

«In realtà è più di una probabilità su un milione. Ci sono cinque milioni di uomini chiamati John in America. Per diffusione è secondo solo a James. Questo significa un uomo su trenta. Il che significa che nel 1983 potevano esserci più o meno trentatremila John nell'esercito degli Stati Uniti. Togliamone circa il dieci per cento per ragioni di demografia militare, resta più o meno una probabilità su trentamila.»

«È sempre molto poco.»

«Credo che Sansom dovrebbe saperlo, tutto qui.»

«Perché?»

«Chiamiamola una questione tra fratelli ufficiali. Forse tornerò a Washington.»

«Non ce n'è bisogno. Si risparmi il viaggio. Verrà qui. Domani a mezzogiorno per un pranzo di raccolta fondi allo Sheraton. Con tutti i pezzi grossi di Wall Street. Seventh Avenue e 52nd Street. Abbiamo ricevuto un memo.»

«Perché? A Greensboro non aveva grande protezione.»

«Non l'avrà nemmeno qui. Anzi, non ne avrà proprio. Ma riceviamo memo su tutto. Così va ora. Questo è il nuovo NYPD.» Poi si allontanò lasciandomi tutto solo nel centro della stanza della squadra vuota. E anche un po' a disagio. Forse Lila Hoth era davvero candida come la neve accumulata dal vento, ma non riuscivo a togliermi di dosso la sensazione che, venendo in città, Sansom si stesse cacciando in una trappola.

33

È passato molto tempo da quando a New York potevi dormire bene per cinque dollari a notte, ma puoi ancora farlo per cinquanta se sai come. Tutto sta nel cominciare tardi. Raggiunsi a piedi un albergo che avevo usato in precedenza, vicino al Madison Square Garden. Era grande, un tempo sontuoso, oggi ridotto a un palazzo vecchio e fatiscente, continuamente chiuso per restauro o demolizione senza che mai si arrivasse al dunque. Dopo mezzanotte il personale del front office si riduce a un solo facchino notturno responsabile di tutto, compreso il banco. Mi avvicinai e gli chiesi se avesse una stanza libera. Fece mostra di digitare sulla tastiera, di guardare su uno schermo e poi disse di sì, aveva una stanza libera. Disse un prezzo di centottantacinque dollari più le tasse. Chiesi di poter vedere la stanza prima di accettare. Era quel genere di hotel in cui quel genere di domanda appariva logica. E saggia. Persino obbligatoria. L'uomo uscì da dietro il banco e mi condusse su in ascensore e quindi lungo un corridoio. Aprì una porta con un pass attaccato alla cintura con un cordino arricciato di plastica, si scostò e mi lasciò entrare.

La stanza andava bene. Aveva un letto e un bagno. Tutto ciò che mi serviva e niente che non mi servisse. Presi due biglietti da venti dalla tasca e dissi: «Se lasciassimo perdere tutta la procedura di registrazione di sotto?»

L'uomo non replicò. A quel punto non lo fanno mai. Presi un altro pezzo da dieci e dissi: «Per la cameriera domani».

L'uomo si agitò un po' come se lo mettessi in difficoltà, poi prese i soldi. «Esca per le otto», rispose e se ne andò, chiudendo la porta. Forse il computer centrale avrebbe registrato che aveva aperto la stanza con il pass, e anche l'ora, ma lui avrebbe sostenuto di avermi mostrato la camera, che io non ne ero rimasto affascinato e che me ne ero andato subito. Probabilmente era una tesi che sosteneva con regolarità. Probabilmente ero il quarto uomo che aveva sistemato quella settimana. Forse il quinto o sesto. Negli alberghi di città accadono cose di ogni sorta quando il personale di giorno se ne va.

Dormii sereno, mi svegliai sentendomi bene e alle otto meno cinque ero già fuori. Fendetti la folla che andava e veniva dalla Penn Station, feci colazione a un tavolo in fondo di un locale sulla 33rd. Caffè, uova, bacon, pancake e altro caffè, il tutto per sei dollari, più le tasse, più la mancia. Più costoso che in Carolina del Nord, ma solo di poco. La batteria del cellulare di Leonid era ancora carica per metà. Un'icona mostrava alcune barre spente e alcune illuminate. Pensai di avere abbastanza energia per alcune telefonate. Composi 600 e poi cercai di digitare 82219 ma prima di arrivare a metà sequenza l'auricolare si animò emettendo tre piccoli rapidi trilli a metà tra il suono di una sirena e quello di uno xilofono. Si udì una voce che mi disse che la chiamata non poteva essere inoltrata. Mi chiese di verificare e di riprovare. Provai 1-600 e ottenni esattamente lo stesso risultato. Provai 011 per la linea internazionale e poi 1 per il Nord America e quindi 600. Una via tortuosa, ma il risultato non fu migliore. Provai 001 come prefisso internazionale, in caso il telefono si ritenesse ancora a Londra. Niente. Provai 8**101, il prefisso internazionale dell'Europa dell'Est per l'America, in caso il telefono fosse stato portato direttamente da Mosca un anno prima. Niente. Guardai la tastiera e pensai di usare un 3 al posto della D ma il sistema prese ad avvertirmi con vari bip prima che arrivassi a farlo.

Perciò 600-82219-D non era un numero telefonico, canadese o di qualche altra parte. Cosa che l'FBI doveva sapere. Forse avevano valutato la possibilità per un istante e l'avevano scartata. L'FBI è tante cose, ma non certo idiota. Perciò prima su 35th Street avevano celato le vere domande dietro una cortina di fumo.

Che cos'altro mi avevano chiesto?

Avevano valutato il mio grado d'interesse, avevano chiesto di nuovo se Susan mi avesse dato qualcosa e avevano avuto la conferma che stessi per lasciare la città. Mi volevano privo di curiosità, a mani vuote e lontano da qui.

Perché?

Non ne avevo idea.

E se non era un numero telefonico, cos'era 600-82219-D?

Rimasi seduto per altri dieci minuti con un'ultima tazza di caffè che sorseggiai lentamente, con gli occhi aperti anche se non vedevo molto, cercando di arrivare furtivo alla risposta dal basso. Così come Susan Mark aveva avuto intenzione di arrivare furtiva dalla metropolitana. Visualizzai i numeri nella mia mente in fila, separati, insieme, in diverse combinazioni, con spazi, trattini, a gruppi.

La parte con il 600 fece scattare un lieve campanello.

Susan Mark.

600.

Ma non riuscivo ad arrivarci. Terminai il caffè, rimisi il cellulare di Leonid in tasca e mi diressi a nord verso lo Sheraton.

L'albergo era un enorme pilastro di vetro con uno schermo al plasma nell'atrio che elencava tutti gli eventi del giorno. La sala da ballo principale era riservata a pranzo da un gruppo che si definiva FT. Fair Tax, Free Trade o forse persino *Financial Times*. Una copertura plausibile per un gruppo di magnati che cercavano di comprarsi altro potere. L'evento sarebbe iniziato a mezzogiorno. Immaginai che Sansom avrebbe cercato di arrivare per le undici. Avrebbe voluto un po' di tempo, di spazio e di calma per prepararsi. Per lui era una riunione importante. Quelli erano i suoi elettori e avevano le tasche gonfie. Avrebbe avuto bisogno come minimo di sessanta minuti. Il che implicava che avevo ancora un paio d'ore da impiegare. Raggiunsi la Broadway e trovai un negozio di vestiti due isolati più a nord. Volevo un'altra camicia nuova. Quella che indossavo non mi piaceva. Era il simbolo della sconfitta. *Non venga vestito così, non la faranno entrare.* Se dovevo rivedere Elspeth Sansom, non volevo indossare l'insegna del mio fallimento e del suo successo.

Ne scelsi una inconsistente, fatta di un sottile popeline color cachi e la pagai undici dollari. Economica, e così doveva essere. Non aveva tasche e le maniche terminavano a metà degli avambracci. Con i polsini ripiegati, mi arrivavano ai gomiti. Ma mi

148

piaceva abbastanza. Era un indumento adeguato. E almeno era stato acquistato volontariamente.

Alle dieci e mezzo ero di nuovo nell'atrio dello Sheraton. Mi sedetti in una poltrona, circondato da persone. Avevano tutte una valigetta. Metà uscivano per aspettare la macchina. Metà entravano per aspettare la camera.

Alle dieci e quaranta avevo capito che cosa significasse 600-82219-D.

34

Mi alzai dalla poltrona e seguii le targhe d'ottone incise fino al business center dello Sheraton. Non potei entrare. Serviva la chiave della stanza. Rimasi accanto alla porta per tre minuti e poi comparve un altro tizio. Era vestito elegante e sembrava impaziente. Feci gran mostra di cercare nelle tasche dei pantaloni, dopodiché mi scostai scusandomi. L'altro mi superò, usò la sua chiave e aprì la porta; io entrai dietro di lui.

Nella stanza c'erano quattro postazioni identiche. Ognuna aveva un tavolo, una sedia, un computer e una stampante. Mi sedetti lontano dall'altro uomo, bloccai lo screensaver del computer premendo la barra spazio. Fin lì tutto bene. Controllai le icone sullo schermo e non riuscii a capire molto. Ma scoprii che, se avessi tenuto il cursore del mouse su di esse, come se fossi stato esitante o assorto a riflettere, accanto compariva un'etichetta. Identificai così Internet Explorer e vi cliccai sopra due volte. Il disco rigido ronzò e il browser si aprì. Molto più rapidamente dell'ultima volta che avevo usato un computer. Forse la tecnologia stava davvero facendo progressi. Proprio lì sulla home page c'era un'icona per Google. Vi cliccai sopra e apparve la pagina di ricerca di Google. Di nuovo molto rapidamente. Digitai *Regolamenti dell'esercito* nella finestra di dialogo e premetti enter. Lo schermo si aggiornò in un istante e mi fornì intere pagine di opzioni.

Nei cinque minuti seguenti cliccai, scorsi pagine e lessi.

Tornai nell'atrio dieci minuti prima delle undici. La mia poltrona era stata occupata. Uscii sul marciapiede e rimasi al sole. Pensavo che Sansom sarebbe arrivato in una Town Car e che sarebbe entrato direttamente dall'ingresso principale. Non era una rockstar. Non era il presidente. Non sarebbe entrato dalla cucina o dalla zona di carico. Per lui tutto stava nel farsi vedere.

La necessità di entrare in un luogo sotto copertura era un premio che non aveva ancora vinto.

La giornata era calda. Ma la strada era pulita. Non puzzava. Nell'angolo sud c'erano due poliziotti e un'altra coppia si trovava nell'angolo nord. Schieramento standard del NYPD a midtown. Proattivi e rassicuranti. Ma non necessariamente utili data la gamma di potenziali minacce. Di fianco a me gli ospiti dell'hotel in partenza salivano sui taxi. Il ritmo della città proseguiva implacabile. Il traffico sulla Seventh Avenue scorreva, si fermava al semaforo e riprendeva a scorrere. I pedoni si ammassavano agli angoli e scattavano in direzione del marciapiede opposto. I clacson suonavano, i camion rombavano, il sole rimbalzava sui vetri in alto e picchiava forte.

Sansom arrivò in una Town Car alle undici e cinque. Targhe locali, il che significava che aveva fatto gran parte del viaggio in treno. Meno comodo per lui, ma così lasciava un'impronta di carbonio minore che se avesse guidato o volato. Ogni dettaglio contava in una campagna. *La politica è un campo minato.* Springfield scese dal sedile anteriore del passeggero prima che l'auto si fermasse, poi Sansom e la moglie uscirono da dietro. Rimasero per un istante sul marciapiede, pronti a dimostrarsi gentili nel caso ci fossero state persone a salutarli e a non dimostrarsi delusi in caso contrario. Scrutarono i volti e videro il mio; Sansom assunse un'aria un po' interrogativa, la moglie una un po' preoccupata. Springfield fece per avviarsi verso di me, ma Elspeth lo bloccò con un piccolo gesto. Supposi che, per tutto ciò che mi riguardava, si fosse autonominata addetta al controllo danni. Mi strinse la mano come se fossi un vecchio amico. Non fece commenti sulla mia camicia. Invece mi chiese: «Deve parlare con noi?»

Una perfetta domanda da moglie di politico. Aveva caricato la parola *deve* di ogni sorta di significato. Quell'enfasi mi inquadrava sia come un avversario sia come un collaboratore. Intendeva dire: *Sappiamo che ha informazioni che potrebbero nuocerci e per questo la detestiamo, ma le saremmo veramente grati se fosse tanto gentile da discuterne innanzitutto con noi prima di renderle pubbliche.*

Praticamente un intero saggio racchiuso in un'unica breve sillaba.

«Sì, dobbiamo parlare», risposi.

Springfield si accigliò, ma Elspeth sorrise come se le avessi appena promesso centomila voti. Mi prese per un braccio e mi condusse all'interno. Il personale dell'hotel non sapeva chi fosse Sansom, né se ne curava. Sapeva solo che era l'oratore del gruppo che pagava una pingue tariffa per la sala da ballo, perciò mostrarono un bel po' d'entusiasmo artefatto, ci condussero in una sala privata e si affaccendarono a portarci bottiglie d'acqua frizzante tiepida e caraffe di caffè leggero. Elspeth fece da padrona di casa. Springfield non parlò. Sansom ricevette una chiamata sul cellulare dal capo del suo staff a Washington. Parlarono per quattro minuti di politica economica e per altri due dell'ordine del giorno pomeridiano. Era chiaro dal contesto che sarebbe tornato in ufficio subito dopo pranzo per un lungo pomeriggio di lavoro. L'evento newyorkese era una veloce toccata e fuga, niente di più. Come una rapina in macchina.

Il personale dell'albergo terminò e se ne andò; Sansom finì la telefonata e la stanza piombò nella quiete. La ventilazione forzata sibilava dalle bocchette e manteneva la temperatura più bassa di quanto volessi. Per un istante sorseggiammo acqua e caffè in silenzio. Poi Elspeth Sansom aprì i giochi. «Ci sono notizie del ragazzo scomparso?» chiese.

«Qualcuna. Ha saltato l'allenamento di football, il che a quanto sembra è raro», dissi.

«Alla USC?» chiese Sansom. Aveva una buona memoria. Avevo citato la USC solo una volta e di sfuggita. «Sì, è raro.»

«Ma poi ha chiamato l'allenatore e gli ha lasciato un messaggio.»

«Quando?»

«Ieri sera. All'ora di cena della West Coast.»

«E?»

«A quanto pare è con una donna.»

«Allora va bene», commentò Elspeth.

«Avrei preferito una conversazione effettiva in tempo reale. O un incontro faccia a faccia.»

«Un messaggio per lei non è sufficiente?»

«Sono una persona sospettosa.»

«Allora di cosa ci doveva parlare?»

Mi voltai verso Sansom e gli chiesi: «Dov'era nel 1983?»

Lui tacque solo per una frazione di secondo e qualcosa gli balenò rapido nello sguardo. Non era shock, pensai. Né sorpresa. Rassegnazione, forse. «Nel 1983 ero capitano», rispose.

«Non è quello che le ho chiesto. Le ho chiesto dove fosse.»

«Non glielo posso dire.»

«Era a Berlino?»

«Non glielo posso dire.»

«Mi ha detto di essere senza macchia. Lo conferma ancora?»

«Certo.»

«C'è qualcosa che sua moglie non sa di lei?»

«Molte cose. Ma niente di personale.»

«Ne è sicuro?»

«Affermativo.»

«Ha mai sentito il nome Lila Hoth?»

«Le ho già detto di no.»

«Ha mai sentito il nome Svetlana Hoth?»

«Mai», rispose Sansom. Stavo studiando la sua faccia. Era molto calma. Sembrava un po' a disagio, ma a parte quello non comunicava nulla.

«Aveva sentito parlare di Susan Mark prima di questa settimana?» gli domandai.

«Le ho già detto di no.»

«Ha vinto una medaglia nel 1983?»

Non rispose. La stanza ripiombò nella quiete. Poi il cellulare di Leonid mi squillò in tasca. Sentii le vibrazioni e udii una forte melodia elettronica. Armeggiai per estrarlo e guardai la finestrella davanti. Un numero con 212. Lo stesso già presente nell'elenco delle chiamate. L'albergo Four Seasons. Lila Hoth presumibilmente. Mi chiesi se Leonid fosse ancora disperso o se fosse tornato, avesse raccontato la sua storia e ora Lila mi chiamasse per quel motivo.

Premetti dei tasti a caso finché il trillo cessò e rimisi il telefono in tasca. Guardai Sansom e dissi: «Mi scusi».

Lui scrollò le spalle come se le scuse fossero superflue.

«Ha vinto una medaglia nel 1983?» ripetei.

«Perché è tanto importante?» disse lui.

«Sa cos'è 600-8-22?»

« Un regolamento dell'esercito probabilmente. Non li conosco tutti alla lettera. »

« Abbiamo sempre creduto che solo un idiota si aspettasse che lo HRC possedesse informazioni rilevanti sulle operazioni della Delta. E secondo me avevamo proprio ragione. Ma ci siamo anche un po' sbagliati. Ritengo che una persona davvero sveglia possa legittimamente aspettarselo, se pensa in modo un po' laterale. »

« In che senso? »

« Supponga che qualcuno sappia con certezza che sia avvenuta un'operazione della Delta. Supponga che sappia con certezza che abbia avuto successo. »

« Allora non avrebbe bisogno di informazioni perché le possiederebbe già. »

« Supponga che voglia verificare l'identità dell'ufficiale che ha condotto l'operazione. »

« Non potrebbe ottenere niente dallo HRC. Non sarebbe possibile. Ordini, rapporti di dispiegamento e revisioni delle azioni sono segretati e conservati a Fort Bragg sotto chiave. »

« Ma cosa accade agli ufficiali che conducono una missione di successo? »

« Me lo dica lei. »

« Ricevono una medaglia », risposi. « Più importante è la missione, più grande è la medaglia. E il regolamento dell'esercito 600-8-22, sezione uno, paragrafo nove, sottosezione D, richiede che lo Human Resources Command conservi una documentazione storica accurata di ogni proposta di onorificenza e della conseguente decisione. »

« Forse è così », commentò Sansom. « Ma se si tratta di una missione Delta, tutti i particolari verrebbero omessi. L'encomio verrebbe riformulato, il luogo modificato e la condotta meritoria non verrebbe descritta. »

Annuii. « Le uniche cose che il documento conterrebbe sarebbero un nome, una data e un'onorificenza. Nient'altro. »

« Esatto. »

« Il che è tutto ciò di cui ha effettivamente bisogno una persona sveglia che pensa in modo laterale, giusto? L'onorificenza dimostra il successo di una missione, la mancanza di citazioni dimostra che si trattava di una missione segreta. Prendiamo un mese a caso, diciamo all'inizio del 1983. Quante medaglie sono state assegnate? »

« Migliaia. Sono centinaia e centinaia solo le Good Conduct Medal. »

« Quante Silver Star? »

« Non tante. »

« Se non addirittura nessuna », osservai. « All'inizio del 1983 non accadde molto. Quante Distinguished Service Medal sono state conferite? Quante Distinguished Service Cross? Scommetto che all'inizio del 1983 erano rare come diamanti. »

Elspeth Sansom si agitò sulla poltrona, mi guardò e disse: « Non capisco ».

Mi voltai verso di lei, ma Sansom alzò una mano e m'interruppe. Rispose lui per me. Tra loro non c'erano segreti. Nessuna diffidenza. « È una specie di back door. Le informazioni dirette sono del tutto indisponibili, ma quelle indirette sono lì, pronte. Se qualcuno sapeva che una missione bellica era avvenuta e aveva avuto successo, e anche quando, allora chiunque abbia ricevuto senza spiegazioni la medaglia più importante in quel mese l'ha probabilmente condotta. In tempo di guerra non funzionerebbe perché le medaglie importanti sono troppo comuni. Ma in tempo di pace, quando non succede nient'altro, un grosso premio spicca come un faro. »

Elspeth Sansom distolse lo sguardo. Non sapeva che cosa avesse fatto il marito nei primi nove mesi del 1983. Forse non l'avrebbe mai saputo. « Allora chi lo sta chiedendo? » domandò.

« Una certa Svetlana Hoth, una vecchia megera che sostiene di essere stata un commissario politico dell'Armata Rossa. Non dà particolari concreti, ma dice di aver conosciuto un soldato americano chiamato John a Berlino nel 1983. Dice che è stato molto gentile con lei. E l'unico modo in cui le indagini effettuate con l'aiuto di Susan Mark abbiano senso è che ci sia stata di mezzo una missione, che l'uomo chiamato John l'abbia condotta e abbia ricevuto una medaglia. L'FBI ha trovato un biglietto nella macchina di Susan. Qualcuno le aveva fornito il regolamento, la sezione e il paragrafo per indicarle esattamente dove cercare. »

Elspeth lanciò involontariamente un'occhiata a Sansom con una domanda sul volto che sapeva non avrebbe mai avuto risposta: *Hai ricevuto una medaglia per qualcosa che hai fatto a Berlino nel 1983?* Lui non rispose. Perciò ci provai io. «Era in missione a Berlino nel 1983?» gli chiesi senza mezzi termini.

«Sa che non posso dirglielo», rispose. Poi sembrò perdere la pazienza e aggiunse: «Lei sembra un tipo in gamba. Ci rifletta. Che razza di possibili operazioni avrebbe potuto condurre la Delta a Berlino nel 1983, santo cielo?»

«Non lo so. Da quel che ricordo, vi davate parecchio da fare per impedire che persone come me venissero a sapere cosa stavate combinando. E comunque, non m'importa veramente. Io qui sto solo cercando di farle un favore, nient'altro. Da fratello ufficiale a fratello ufficiale. Perché ritengo che qualcosa stia per riaffiorare e trasformarsi in una spina nel fianco per lei, e che forse apprezzi l'avvertimento.»

Sansom si calmò subito. Inspirò ed espirò un paio di volte e disse: «Apprezzo l'avvertimento, sul serio. Sono sicuro capirà che non mi è consentito negare nulla. Perché dal punto di vista logico negare qualcosa equivale a confermare qualcos'altro. Se nego Berlino e qualsiasi altro posto in cui non mi trovavo, alla fine scoprirà per eliminazione dov'ero. Ma mi esporrò un po', perché credo che siamo tutti dalla stessa parte. Perciò mi ascolti, soldato. Non ero a Berlino in nessun momento del 1983. Non ho mai incontrato nessuna donna russa nel 1983. Non penso di essere stato molto gentile con nessuno in quell'anno. Nell'esercito c'erano molti uomini chiamati John. Berlino era una meta famosa per le visite turistiche. La persona di cui parla sta cercando qualcun altro. Semplice».

Il discorsetto di Sansom rimase sospeso nell'aria per un istante. Sorseggiammo tutti le nostre bevande e rimanemmo seduti in silenzio. Poi Elspeth Sansom guardò l'orologio; il marito la vide e disse: «Ora dovrà scusarci. Oggi ci aspetta una bella questua. Springfield sarà lieto di accompagnarla all'uscita». Il che pensai fosse una strana proposta. Era un hotel pubblico. Io potevo starci quanto Sansom. Potevo trovare da solo l'uscita e ne avevo il diritto. Non avevo intenzione di rubare i cucchiai, e anche se lo avessi fatto non erano i cucchiai di Sansom. Poi però immaginai che volesse creare un piccolo spazio tranquillo per me e Springfield, in un corridoio solitario da qualche parte. Per proseguire il discorso, forse per un messaggio. Perciò mi alzai e mi diressi alla porta. Non strinsi loro la mano né li salutai. Non sembrava quel genere di addio.

Springfield mi seguì nell'atrio. Non parlò. Sembrava intento a riesaminare qualcosa. Mi fermai, aspettai; lui mi raggiunse e disse: «Deve assolutamente lasciar perdere l'intera faccenda».

«Perché, se Sansom non era nemmeno là?» domandai.

«Perché per dimostrare che non era là, inizierebbe a chiedere dove fosse. Meglio che non lo sappia mai.»

Annuii. «Per lei è una faccenda personale, vero? Perché era là con lui. Andava ovunque andasse lui.»

Springfield rispose con un assenso. «Lasci perdere. Non può proprio permettersi di rivoltare la pietra sbagliata.»

«Perché no?»

«Perché se lo facesse verrebbe cancellato. Non esisterebbe più. Scomparirebbe fisicamente e burocraticamente. Adesso questo può succedere, sa. È un mondo completamente nuovo. Mi piacerebbe poterle dire che le sarei d'aiuto, ma non ne avrei l'occasione. Non mi ci avvicinerei neanche. Perché si ritroverebbe alle calcagna un intero branco di persone di tutt'altra pasta. Io verrei lasciato tanto indietro che persino il suo certificato di nascita sparirebbe prima ancora che mi potessi avvicinare a lei.»

«Quali persone di tutt'altra pasta?»

Non rispose.

«Governativi?»

Non rispose.

«Quei federali?»

Non rispose. Si limitò a girarsi e a tornare verso gli ascensori. Uscii sul marciapiede della Seventh e il telefono di Leonid prese di nuovo a squillarmi in tasca.

35

Rimasi su Seventh Avenue dando la schiena al traffico e risposi al telefono di Leonid. Udii la voce di Lila Hoth, dolce all'orecchio. Dizione precisa, strana fraseologia. «Reacher?» disse.

«Sì», risposi.

«Devo vederla al più presto», affermò.

«Per che cosa?»

«Credo che mia madre sia in pericolo. Forse anch'io.»

«Perché?»

«Giù c'erano tre uomini, hanno fatto domande al banco. Mentre eravamo fuori. Forse hanno anche perquisito le stanze.»

«Quali tre uomini?»

«Non so chi fossero. Non lo hanno detto.»

«Perché ne parla con me?»

«Perché hanno chiesto anche di lei. Per favore, venga.»

«Non è arrabbiata per Leonid?» domandai.

«Date le circostanze, no. Penso sia stato solo uno spiacevole malinteso. La prego, venga», ripeté.

Non risposi.

«Apprezzerei molto un suo aiuto», aggiunse. Parlava in modo educato, implorante, un po' remissivo, persino timido, come una supplice. Ma nonostante ciò qualcos'altro nella sua voce mi ricordò che era tanto bella che l'ultima volta che un uomo le aveva detto di no risaliva probabilmente a dieci anni prima. Aveva un tono vagamente autoritario, come se fosse già stato stretto un patto, come se chiedere significasse ottenere. *Lasci perdere*, aveva detto Springfield e ovviamente avrei dovuto ascoltarlo, invece dissi a Lila Hoth: «Ci vediamo nell'atrio del suo albergo tra un quarto d'ora». Pensavo che evitare la suite fosse sufficiente per tutelarmi da qualsiasi complicazione. Poi chiusi il telefono e andai dritto alla fila di taxi dello Sheraton.

*

L'atrio del Four Seasons era diviso in numerose aree distinte su due livelli. Trovai Lila Hoth e la madre a un tavolo d'angolo in una zona pannellata in penombra, che sembrava una sala da tè di giorno e forse un bar di sera. Erano sole. Leonid non c'era. Controllai attentamente tutt'intorno e non vidi nessuno di preoccupante. Nessun uomo con un abito di prezzo medio di cui non si spiegava la presenza, nessuno che si dilungasse a leggere il giornale del mattino. Nessuna chiara sorveglianza. Perciò m'infilai su una sedia accanto a Lila, di fronte alla madre. Lila indossava una gonna nera e una camicetta bianca. Come una cameriera da cocktail bar, tranne per il fatto che i tessuti, il taglio e la fattura non ricordavano minimamente quelli alla portata di una cameriera da cocktail bar. I suoi occhi erano due punti gemelli di luce nella penombra, blu come un mare tropicale. Svetlana indossava un'altra veste da camera informe, stavolta di un marrone rossiccio smorto. Aveva gli occhi spenti. Annuì senza capire quando mi sedetti. Lila mi strinse la mano in modo piuttosto formale. Il contrasto tra le due donne era enorme da ogni punto di vista. Per età e aspetto ovviamente, ma anche per energia, vivacità, maniere e indole.

Mi sistemai e Lila andò dritta al punto. «Ha portato la chiavetta?» domandò.

«No», dissi anche se l'avevo. Era in tasca con lo spazzolino da denti e il telefono di Leonid.

«Dov'è?»

«Da qualche altra parte.»

«Da qualche altra parte al sicuro?»

«Sì.»

«Perché quegli uomini sono venuti qui?» chiese.

«Perché sta ficcando il naso in qualcosa che è ancora un segreto», risposi.

«Ma l'addetto stampa dello Human Resources Command si era dimostrato entusiasta.»

«Solo perché gli ha mentito.»

«Prego?»

«Gli ha detto che riguardava Berlino, ma non era così. Berlino nel 1983 non era affatto uno spasso, ma era stabile. Era un quadro da guerra fredda, congelato nel tempo. Forse c'era un po' di andirivieni tra la CIA e il KGB, gli inglesi e la Stasi, ma l'esercito statunitense non era veramente coinvolto. Per i nostri era solo una meta turistica. Prendi il treno, vedi il muro. Bar fantastici, puttane fantastiche. Probabilmente ci sono passati diecimila uomini chiamati John, ma non hanno fatto altro che spendere soldi e prendersi lo scolo. Di certo non hanno combattuto e non hanno vinto medaglie. Perciò rintracciare uno di loro sarebbe quasi impossibile. Forse lo HRC era disposto a perdere un po' di tempo, in caso fosse saltato fuori qualcosa di buono. Ma era un'impresa ridicola fin dall'inizio. Perciò non può aver avuto un esito positivo da Susan Mark. Non può averle detto niente su Berlino che giustificasse un viaggio fin qui. Non è semplicemente possibile.»

«Allora perché saremmo venute?»

«Perché con quelle prime telefonate l'ha ammorbidita, se l'è fatta amica e quando ha stimato che il momento fosse giusto le ha detto ciò che voleva davvero. E come trovarlo con precisione. A lei soltanto. Non si trattava di Berlino. Era qualcosa di completamente diverso.»

Una persona sprovveduta che non ha nulla da nascondere avrebbe reagito all'istante e con franchezza. Probabilmente offesa, ferita nei sentimenti. Un bluffatore dilettante avrebbe recitato con spavalderia e gran chiasso. Lila Hoth rimase seduta per un istante. Dal suo sguardo trasparì la stessa veloce reazione di John Sansom nella stanza dello O. Henry Hotel. Ripensa, rischiera, riorganizza, il tutto in un paio di secondi.

«È molto complicato», disse.

Non risposi.

«Ma del tutto innocente», aggiunse.

«Lo dica a Susan Mark», osservai.

Lei inclinò il capo. Era lo stesso gesto che avevo visto prima. Cortese, dolce, un po' mortificato. «Ho chiesto aiuto a Susan. Lei ha accettato molto volentieri. Chiaramente le sue azioni l'hanno messa in difficoltà con qualcun altro. Perciò sì, suppongo di essere la causa indiretta dei suoi guai. E mi dispiace per quello che è successo, davvero molto. Mi creda, la prego, se lo avessi saputo prima, avrei detto di no a mia madre.»

Svetlana Hoth annuì e sorrise.

160

«Chi sarebbe questo qualcuno?» dissi.

«Il suo governo, credo. Il vostro», rispose Lila Hoth.

«Perché? Cosa voleva veramente sua madre?»

Lila disse che doveva prima spiegare gli antefatti.

36

Lila Hoth aveva solo sette anni quando l'Unione Sovietica si era disgregata, perciò parlava con una sorta di distacco storico. Aveva la stessa lontananza da una realtà passata che io dimostravo per l'epoca Jim Crow in America. Mi disse che l'Armata Rossa aveva dispiegato commissari politici dappertutto. Ogni reparto ne aveva uno. Disse che il comando e la disciplina venivano gestiti con una certa difficoltà dal commissario e dall'ufficiale superiore. Che i conflitti erano frequenti e aspri, non necessariamente tra i due come persone, ma tra il buon senso tattico e la purezza ideologica. Si assicurò che capissi gli antefatti generali, dopodiché passò ai dettagli.

Svetlana Hoth era un commissario politico assegnato a una compagnia di fanteria. Questa era andata in Afghanistan poco dopo l'invasione sovietica del 1979. All'inizio le operazioni di combattimento avevano avuto esito soddisfacente. Poi si erano trasformate in un disastro. Le perdite da logoramento si erano fatte pesanti e costanti. Dapprima l'atteggiamento era stato di negazione, poi con ritardo Mosca aveva reagito. L'ordine di battaglia era stato rivisto e le compagnie erano state fuse. Il buon senso tattico suggeriva una linea interna di difesa. L'ideologia richiedeva nuove offensive. Il morale, un'unità etnica e di provenienza geografica. Le compagnie erano state ricostituite in modo da inserirvi pattuglie di cecchini. Furono chiamati vari tiratori scelti insieme ai loro compagni, gli osservatori. Arrivarono così diverse coppie di uomini rozzi abituati a vivere della terra.

Il cecchino di Svetlana era suo marito.

L'osservatore, suo fratello minore.

La situazione era migliorata, in termini militari e personali. I gruppi di Svetlana, di altre famiglie o di altre regioni trascorrevano i tempi morti molto serenamente. Le compagnie si erano trincerate e sistemate, e avevano raggiunto un livello accettabile

di sicurezza e di difesa. Le necessità offensive venivano soddi-
sfatte da regolari operazioni notturne dei cecchini. I risultati
erano ottimi. I cecchini sovietici erano da tempo i migliori del
mondo. I mujaheddin afghani non potevano tener loro testa.
Verso la fine del 1981 Mosca aveva corroborato una mano vin-
cente con l'invio di nuove armi. Era stato distribuito un nuovo
modello di fucile. Ideato di recente e ancora top secret. Si chiamava VAL «Silent Sniper».

Annuii. «Ne ho visto uno una volta.»

Lila Hoth sorrise brevemente con un pizzico di timidezza. E
forse di orgoglio nazionale per un paese che non esisteva più.
Probabilmente era solo l'ombra di quanto la madre aveva provato all'epoca. Perché il VAL era un'arma straordinaria. Un fucile semi-automatico silenziato molto preciso. Sparava un proiettile pesante da nove millimetri a velocità subsonica ed era in
grado di penetrare tutti i tipi di giubbetti del tempo e di veicoli militari con rivestimento sottile fino a quattrocento metri di
distanza. Era dotato di una serie di potenti telescopi diurni e
cannocchiali elettronici notturni. Per gli avversari era un incubo. Potevi essere ucciso senza il minimo avvertimento in silenzio, all'improvviso, a caso, mentre dormivi in tenda, nella latri-
na, mentre mangiavi, ti vestivi, andavi in giro, in piena luce, al
buio.

«Un'ottima arma», osservai.

Lila Hoth sorrise di nuovo. Poi tuttavia il sorriso svanì. Iniziarono le cattive notizie. La situazione di stabilità durò un anno, poi finì. L'inevitabile ricompensa che la fanteria sovietica
ricevette per le buone prestazioni fu vedersi assegnare compiti
ancor più pericolosi. Come sempre in tutto il mondo, come
sempre nel corso della storia. Non ti danno una pacca sulla spalla e ti mandano a casa. Ti danno invece una mappa. La compagnia di Svetlana fu una delle tante a cui era stato ordinato di
spingersi a nord-est nella valle di Korengal. Questa era lunga
dieci chilometri. Era l'unica via percorribile per raggiungere il
Pakistan. Le montagne dell'Hindu Kush si stagliavano in lontananza a sinistra, incredibilmente brulle e alte, e la catena del-
l'Abas Ghar bloccava il fianco destro. La pista di dieci chilometri in mezzo a esse era per i mujaheddin un'importante via di rifornimento dalla frontiera nordoccidentale e andava interrotta.

«Più di cent'anni fa i britannici dettarono le regole in tema di operazioni in Afghanistan. Per via del loro impero. Dicevano: 'Quando progetti un'offensiva, la prima cosa che devi pianificare è l'inevitabile ritirata'. E dicevano anche: 'Devi tenere l'ultimo proiettile per te perché non devi farti prendere vivo, soprattutto se sei donna'. I comandanti delle compagnie avevano letto quelle regole. Ai commissari politici era stato detto di non farlo. A loro avevano detto che i britannici avevano fallito solo a causa della natura corrotta della loro politica. L'ideologia sovietica era pura, perciò il successo era garantito. Con quell'inganno iniziò il nostro Vietnam», affermò Lila.

La risalita della valle di Korengal era stata sostenuta dall'aviazione e dall'artiglieria, e per i primi cinque chilometri era riuscita. Un ulteriore chilometro e mezzo era stato strappato metro per metro a un avversario che era parso feroce ai soldati semplici ma stranamente sotto tono agli ufficiali.

Gli ufficiali avevano visto giusto.

Era una trappola.

I mujaheddin attesero che le linee di approvvigionamento sovietiche raggiungessero i sei chilometri e mezzo di lunghezza e poi fecero calare la mannaia. I rifornimenti con gli elicotteri furono per lo più impediti da un fuoco di fila costante di missili terra-aria da spalla forniti dagli americani. Attacchi coordinati tagliarono il saliente alla base. Verso la fine del 1982 migliaia di truppe dell'Armata Rossa furono sostanzialmente abbandonate in una lunga serie di accampamenti inadeguati e improvvisati. D'inverno il tempo fu spaventoso. Folate di vento gelido spazzavano ululando il passo tra le catene montuose. C'erano dappertutto cespugli sempreverdi di agrifoglio. Graziosi e pittoreschi nel giusto contesto, ma non per soldati costretti a operarvi in mezzo. Erano fastidiosamente rumorosi con il vento, limitavano la mobilità, ferivano la pelle e laceravano le uniformi.

Poi erano iniziate le incursioni di disturbo.

Erano stati presi dei prigionieri, singoli o a coppie.

Il loro destino era terribile.

Lila citò alcuni versi dello scrittore inglese Rudyard Kipling, contenuti in una poesia profondamente cupa sulle offensive fallite, sulle vittime gementi abbandonate sui campi di battaglia e sulle donne crudeli delle tribù afghane armate di coltelli:

'Quando sei ferito e abbandonato sulle pianure afghane e le donne vengono a tagliare a pezzi i tuoi resti, rotola verso il fucile, fatti saltare le cervella e raggiungi il tuo Dio come un soldato'. Quindi aggiunse che quanto era vero al culmine dell'impero britannico lo era ancora. I fanti sovietici scomparivano e ore dopo nel buio il vento invernale ne portava le grida dai campi invisibili del nemico nelle vicinanze. Le grida iniziavano con un tono disperato e lentamente, ma immancabilmente crescevano fino a trasformarsi in folli gemiti simili a quelli degli spiriti. Talora duravano dieci o dodici ore. In genere i cadaveri non venivano mai ritrovati. Talvolta però un corpo veniva restituito senza mani e piedi, senza arti, senza la testa, le orecchie o gli occhi o il naso o il pene.

O la pelle.

«Alcuni venivano scuoiati vivi», spiegò Lila. «Tagliavano loro le palpebre e bloccavano loro la testa in un telaio in modo che non avessero altra scelta che guardare la loro pelle che veniva staccata, prima dal volto e poi dal corpo. Il freddo anestetizzava in certo qual modo le ferite e impediva che morissero troppo presto di shock. A volte il processo durava molto a lungo. Altre volte venivano arrostiti vivi su un fuoco. Vicino alle nostre postazioni comparivano dei pacchetti di carne cotta. All'inizio gli uomini pensavano fossero doni di cibo, forse da parte di locali comprensivi. Poi però capirono.»

Svetlana Hoth fissò il vuoto, con un'espressione persino più tetra del solito. Forse il tono di voce della figlia le evocava ricordi. Di certo era molto avvincente. Lila non aveva vissuto né assistito agli eventi che descriveva, ma sembrava il contrario. Sembrava che vi avesse assistito il giorno prima. Si era liberata dal distacco storico. Pensai che sarebbe stata un'abile narratrice di storie. Aveva il dono di saper raccontare.

«Amavano soprattutto catturare i nostri cecchini. Li odiavano. Credo che i cecchini siano sempre odiati, forse per il modo in cui uccidono. Mia madre era molto preoccupata per mio padre, ovviamente. E per il fratello minore. Uscivano quasi tutte le notti tra le colline basse, con il cannocchiale elettronico. Non andavano troppo lontano. Forse a un migliaio di metri, per trovare l'angolazione. Forse un po' più in là. Abbastanza lontano da essere efficaci, ma abbastanza vicino da sentirsi al sicuro. Nessun posto tuttavia era veramente sicuro. Eri vulnerabile ovunque. Ed erano costretti ad andare. Gli ordini erano sparare al nemico. Loro volevano sparare ai prigionieri. Lo ritenevano un atto di pietà. Erano momenti terribili. A quel tempo mia madre era incinta. Di me. Fui concepita in una trincea di roccia scavata nel suolo della valle di Korengal, sotto un cappotto pesante che risaliva alla fine della seconda guerra mondiale e sopra altri due forse ancora più vecchi. Mia madre dice che avevano vecchi fori di proiettile, forse di Stalingrado.»

Non dissi nulla. Svetlana continuava a fissare il vuoto. Lila mise le mani sul tavolo e intrecciò le dita. «Nel primo mese o poco più mio padre e mio zio tornarono ogni mattina, incolumi. Erano una buona pattuglia. Forse la migliore.»

Svetlana continuava a fissare davanti a sé. Lila tolse le mani dal tavolo e tacque per un attimo. Poi si tirò su e raddrizzò le spalle. Aveva cambiato ritmo. Cambiato argomento. «A quel tempo c'erano degli americani in Afghanistan.»

«Degli americani?» chiesi.

Lei annuì.

«Quali americani?» domandai.

«Soldati. Non molti ma alcuni. Non sempre ma a volte.»

«Ne è sicura?»

Annuì di nuovo. «L'esercito americano era certamente lì. L'Unione Sovietica era il loro nemico e i mujaheddin i loro alleati. Era una guerra fredda per procura. Al presidente Reagan andava molto bene che l'Armata Rossa si logorasse. Faceva parte della sua strategia anticomunista. E pregustava la possibilità di impossessarsi di alcune delle nostre nuove armi per scopi di intelligence. Perciò mandarono alcune squadre. Forze speciali. Andavano e venivano con regolarità. Una notte di marzo del 1983 una di quelle squadre trovò mio padre e mio zio e sottrasse loro il fucile VAL.»

Non dissi nulla.

«La perdita del fucile era una sconfitta, naturalmente. Ma il peggio fu che gli americani consegnarono mio padre e mio zio alle donne di una tribù. Quello non era necessario. Ovviamente dovevano essere tacitati perché la presenza americana era del tutto segreta e andava nascosta. Ma gli americani avrebbero potuto uccidere mio padre e mio zio con le loro mani, rapidamente, in silenzio, con facilità. Scelsero di non farlo. Mia madre udì le loro grida per tutto il giorno seguente e per un bel po' nella notte. Suo marito e suo fratello. Sedici, diciotto ore. Disse che persino con quelle grida così forti, riusciva ancora a distinguerli dal suono della voce. »

Mi guardai attorno nella sala da tè semibuia del Four Seasons, mi agitai sulla sedia e dissi: «Mi dispiace, ma non le credo».

«Le sto dicendo la verità», replicò Lila Hoth.

Scossi la testa. «Ero nell'esercito americano. Ero poliziotto militare. Sapevo a grandi linee dove andava e dove non andava la gente. Non c'erano stivali americani sul suolo afghano. Non a quel tempo. Non durante quel conflitto. Era solo una questione locale.»

«Ma avevate un interesse nella vicenda.»

«Certo che lo avevamo. Come voi quando eravamo in Vietnam. L'Armata Rossa si trovava forse lì?»

Era una domanda retorica, studiata per ribadire un concetto, ma Lila Hoth la prese seriamente. Si protese sul tavolo e parlò con la madre, veloce e a voce bassa, in una lingua straniera che immaginai fosse ucraino. Svetlana aprì leggermente gli occhi e piegò la testa di lato come se ricordasse un aspetto secondario di un misterioso dettaglio storico. Parlò alla figlia, veloce e a voce bassa, e a lungo, dopodiché Lila tacque per un secondo per elaborare la traduzione e disse: «No, non mandammo truppe in Vietnam perché eravamo sicuri che i nostri fratelli socialisti della Repubblica Popolare fossero in grado di portare a termine il loro compito senza aiuti. Cosa che a quanto pare fecero, dice mia madre, e in modo piuttosto esemplare. Piccoli uomini in pigiama sconfissero la grande macchina verde».

Svetlana Hoth sorrise e assentì.

«Così come un gruppo di caprai ha fatto il culo a lei», osservai.

«Non ci sono dubbi. Ma con parecchi aiuti.»

«Non è andata così.»

«Ma ammetterà che sono stati sicuramente forniti aiuti materiali. Ai mujaheddin. Denaro e armi. Soprattutto missili terra-aria e cose del genere.»

« Come in Vietnam, solo al contrario. »

« E il Vietnam è un ottimo esempio. Perché, come certamente saprà, quando mai gli Stati Uniti forniscono aiuti militari a qualche parte del mondo senza fornire anche quelli che chiamano consiglieri militari? »

Non risposi.

« Per esempio, in quanti paesi ha servito? » chiese.

Non risposi.

« Quando si è arruolato? » domandò.

« Nel 1984 », risposi.

« Allora questi eventi del 1982 e del 1983 risalgono tutti a prima che prestasse servizio. »

« Solo di poco », replicai. « E c'è una cosa che si chiama memoria istituzionale. »

« Sbagliato », obiettò Lila. « I segreti sono stati mantenuti e le memorie istituzionali opportunamente cancellate. C'è una lunga storia di coinvolgimenti militari americani illegali in tutto il mondo. Soprattutto durante la presidenza Reagan. »

« Lo ha imparato alle superiori? »

« Sì. E si ricordi, i comunisti sono spariti molto tempo prima che arrivassi alle superiori. Grazie in parte allo stesso Reagan. »

« Anche se avesse ragione, perché ipotizzare che gli americani fossero coinvolti quella notte in particolare? Si presume che sua madre non lo abbia visto accadere. Perché non supporre che suo padre e suo zio siano stati catturati direttamente dai mujaheddin? »

« Perché il fucile non fu mai ritrovato. E la posizione di mia madre non fu mai presa di mira da un cecchino la notte. Mio padre aveva venti colpi nel caricatore e ne portava venti di riserva. Se fosse stato catturato direttamente dai mujaheddin, avrebbero usato il fucile contro di noi. Avrebbero ucciso quaranta dei nostri, o cercato di farlo, poi avrebbero esaurito le munizioni e abbandonato l'arma. Alla fine la compagnia di mia madre l'avrebbe ritrovata. Si verificavano un bel po' di scaramucce. I nostri conquistavano le loro posizioni e viceversa in continuazione. Era come una folle corsa in cerchio. I mujaheddin erano intelligenti. Avevano l'abitudine di ripiegare su posizioni che noi avevamo precedentemente sottovalutato ritenendole abbandonate. Ma dopo un po' i nostri individuarono tutti i loro rifugi. Avrebbero trovato il VAL, scarico e arrugginito, forse usato come palo per uno steccato. Tutte le altre armi sottratte facevano quella fine. Ma non il VAL. L'unica conclusione logica fu che fosse stato portato direttamente in America dagli americani.»

Rimasi in silenzio.

«Le sto dicendo la verità», ripeté Lila Hoth.

«Una volta ho visto un VAL 'Silent Sniper'», affermai.

«Me lo ha già detto.»

«Nel 1994», aggiunsi. «Ci era stato detto che era stato appena catturato. Ben undici anni dopo rispetto a quanto lei sostiene. Suscitò un improvviso e violento panico per le sue caratteristiche. L'esercito non aspetterebbe undici anni per lasciarsi prendere dal panico.»

«Sì invece», replicò Lila. «Svelare subito l'esistenza del fucile dopo la cattura avrebbe potuto scatenare la terza guerra mondiale. Sarebbe stata l'ammissione diretta che i vostri soldati erano faccia a faccia con i nostri senza che vi fossero state dichiarazioni di ostilità. Come minimo illegale, assolutamente disastroso in termini geopolitici. L'America avrebbe perso la sua grande statura morale. Il sostegno popolare all'interno dell'Unione Sovietica sarebbe stato rafforzato. La caduta del comunismo ritardata forse di anni.»

Rimasi in silenzio.

«Mi dica, cos'è successo nel suo esercito nel 1994 dopo l'improvviso e violento panico?»

Tacqui come aveva fatto Svetlana Hoth. Rievocai i particolari storici. Erano sorprendenti. Verificai e riverificai, poi dissi: «A dire il vero non molto».

«Nessun nuovo giubbetto antiproiettile? Nessuna nuova mimetica? Nessuna reazione tattica di sorta?»

«No.»

«È logico, persino per un esercito?»

«Non particolarmente.»

«Prima di ciò, quando è stato l'ultimo ammodernamento dell'attrezzatura?»

Tacqui di nuovo. Ricercai altri particolari storici. Mi venne in mente il PASGT, introdotto con grande entusiasmo, vanto e plauso nei miei primi anni in uniforme. Il Personal Armor System, Ground Troops. Un elmetto di kevlar nuovo, ritenuto in grado di resistere a tutti i tipi di armi da fuoco individuali. Un giubbetto antiproiettile nuovo e spesso, da indossarsi sopra o sotto la camicia dell'uniforme da combattimento, ritenuto sicuro persino per fucili lunghi. In particolare, ricordo, ritenuto sicuro anche in caso di proiettili da nove millimetri. In più nuovi disegni mimetici attentamente studiati per essere più funzionali, disponibili in due tonalità, bosco e deserto. I Marine ebbero una terza alternativa, grigio e blu, per gli ambienti urbani.

Rimasi in silenzio.

«Quando è avvenuto l'ammodernamento?» domandò Lila Hoth.

«Alla fine degli anni Ottanta», risposi.

«Anche in preda a un improvviso e violento panico, quanto ci vuole per progettare e rendere operativo un ammodernamento del genere?»

«Alcuni anni», dissi.

«Perciò riconsideriamo quello che sappiamo. Alla fine degli anni Ottanta avete ricevuto un equipaggiamento ammodernato, studiato appositamente per garantire una migliore protezione personale. Può essere stato il risultato di uno stimolo diretto originato da una fonte non divulgata nel 1983?»

Non risposi.

Restammo tutti zitti per un istante. Un cameriere silenzioso e discreto si avvicinò e ci offrì del tè. Elencò una lunga lista di miscele esotiche. Lila ne scelse una che non avevo mai sentito, poi tradusse per la madre che chiese la stessa cosa. Io domandai un caffè normale, nero. Il cameriere chinò la testa di pochi millimetri, come se il Four Seasons fosse disposto a soddisfare qualsiasi tipo di richiesta, pur spaventosamente proletaria. Attesi finché l'uomo non se ne fu andato e domandai: «Come avete capito chi cercare?»

«La generazione di mia madre si aspettava di combattere una guerra terrestre con voi in Europa e di vincere. La loro ideologia era pura, la vostra no. Dopo una vittoria rapida e certa, si aspettavano di prendere prigionieri molti di voi, forse milioni. In quella fase uno dei doveri di un commissario politico sarebbe stato classificare i combattenti nemici per separare quelli ideologicamente irrecuperabili dalla massa ed eliminarli. Per essere facilitati in tale compito, sono stati istruiti sulla vostra struttura militare.»

«Istruiti da chi?»

«Dal KGB. Era un programma in continua evoluzione. Sapevano chi faceva cosa. Nel caso delle unità d'élite sapevano addirittura i nomi. Non solo degli ufficiali ma anche dei soldati semplici. Come un vero appassionato di calcio conosce i componenti, i punti di forza e di debolezza di tutte le altre squadre della federazione, compresi i giocatori in panchina. Per le incursioni nella valle di Korengal mia madre concluse che ci fossero solo tre alternative realistiche. I SEAL della marina, i Recon Marine o la Delta Force dell'esercito. L'intelligence del tempo escluse i SEAL e i Marine. Non c'erano prove circostanziali del loro coinvolgimento. Niente informazioni specifiche. Il KGB aveva persone in tutte le vostre organizzazioni e queste non avevano segnalato nulla. Ma nelle basi della Delta in Turchia e negli scali obbligati in Oman c'era un traffico radio significativo. Il nostro radar individuò voli inspiegati. La conclusione logica fu che simili operazioni fossero gestite dalla Delta.»

Il cameriere tornò con un vassoio. Era un uomo alto e scuro piuttosto anziano, probabilmente straniero. Si dava un certo tono. Per quello il Four Seasons gli aveva affidato una mansione di primo piano. Dal portamento sembrava fosse stato un esperto di tè in qualche locale pannellato di legno a Vienna o a Salisburgo. In realtà era probabilmente un ex disoccupato estone. Forse era stato arruolato con il resto della generazione di Svetlana. Forse aveva resistito agli inverni nella valle di Korengal insieme a lei, da qualche parte lungo la linea con il suo gruppo etnico. Servì il tè e dispose il limone su un piattino con gran sfoggio. Il mio caffè arrivò in una bella tazza. Me lo posò davanti con un gesto elegantemente venato di disapprovazione. Quando se ne fu andato, Lila disse: «Mia madre ritenne che l'incursione fosse stata condotta da un capitano. Un tenente sarebbe stato troppo giovane, un maggiore troppo anziano. Il KGB aveva gli elenchi del personale. A quel tempo c'erano molti capitani assegnati alla Delta. Ma erano state effettuate alcune

analisi radio. Qualcuno aveva sentito il nome John. Questo restringeva il campo».

Annuii. Mi figurai una grossa antenna satellitare da qualche
parte, forse in Armenia o in Azerbaijan, un uomo in una barac-
ca con le cuffie in testa, gli auricolari di gomma ben premuti
sulle orecchie intento a setacciare le frequenze, ad ascoltare i gemiti e gli stridii dei canali disturbati: coglie un frammento di
una conversazione banale, scrive la parola *John* su un blocco di
carta grezza marrone. Dall'etere si carpiscono parecchie cose.
Per lo più inutili. Una parola comprensibile alle tue orecchie è
una pepita d'oro in una padella o un diamante in una roccia.
Una parola comprensibile alle loro è un proiettile nella schiena.

«Mia madre sapeva tutto sulle medaglie del vostro esercito.
Erano considerate importanti, un criterio per classificare i prigionieri. Un distintivo d'onore sarebbe diventato un distintivo
di disonore subito dopo la cattura. Sapeva che il fucile VAL
avrebbe comportato un riconoscimento prestigioso. Ma quale?
Si ricordi, non c'erano state dichiarazioni d'ostilità. E gran parte dei vostri riconoscimenti più prestigiosi sono per atti di co-
raggio o di eroismo durante azioni contro un nemico armato
degli Stati Uniti. Tecnicamente chiunque avesse rubato il VAL a
mio padre non era candidato a riceverne uno, perché tecnicamente l'Unione Sovietica non era un nemico degli Stati Uniti.
Non in senso militare. Non in via ufficiale. Non c'erano state
dichiarazioni di guerra», disse Lila.

Annuii di nuovo. Non eravamo mai stati in guerra con
l'Unione Sovietica. Al contrario, per quattro lunghi anni eravamo stati alleati in una lotta disperata contro un avversario comune. Avevamo collaborato ampiamente. Il cappotto pesante
dell'Armata Rossa dell'epoca della seconda guerra mondiale
sotto cui Lila Hoth sosteneva di essere stata concepita era stato
quasi sicuramente prodotto in America, nell'ambito del programma Lend-Lease. Avevamo spedito ai russi via mare un
centinaio di milioni di tonnellate di merci di lana e di cotone.
Più quindici milioni di paia di stivali di pelle, quattro milioni
di pneumatici, duemila locomotive e undicimila vagoni merci,
nonché mezzi pesanti come quindicimila aerei, settemila carri
armati e 375.000 camion per l'esercito. Il tutto senza alcun pa-
gamento, gratis, senza avere nulla in cambio. Winston Chur-

chill lo aveva definito il programma meno ignobile di tutta la storia. Sorsero leggende in proposito. Si dice che i sovietici avessero chiesto dei preservativi e che nel tentativo di far colpo e di intimorire, avessero precisato che dovevano essere lunghi quarantacinque centimetri. Gli Stati Uniti li avevano puntualmente spediti in scatole con sopra stampigliato: MISURA MEDIA.

Così era andata la storia.

«Mi sta ascoltando?» domandò Lila.

Assentii. «La Superior Service Medal sarebbe stata adatta. O la Legion of Merit. O la Soldier's Medal.»

«Non sono abbastanza prestigiose.»

«Grazie. Le ho ricevute tutte e tre.»

«Catturare il VAL era davvero un colpaccio. Un evento sensazionale. Era un'arma sconosciuta. Un'operazione del genere doveva essere ricompensata con una medaglia veramente prestigiosa.»

«Ma quale?»

«Mia madre concluse che fosse la Distinguished Service Medal. È prestigiosa, ma diversa. Di solito viene conferita per un servizio molto meritorio reso al governo degli Stati Uniti durante una mansione di grande responsabilità. È del tutto indipendente dalle attività di combattimento ufficialmente dichiarate. Viene assegnata a generali di brigata politicamente malleabili o a gradi ancor più alti. Mia madre aveva l'ordine di giustiziare subito tutti i possessori della DSM. Sotto il grado di generale di brigata viene conferita solo molto di rado. Ma è l'unica medaglia significativa che un capitano della Delta si sarebbe potuto conquistare quella notte nella valle di Korengal.»

Annuii. Ero d'accordo. Pensai che Svetlana Hoth fosse un'analista piuttosto in gamba. Chiaramente era stata bene addestrata e bene informata. Il KGB aveva fatto un buon lavoro. «Perciò avete cominciato a cercare un uomo chiamato John che fosse stato capitano nella Delta e avesse ottenuto una DSM nel marzo del 1983», dissi.

Lila assentì. «Per essere sicure, la DSM doveva essere accompagnata da un encomio.»

«E ha costretto Susan Mark ad aiutarla.»

«Non l'ho *costretta*. Era contenta di farlo.»

«Perché?»

«Perché era rimasta sconvolta dalla storia di mia madre.»

Svetlana Hoth sorrise e annuì.

«Ed era rimasta un po' sconvolta anche dalla mia storia. Sono orfana di padre come lei», aggiunse Lila.

«Com'è saltato fuori il nome di John Sansom prima ancora che Susan la richiamasse? Non certo grazie a un gruppo di guardie private di New York che se ne stavano sedute a leggere il giornale e a scambiarsi battute», chiesi.

«È una combinazione molto rara», rispose Lila. «John, Delta, DSM, mai generale a una stella. Lo abbiamo notato nello *Herald Tribune*, quando hanno reso nota la sua ambizione di candidarsi al Senato. Eravamo a Londra. Quel giornale lo si può acquistare in tutto il mondo. È una versione ridotta del *New York Times*. John Sansom poteva proprio essere l'unico uomo nella storia del vostro esercito a soddisfare in pieno i quattro criteri. Ma volevamo esserne assolutamente certe. Ci serviva la conferma finale.»

«Prima di che? Cosa volete fargli?»

Lila Hoth sembrò sorpresa.

«Fargli?» disse. «Non vogliamo *fargli* niente. Vogliamo solo parlargli, nient'altro. Vogliamo chiedergli perché? Perché fare una cosa del genere ad altri due esseri umani?»

38

Lila Hoth finì il tè e posò la tazza sul piattino. Sì udì un tintinnio garbato di porcellana fine su porcellana fine. «Recupererà le informazioni di Susan per me?» domandò.

Non risposi.

«Mia madre ha aspettato a lungo», aggiunse.

«Perché?» chiesi.

«Tempo, occasione, mezzi, opportunità. Soldi soprattutto, immagino. Fino a poco tempo fa il suo orizzonte era molto limitato.» «Perché suo marito è stato ucciso?» domandai.

«*Mio* marito?»

«A Mosca.»

Lila tacque e quindi disse: «Erano anni così».

«Lo stesso vale per il marito di sua madre.»

«No. Gliel'ho detto, se Sansom gli avesse sparato alla testa come è successo a mio marito, se lo avesse pugnalato al cervello, se gli avesse spezzato il collo o fatto qualsiasi altra cosa che i soldati della Delta sono addestrati a fare, sarebbe stato diverso. Ma non è andata in quel modo. È stato crudele. Disumano.»

Non dissi nulla.

«Volete un uomo del genere nel vostro Senato?» chiese.

«Rispetto a cosa?»

«Mi darà la conferma di Susan?»

«Non serve», dissi.

«Perché no?»

«Perché non si avvicinerà mai a John Sansom. Se anche solo una parte di quello che ha detto si è verificato sul serio, allora è un segreto e lo resterà a lungo. I segreti sono protetti, in particolare ora. Ci sono già due agenzie federali all'opera. Avete già incontrato tre uomini che facevano domande. Nel migliore dei casi verrete deportate. I vostri piedi non toccheranno nemmeno terra quando tornerete all'aeroporto. Vi metteranno sull'aereo in manette. In classe economica. I britannici vi scaricheranno dall'aereo dall'altra parte e passerete il resto della vostra vita sotto sorveglianza.»

Svetlana Hoth fissò nel vuoto.

«Nel peggiore, scomparirete e basta. Proprio qui. Un minuto prima siete per strada, un minuto dopo non ci siete più. Marcirete a Guantanamo o verrete spedite in Siria o in Egitto in modo che vi possano uccidere laggiù», affermai.

Lila Hoth non proferì parola.

«Il mio consiglio?» proseguii. «Dimenticate tutto. Suo padre e suo zio sono stati uccisi in guerra. Non sono stati i primi e non saranno gli ultimi. Sono cose che succedono.»

«Volevamo solo chiedergli perché.»

«Sapete già perché. Non c'erano state dichiarazioni di ostilità, perciò non poteva ucciderli. Riguarda le regole d'ingaggio. Fanno un briefing dettagliato prima di ogni missione.»

«Perciò ha lasciato che qualcun altro lo facesse per lui.»

«Erano anni così. Come lei ha detto, avrebbe potuto scatenare la terza guerra mondiale. Evitarlo era nell'interesse di tutti.»

«Ha visto quei dati? Susan ha avuto davvero la conferma? Mi dica solo sì o no. Non farò niente senza vedere i dati. Non posso.»

«Non farà niente, punto.»

«Non è stato giusto.»

«Invadere l'Afghanistan non è stato giusto. Sareste dovuti rimanere a casa.»

«Allora anche voi, da tutti i posti in cui siete andati.»

«Per quanto mi riguarda, sono assolutamente d'accordo.»

«Che mi dice della libertà di informazione?»

«In che senso?»

«L'America è un paese basato sulle leggi.»

«Vero. Ma sapete cosa dicono oggi in realtà le leggi? Dovreste leggere lo *Herald Tribune* con più attenzione.»

«Ci aiuterà?»

«Chiederò al portiere di chiamarvi un taxi per l'aeroporto.»

«Tutto qui?»

«È il migliore aiuto che vi si possa dare.»

«C'è qualcosa che posso fare per indurla a cambiare idea?»

Non risposi.

«Niente di niente?»

«No», risposi. Dopo restammo in silenzio. L'esperto di tè ci portò il conto. Era in una cartellina di pelle. Lila Hoth firmò. «Sansom dovrebbe essere chiamato a rispondere di quel che ha fatto», affermò.

«Se è stato lui», replicai. «Se mai qualcuno è stato.» Presi il cellulare di Leonid e lo gettai sul tavolo. Scostai la sedia e feci per andarmene.

«La prego, tenga il telefono», disse Lila.

«Perché?» domandai.

«Perché io e mia madre restiamo. Ancora per qualche giorno. Mi piacerebbe poterla chiamare.» Non lo disse in modo lezioso. Civettuolo. Non abbassò le palpebre, non sbatté le ciglia. Non mi posò la mano sul braccio, non fece alcun tentativo di sedurmi, di indurmi a cambiare idea. Fu una semplice affermazione, fatta in modo neutro.

Poi aggiunse: «Anche se lei non è un amico». Avvertii allora una parvenza di minaccia nella sua voce, impercettibile come un battito d'ali di farfalla. Un'eco debole, lontana di intimidazione, una nota di pericolo a stento individuabile dietro le parole, accompagnata da un gelo percepibile in quegli straordinari occhi azzurri. Come un caldo mare estivo che si trasforma in una distesa di ghiaccio invernale illuminata dal sole. Stesso colore, temperatura diversa.

La guardai pacato e rimisi il telefono in tasca; mi alzai e mi allontanai. Su 57th Street c'erano molti taxi, ma nessuno libero. Perciò andai a piedi. Lo Sheraton era tre isolati a ovest e cinque a sud. Venti minuti al massimo. Calcolai che ci sarei potuto arrivare prima che Sansom terminasse il pranzo.

39

Non arrivai allo Sheraton prima che Sansom terminasse il pranzo, in parte perché i marciapiedi erano intasati di gente che si muoveva lenta nella calura, in parte perché era stato un pranzo breve. Il che supposi fosse logico. Il suo pubblico di Wall Street voleva passare più tempo possibile a far soldi e meno tempo possibile a darli via. Non riuscii neanche a prendere lo stesso Amtrak. Persi il treno per Washington per cinque minuti, il che significò seguirlo nella capitale con una buona ora e mezzo di ritardo.

All'ingresso del Cannon Building era di servizio la stessa guardia. Non mi riconobbe. Ma mi lasciò entrare ugualmente, soprattutto per via della Costituzione. Per il primo emendamento della Dichiarazione dei diritti. *Il Congresso non emanerà alcuna legge che limiti il diritto della popolazione di presentare petizioni al governo.* Le cianfrusaglie che avevo in tasca passarono lentamente ai raggi X; superai un metal-detector e fui perquisito nonostante sapessi che si era accesa la luce verde. Nell'atrio c'era un gruppo di commessi della Camera. Uno mi chiamò e mi accompagnò alla stanza di Sansom. I corridoi erano larghi, signorili e disorientanti. I singoli uffici sembravano piccoli ma di buon gusto. Forse un tempo erano stati grandi e di buon gusto, ma ora erano divisi in anticamere per i visitatori e in diversi spazi interni, in parte immaginai per il personale anziano, in parte perché l'accesso labirintico al pezzo grosso sembrasse una concessione più di quanto in realtà non fosse.

L'ufficio di Sansom era uguale a tutti gli altri. Una porta su un lato del corridoio, molte bandiere, molte aquile, alcuni dipinti a olio di vecchi uomini imparruccati, un banco della reception con dietro una giovane. Forse del suo staff, forse una tirocinante. Springfield era appoggiato all'angolo del banco.

Mi vide, mi fece un cenno senza sorridere, si scostò per venirmi incontro sulla porta e con il pollice indicò più in giù in corridoio.

«Al self-service», disse.

Lo raggiungemmo scendendo una rampa di scale. Era una stanza bassa e larga piena di tavoli e sedie. Nessuna traccia di Sansom. Springfield grugnì come se non ne fosse sorpreso e concluse che, mentre lo stavamo cercando, fosse tornato in ufficio seguendo una strada alternativa, forse dall'ufficio di un collega. Disse che quel posto era un dedalo, che c'erano sempre colloqui da fare, favori da chiedere, patti da stringere e voti da barattare. Tornammo per la stessa strada da cui eravamo venuti. Springfield si sporse oltre una porta interna, indietreggiò e mi fece segno di entrare.

L'ufficio di Sansom era un ambiente rettangolare più grande di una cabina armadio e più piccolo di una stanza di motel da trenta dollari. Aveva una finestra, le pareti pannellate ricoperte di fotografie e di titoli di quotidiani incorniciati, nonché di souvenir sugli scaffali. Sansom sedeva in una poltrona di pelle rossa dietro la scrivania con una stilografica in mano e un bel po' di carte sparpagliate di fronte. Si era tolto la giacca. Aveva l'aria stanca, spenta di un uomo rimasto a lungo seduto fermo. Non era stato fuori. La deviazione al self-service era stata una sciarada, presumibilmente studiata per lasciar uscire qualcuno senza che lo vedessi. Chi, non lo sapevo. Perché, non lo sapevo. Mi sedetti tuttavia sulla sedia per i visitatori e la trovai ancora calda per il contatto con il corpo di qualcun altro. Dietro la testa di Sansom c'era una grande stampa in cornice della stessa foto che avevo visto nel suo libro. Donald Rumsfeld e Saddam Hussein a Baghdad. *A volte i nostri amici diventano i nostri nemici e a volte i nostri nemici diventano i nostri amici.* Accanto c'era una serie di foto più piccole, alcune di Sansom in piedi con gruppi di persone, altre di lui solo, intento a stringere mani e a sorridere. Alcune immagini di gruppo erano formali, altre raffiguravano la fase post vittoria elettorale degli ampi sorrisi e dei coriandoli. In quasi tutte vidi Elspeth. La sua pettinatura era cambiata molto negli anni. In altre vidi Springfield: la sua sagoma piccola, guardinga era facilmente riconoscibile nonostante le immagini fossero minuscole. Le istantanee doppie erano quelle che i fotografi della stampa chiamavano «stringi la mano e sorridi». Alcuni personaggi ritratti li riconobbi, altri no. Qualcuno le aveva autografate con dediche stravaganti, qualcun altro no.

«Allora?» fece Sansom.

«So della DSM nel marzo del 1983», risposi.

«Come?»

«Per via del VAL 'Silent Sniper'. La megera di cui le ho parlato è la vedova dell'uomo a cui l'ha sottratto. Il che spiega perché abbia reagito di fronte al nome. Forse non ha mai sentito parlare di Lila Hoth o di Svetlana Hoth, ma a suo tempo ha incontrato qualcuno che si chiamava Hoth. Questo è maledettamente certo. Era ovvio. Probabilmente gli ha preso le piastrine e le ha fatte tradurre. Magari le conserva ancora come souvenir.»

Non ci fu sorpresa. Non ci fu negazione. «No, in realtà le piastrine sono state messe sotto chiave con il rapporto sull'azione e tutto il resto», si limitò a osservare.

Non dissi nulla.

«Si chiamava Grigori Hoth. A quel tempo aveva all'incirca la mia età. Pareva capace. Il suo osservatore non tanto. Avrebbe dovuto sentirci arrivare», proseguì.

Non risposi. Ci fu un lungo silenzio. Poi Sansom sembrò prendere coscienza della situazione; incurvò le spalle, sospirò e disse: «Che razza di modo d'essere scoperto, no? Le medaglie dovrebbero essere riconoscimenti, non punizioni. Non dovrebbero fotterti. Non dovrebbero seguirti per il resto della vita come una palla al piede».

Non dissi nulla.

«Che ha intenzione di fare?» domandò.

«Niente», risposi.

«Davvero?»

«Non mi interessa cosa sia successo nel 1983. E mi hanno mentito. Prima a proposito di Berlino e mi stanno ancora mentendo. Sostengono di essere madre e figlia. Ma io non ci credo. La presunta figlia è una delle cose più belle che si siano mai viste. La presunta madre è caduta dall'albero della bruttezza sbattendo su ogni ramo. La prima volta le ho incontrate insieme a una poliziotta del NYPD. Ha detto che fra trent'anni la figlia sarà uguale alla madre. Ma si sbagliava. La giovane non sarà mai come la vecchia. Neanche tra un milione d'anni.»

«Allora chi sono?»

«Propendo a credere che la vecchia sia ciò che dice. Era un commissario politico dell'Armata Rossa che ha perso il marito e il fratello in Afghanistan.»

«Il fratello?»

«L'osservatore.»

«Ma la giovane finge?»

Annuii. «Finge di essere una miliardaria espatriata a Londra. Dice che il marito era un imprenditore che non ce l'ha fatta.»

«Non è convincente?»

«Si è calata nella parte. Recita bene. Forse a un certo punto della sua vita ha perso un marito.»

«Ma? Chi è davvero?»

«Una giornalista, credo.»

«Perché?»

«Conosce le cose. Ha la giusta mentalità investigativa. È analitica. Tiene d'occhio lo *Herald Tribune*. È un'abile narratrice, ma parla troppo. Adora le parole e infioretta i dettagli. Non può farne a meno.»

«Per esempio?»

«Ha voluto aggiungere pathos. Ha lasciato intendere che i commissari politici fossero in trincea con i soldati. Sostiene di essere stata concepita su un terreno roccioso sotto un cappotto pesante dell'Armata Rossa. Il che è una stronzata. I commissari erano terribili vigliacchi che restavano nelle retroguardie. Rimanevano ben lontani dall'azione. Se ne stavano tutti riuniti al quartier generale a scrivere pamphlet. Di tanto in tanto facevano visita alle linee, ma mai se c'era pericolo.»

«Questo come lo sa?»

«Sa come lo so. Ci aspettavamo di combattere una guerra terrestre contro di loro in Europa. Ci aspettavamo di vincere. Di prenderne milioni prigionieri. I poliziotti militari erano stati addestrati a gestirli. La 110ª avrebbe diretto le operazioni. Era un delirio forse, ma il Pentagono lo prese molto seriamente. Ci hanno insegnato di più sull'Armata Rossa che sull'esercito americano. Di certo ci hanno spiegato esattamente dove scovare i commissari. Avevamo l'ordine di ucciderli tutti subito.»

«Che tipo di giornalista sarebbe?»

«Televisiva probabilmente. La squadra locale che ha assoldato era legata al mondo della televisione. Ha mai visto le televisioni dell'Europa dell'Est? Tutti i mezzibusti sono donne, e bellissime.»

«Di quale paese?»

«Dell'Ucraina.»

«Con quale taglio?»

«Investigativo, storico, con un pizzico di coinvolgimento umano. La giovane avrà probabilmente sentito la storia della vecchia e deciso di sfruttarla.»

«Una sorta di History Channel in russo?»

«In ucraino», precisai.

«Perché? Quale sarebbe il messaggio? Ci vogliono mettere in imbarazzo ora? Dopo più di venticinque anni?»

«No, penso vogliano mettere in imbarazzo i russi. In questo momento c'è molta tensione tra Russia e Ucraina. Danno per scontato il male dell'America e sostengono che la grande e cattiva Mosca non avrebbe dovuto lasciare i poveri e indifesi ucraini alla sua mercé.»

«Allora perché non abbiamo già visto la storia?»

«Perché sono molto indietro», risposi. «Stanno cercando conferme. Sembra che laggiù si facciano ancora qualche scrupolo giornalistico.»

«E le otterranno, le conferme?»

«Non da lei presumibilmente. E nessun altro sa qualcosa di sicuro. Susan Mark non è vissuta abbastanza da dire di sì o di no. Perciò il vaso ha ancora il suo bel coperchio. Le ho consigliato di scordarsi tutto e di tornare a casa.»

«Perché fingono di essere madre e figlia?»

«Perché è un ottimo trucco», dissi. «Affascinante. È come la real TV. O quelle riviste che vendono al supermercato. Hanno chiaramente studiato la nostra cultura.»

«Perché aspettare tanto?»

«Ci vuole tempo per mettere in piedi un'industria televisiva matura. Probabilmente hanno perso anni per cose più importanti.»

Sansom annuì e osservò: «Non è vero che nessun altro sa qualcosa di sicuro. Lei sembra saperne parecchio».

«Ma non dirò nulla.»

«Posso fidarmi di lei?»

«Ho servito per tredici anni. So cose di ogni genere. Non ne parlo.»

«La facilità con cui hanno avvicinato Susan Mark non mi fa molto piacere. Né il fatto che non abbiamo saputo di lei fin dall'inizio. Non abbiamo saputo di lei fino al mattino dopo. L'intera faccenda sembra un'imboscata. Siamo sempre stati un passo indietro.»

Stavo guardando le fotografie sulla parete alle sue spalle. Le minuscole figure. Le sagome, il portamento. «Davvero?» affermai.

«Avrebbero dovuto informarci.»

«Scambi due parole con il Pentagono. E con quei tizi del Watergate», dissi.

«Lo farò», rispose Sansom. Poi tacque, come se stesse ripensando e rivalutando tutto con più calma, a un ritmo più lento rispetto al consueto stile rapido da ufficiale superiore. *Il vaso ha ancora il suo bel coperchio.* Sembrò analizzare l'affermazione per un po' da ogni punto di vista. Poi alzò le spalle, assunse un'aria leggermente imbarazzata e chiese: «Allora cosa pensa di me ora?»

«È importante?»

«Sono un politico. È una domanda di riflesso.»

«Penso che avrebbe dovuto sparar loro alla testa.»

Lui tacque e disse: «Non avevamo armi silenziate».

«Sì. Gliene avevate appena presa una.»

«Regole di ingaggio.»

«Avreste dovuto ignorarle. L'Armata Rossa non si portava dietro un laboratorio medico-legale. Non avrebbero avuto idea di chi avesse sparato a chi.»

«Allora cosa pensa di me?»

«Penso che non avrebbe dovuto consegnarli. Non era necessario. Questo sarebbe stato in realtà il succo della storia della televisione ucraina. L'idea era metterle vicino la vecchia e fare in modo che le chiedesse perché.»

Alzò di nuovo le spalle. «Vorrei potesse farlo. Perché la verità è che non li abbiamo consegnati. Li abbiamo liberati invece. È stato un rischio calcolato. Una specie di doppio bluff. Avevano perso il fucile. Tutti avrebbero presunto che lo avessero preso i mujaheddin. Il che era un risultato penoso e una grossa sventura. Capivo che avevano paura degli ufficiali e dei commissari politici. Perciò sarebbero stati più che ansiosi di dire la verità, che erano stati gli americani, non gli afghani. Sarebbe stata una specie di discolpa. Ma ufficiali e commissari politici sapevano quanta paura avessero di loro, perciò la verità sarebbe apparsa come una storia assurda. Una scusa patetica. Sarebbe stata subito bollata come un'invenzione. Perciò giudicai fosse abbastanza sicuro lasciarli andare. La verità sarebbe stata lì sotto gli occhi di tutti ma senza che qualcuno la riconoscesse.»

«Allora cos'è successo?» dissi.

«Suppongo avessero più paura di quanto pensassi. Troppa per tornare indietro. Credo abbiano vagabondato finché la gente della tribù li ha trovati. Grigori Hoth era sposato con un commissario politico. Aveva paura di lei. Questo è quello che è successo. E questo lo ha ucciso», rispose Sansom.

Non dissi nulla.

«Non che mi aspetti che qualcuno mi creda», aggiunse.

Non replicai.

«Ha ragione a proposito della tensione tra Russia e Ucraina. Ma c'è tensione anche tra la Russia e noi. In questo momento ce n'è parecchia. Se salta fuori l'aspetto della storia riguardante la valle di Korengal, la faccenda potrebbe farsi esplosiva. Sarebbe come se tornasse la guerra fredda, ma in modo diverso. Almeno i sovietici erano sani di mente a loro modo. I russi di oggi, non tanto.»

Dopodiché restammo seduti in silenzio per quello che mi sembrò molto tempo, poi il telefono sul tavolo di Sansom squillò. Era la sua receptionist. Ne sentii la voce attraverso l'auricolare e la porta. Sciorinò una serie di cose che richiedevano urgente attenzione. Sansom riagganciò e disse: «Devo andare. Chiamerò un addetto che l'accompagni». Si alzò, girò attorno al tavolo e uscì dalla stanza. Proprio come un uomo innocente che non aveva nulla da nascondere. Mi lasciò tutto solo, seduto sulla

mia sedia, con la porta aperta. Anche Springfield se n'era andato. Non vedevo nessuno nell'ufficio esterno tranne la donna alla scrivania. Mi sorrise. Le sorrisi. Non arrivò nessun addetto.

Siamo sempre stati un passo indietro, aveva dichiarato Sansom. Attesi a lungo e iniziai ad agitarmi, come inquieto. Dopo
un periodo accettabile mi alzai. Mi aggirai con le mani dietro la
schiena, come un uomo innocente che non ha nulla da nascondere e che aspetta in un territorio che non è il suo. Mi diressi
alla parete dietro il tavolo come se fosse una meta del tutto casuale. Studiai le fotografie. Contai le facce che conoscevo. Al-
l'inizio ne totalizzai ventiquattro. Quattro presidenti, altri nove
politici, cinque atleti, due attori, Donald Rumsfeld, Saddam
Hussein, Elspeth e Springfield.

Più qualcun altro.

Conoscevo una venticinquesima faccia.

In tutte le immagini celebrative della serata della vittoria
elettorale, proprio accanto a Sansom, c'era un uomo che sfode-
rava lo stesso ampio sorriso, quasi godesse per un lavoro ben
fatto, quasi volesse con ben poca modestia tutto il riconoscimento che gli spettava. Uno stratega. Un tattico. Un manipo-
latore. Un maneggione politico che lavora dietro le quinte.

Presumibilmente il capo dello staff di Sansom. Aveva quasi
la mia età. In tutte le immagini era ricoperto di coriandoli, avvolto da stelle filanti o immerso fino al ginocchio nei palloncini
e sorrideva come un idiota, ma i suoi occhi erano freddi. Possedevano una certa furbizia, una scaltrezza da mente calcolatrice.

Mi ricordarono gli occhi di un giocatore di baseball.

Capii perché avevano architettato la sciarada del self-service.

Capii chi si era seduto sulla sedia per i visitatori di Sansom
prima di me.

Siamo sempre stati un passo indietro.

Bugiardo.

Capii chi era il capo dello staff di Sansom.

Lo avevo visto prima.

Lo avevo visto con un paio di pantaloni sportivi di cotone e
una polo sul treno della linea 6 a tarda notte a New York.

40

Esaminai tutte le fotografie celebrative con grande attenzione.
In tutte c'era l'uomo della metropolitana. Angoli differenti, anni differenti, vittorie differenti, ma era con certezza lo stesso
uomo, alla destra di Sansom. Poi un addetto entrò in gran fretta nell'ufficio e due minuti dopo ero di nuovo sul marciapiede
di Independence Avenue. Quattordici minuti dopo ancora ero
nella stazione ferroviaria in attesa del primo treno per New
York. Cinquantotto minuti dopo ero a bordo, seduto comodamente mentre lasciavo la città e osservavo dal finestrino i lugubri scali ferroviari. Lontano alla mia sinistra una squadra di uomini con elmetti e giubbotti arancione ad alta visibilità stava
lavorando su un tratto di binario. I giubbotti brillavano nello
smog. Il tessuto doveva contenere minuscoli frammenti di vetro riflettente mescolati a fibre di plastica. Sicurezza garantita
dalla chimica. Quegli abiti erano più che ad alta visibilità. Attiravano l'attenzione. Catturavano gli sguardi. Li osservai lavorare finché divennero piccolissimi punti arancione in lontananza
e scomparvero del tutto, il che accadde più di un chilometro e
mezzo dopo. A quel punto avevo in mano tutto ciò che potevo
avere. Sapevo tutto ciò che potevo sapere. Però non sapevo di
sapere. Non in quel momento.

Il treno entrò nella Penn Station. Cenai tardi in un locale esattamente di fronte a quello in cui avevo fatto colazione. Poi raggiunsi a piedi il 14° Distretto su West 35th. Era iniziato il turno di notte. Theresa Lee e il suo collega Docherty erano già in
ufficio. La stanza della squadra era silenziosa, come se avessero
risucchiato via tutta l'aria. Come se fosse arrivata una brutta
notizia. Nessuno tuttavia correva di qua e di là. Perciò la brutta notizia era arrivata da qualche altra parte.
    La receptionist al cancello mi aveva già visto. Ruotò sulla se-

dia girevole e lanciò un'occhiata a Lee, che fece una smorfia quasi a dire che se mi avesse rivolto ancora la parola la sua vita non sarebbe cambiata. Perciò la receptionist ruotò di nuovo e fece anche lei una smorfia, come se la scelta di restare o di andarmene fosse del tutto mia. Con un cigolio di cardini mi feci strada tra le scrivanie fino in fondo alla stanza. Docherty era al telefono, perlopiù intento ad ascoltare. Lee se ne stava seduta lì a far niente. Mi guardò avanzare e disse: «Non sono dell'umore giusto».

«Per cosa?»

«Per Susan Mark», rispose.

«Notizie?»

«Neanche una.»

«Nient'altro sul ragazzo?»

«È proprio preoccupato per lui.»

«Lei no?»

«Nemmeno un po'.»

«Il dossier è ancora chiuso?»

«Più del buco del culo di un'ostrica.»

«D'accordo», affermai.

Lei tacque per un istante, sospirò e chiese: «Che c'è?»

«So chi era il quinto passeggero.»

«C'erano solo quattro passeggeri.»

«E la terra è piatta e la luna fatta di formaggio.»

«Questo presunto passeggero ha commesso un crimine tra 30th e 45th Street?»

«No», risposi.

«Allora il dossier resta chiuso.»

Docherty posò il telefono e guardò la collega con un'espressione eloquente sul volto. Sapevo cosa significasse quell'espressione. Ero stato una specie di poliziotto per tredici anni e l'avevo vista molte volte in passato. Significava che qualcun altro si era beccato un caso grosso e che Docherty era in fondo contento di non essere coinvolto ma anche un po' triste perché, malgrado essere nel cuore dell'azione fosse burocraticamente una seccatura, era forse molto meglio che restare a guardare in disparte.

«Cos'è successo?» domandai.

«Un omicidio plurimo sulla 17th. Una brutta faccenda.

Quattro uomini sotto la FDR Drive, pestati e uccisi», spiegò Lee.

«Con dei martelli», aggiunse Docherty.

«Martelli?» chiesi.

«Arnesi da carpentiere. Del Bricocenter su 23rd Street. Appena comprati. Sono stati ritrovati sulla scena. Avevano ancora su le etichette con i prezzi, sotto il sangue.»

«Chi erano i quattro uomini?» chiesi.

«Nessuno lo sa», rispose Docherty. «Quello sembra sia stato lo scopo dei martelli. Hanno la faccia ridotta in poltiglia, i denti fracassati e la punta delle dita rovinate.»

«Giovani, vecchi, bianchi, neri?»

«Bianchi», disse lui. «Non vecchi. Con un completo addosso. Non c'è niente su cui lavorare, tranne il fatto che avevano biglietti da visita fasulli in tasca con il nome di una società che non è registrata da nessuna parte nello stato di New York e un numero telefonico sempre scollegato perché intestato a una ditta cinematografica.»

41

Squillò il telefono sulla scrivania di Docherty, lui lo sollevò e ricominciò ad ascoltare. Un amico del 17° presumibilmente, con altri particolari da riferire. Guardai Lee e dissi: «Adesso dovrà riaprire il dossier».

«Perché?» domandò lei.

«Perché quegli uomini erano la squadra locale assoldata da Lila Hoth.»

Lei mi guardò e chiese: «Che cos'ha? Poteri telepatici?»

«Li ho incontrati due volte.»

«Ha incontrato due volte una squadra. Niente indica che siano gli stessi uomini.»

«Mi hanno dato uno di quei biglietti da visita fasulli.»

«Tutte quelle squadre usano biglietti da visita fasulli.»

«Con lo stesso genere di numero telefonico?»

«Il cinema e la televisione sono gli unici posti in cui si possono trovare numeri simili.»

«Erano ex poliziotti. Non le importa?»

«Mi importa dei poliziotti, non degli ex poliziotti.»

«Hanno fatto il nome di Lila Hoth.»

«No, una squadra ha fatto il suo nome. Non significa che lo abbiano fatto gli uomini morti.»

«Pensa sia una coincidenza?»

«Potrebbero essere la squadra di chiunque.»

«Per esempio?»

«Di uno qualsiasi in questo vasto mondo. Questa è New York. New York è piena di poliziotti privati. Girano in gruppi. Hanno tutti lo stesso aspetto e fanno tutti le stesse cose.»

«Hanno fatto anche il nome di John Sansom.»

«No, una squadra ha fatto il suo nome.»

«Anzi, sono stati i primi da cui ho sentito il suo nome.»

«Allora forse erano la sua squadra, non quella di Lila. Era tanto preoccupato da mandare i suoi quassù?»

«Aveva il suo capo dello staff sul treno della metropolitana. Ecco chi era il quinto passeggero.»

«Ci risiamo.»

«Non farà niente?»

«Informerò il 17° di un possibile antefatto.»

«Non riaprirà il dossier?»

«No finché non saprò di un crimine dal mio lato di Park Avenue.»

«Vado al Four Seasons.»

Era tardi, ero piuttosto a ovest e non trovai un taxi finché non raggiunsi Sixth Avenue. Da quel punto il tragitto fino all'albergo fu rapido. L'atrio era tranquillo. Entrai come se avessi diritto di essere lì e salii in ascensore fino al piano di Lila Hoth. Percorsi il corridoio silenzioso e mi fermai di fronte alla sua suite.

La porta era socchiusa di un paio di centimetri.

L'incastro della serratura di sicurezza sporgeva e il congegno di chiusura a molla si era bloccato contro lo stipite. Rimasi fermo per un altro secondo e poi bussai.

Nessuna risposta.

Spinsi la porta e sentii il meccanismo scattare. La tenni aperta a quarantacinque gradi con le dita divaricate e restai in ascolto.

Dall'interno non provenivano rumori.

Aprii del tutto la porta ed entrai. Davanti a me il salotto era semibuio. Le lampade erano spente ma le tende erano scostate e dalla città proveniva abbastanza luce da farmi capire che la stanza era vuota. Vuota, nel senso di priva di persone. Ma anche nel senso di lasciata, abbandonata. Niente sacchetti dei negozi negli angoli, niente oggetti personali riposti con o senza cura, niente giacche sulle sedie, niente scarpe per terra. Niente segni di vita.

Le camere da letto erano nella stessa condizione. I letti erano ancora fatti ma recavano segni e grinze tipici delle valigie. Gli armadi erano vuoti. I pavimenti dei bagni erano disseminati di asciugamani usati. I box doccia asciutti. Colsi una vaga traccia del profumo di Lila Hoth nell'aria ma nient'altro.

Ripercorsi tutte le tre stanze ancora una volta e uscii in corridoio. La porta si richiuse alle mie spalle. Udii la molla all'interno del cardine svolgere la sua funzione e l'incastro della serratura di sicurezza trovare la sua collocazione nello stipite, metallo contro legno. Mi allontanai verso l'ascensore, premetti il pulsante di discesa e la porta si aprì immediatamente. L'ascensore mi aveva aspettato. Secondo il protocollo notturno. Niente viaggi inutili degli ascensori. Niente rumori inutili. Tornai all'atrio e mi diressi al banco. Di servizio c'era l'intero staff notturno. Non tante persone come di giorno, ma troppe perché funzionasse il trucco dei cinquanta dollari. Il Four Seasons non era quel genere di posto. Un uomo alzò lo sguardo da uno schermo e mi chiese cosa desiderassi. Gli domandai quando esattamente le Hoth avessero lasciato l'albergo.

«Le chi, signore?» domandò di rimando. Parlò con una voce pacata, misurata, da turno di notte, come se temesse di svegliare gli ospiti ai piani superiori.

«Lila Hoth e Svetlana Hoth», dissi.

L'uomo assunse un'espressione come se non sapesse di cosa parlassi, si concentrò sullo schermo e premette un paio di tasti. Fece scorrere su e giù una pagina, premette un altro paio di tasti e disse: «Mi dispiace, signore, ma non riesco a trovare traccia di ospiti con quel nome».

Gli dissi il numero della suite. Premette un altro paio di tasti, piegò la bocca verso il basso con un'aria sorpresa e disorientata per poi affermare: «Quella suite non è stata utilizzata in tutta la settimana. È molto costosa e difficilmente viene occupata».

Ripensai al numero e replicai: «Ieri sera ero lì. Allora era utilizzata. E ho incontrato le occupanti oggi, nella sala da tè. C'è la loro firma sul conto».

L'uomo riprovò ancora. Recuperò i conti della sala da tè caricati sulla stanza degli ospiti. Girò a metà lo schermo in modo che anch'io potessi vedere, con il gesto che gli impiegati usano quando vogliono convincerti di qualcosa. Avevamo preso due tè e un caffè. Non c'era traccia di un simile addebito.

Poi udii lievi rumori alle mie spalle. Uno strascicare di suole

sulla moquette, un ansito come di qualcuno che trattenesse il
fiato, il lieve fruscio di una stoffa che si muoveva nell'aria. E un
tintinnio metallico. Mi girai e mi ritrovai di fronte a un semicerchio perfetto di sette uomini. Quattro erano poliziotti in
uniforme del NYPD. Tre erano gli agenti federali che avevo incontrato prima.

I poliziotti avevano i fucili.

I federali qualcos'altro.

42

Sette uomini. Sette armi. I fucili della polizia erano Franchi
SPAS 12. Italiani. Probabilmente non armi standard del NYPD.
Lo SPAS 12 è un'arma semiautomatica calibro 12 a canna liscia
dall'aspetto futuristico e inquietante, con un'impugnatura da
pistola e il calcio retrattile. Vantaggi, molti. Inconvenienti,
due. Il primo era il costo ma chiaramente una divisione speciale del dipartimento di polizia era stata ben contenta di appro-
varne l'acquisto. Il funzionamento semiautomatico era il secondo. Era ritenuto teoricamente inaffidabile in un fucile potente. Chi si trova davanti all'alternativa spara o muori lo teme.
Un guasto meccanico può capitare. Ma non avrei mai scom-
messo che sarebbero capitati quattro guasti meccanici nello
stesso momento, così come non compro i biglietti della lotte-
ria. L'ottimismo è una buona cosa. La fede cieca no.
   Due federali impugnavano una Glock 17. Una pistola au-
striaca automatica da nove millimetri tozza, squadrata, affidabile, ben collaudata in più di vent'anni di utile servizio. Con-
servavo una vaga preferenza per la Beretta M9, anch'essa italia-
na come il Franchi, ma in un milione di casi su un milione e
uno la Glock svolge bene la sua funzione come la Beretta.
   In quel momento era tenermi fermo, pronto per lo spettacolo principale.
   Il capo dei federali stava nel centro esatto del semicerchio.
Con tre uomini a sinistra e tre a destra. Impugnava un'arma
che avevo visto prima solo in televisione. Me la ricordavo bene.
Un canale via cavo. Una stanza di motel a Florence, in Texas.
Non il Military Channel. Il National Geographic Channel. Era
un programma sull'Africa. Non sulle guerre civili, sulle mutila-
zioni, sulle malattie e sulla morte per fame. Era un documentario sulla natura. Sui gorilla, non sulla guerriglia. Un gruppo di
zoologi stava seguendo le tracce di un maschio adulto silverback. Volevano mettergli una trasmittente nell'orecchio. L'ani-

male pesava quasi duecentotrenta chili. Un quarto di tonnellata. Lo stesero con un fucile a dardi caricato con un tranquillante per primati.

Come quello che il capo dei federali mi stava puntando addosso.

Un fucile a dardi.

Quelli del National Geographic si erano affannati a rassicurare gli spettatori che la procedura era umana. Avevano mostrato grafici dettagliati e simulazioni al computer. Il dardo era un minuscolo cono con una piuma e un ago di acciaio chirurgico. La punta era una struttura a nido d'ape di ceramica sterile, cosparsa di anestetico. Il dardo volava ad alta velocità e l'ago si conficcava per poco più di un centimetro nel gorilla. E si fermava. La punta però voleva continuare. A causa della spinta. Per la legge del moto di Newton. La matrice di ceramica esplodeva per l'urto e per l'inerzia, la sostanza contenuta nella struttura a nido d'ape veniva spinta in avanti, non proprio sotto forma di goccioline, non proprio sotto forma di aerosol. Simile a una pesante nebbiolina che si diffondeva sotto pelle, si spargeva nei tessuti come una goccia di caffè su un tovagliolo di carta. L'arma stessa prevedeva un solo colpo. Doveva essere caricata con un unico dardo ed era alimentata da un'unica bomboletta di gas compresso. Azoto, da quel che ricordo. Ricaricarlo era laborioso. Meglio che il primo colpo andasse a segno.

Nel documentario i ricercatori erano riusciti al primo colpo. Dopo otto secondi il gorilla era parso stordito, dopo venti comatoso. Dieci ore dopo si era risvegliato in perfetta salute.

Ma pesava il doppio di me.

Alle mie spalle c'era il banco della reception dell'albergo. Lo sentivo contro la schiena. Aveva un bordo largo probabilmente trentacinque centimetri, posizionato a circa un metro dal pavimento. Ad altezza di bar. Comodo per un cliente che dovesse appoggiare delle carte. Comodo per firmare cose. Dietro c'era un salto fino al consueto ripiano da ufficio, probabilmente profondo una settantina di centimetri o più. Non ero sicuro. Ma nel complesso l'ostacolo era alto e largo, impossibile da superare da chi partisse in piedi. Soprattutto se rivolto dalla parte sbagliata. E comunque inutile. Se avessi superato il banco, non mi sarei ritrovato in un'altra stanza. Sarei sempre stato lì, solo die-

tro anziché davanti. Non c'era alcun guadagno netto e forse ci
sarebbe stata una perdita netta se fossi atterrato malamente su
una sedia con le ruote o se mi fossi impigliato in un cavo telefonico.

Girai la testa e guardai dietro di me. Là non c'era nessuno.
Gli addetti al banco erano filati via, a destra e a sinistra. Erano
stati istruiti. Forse avevano fatto anche delle prove. I sette uomini davanti a me avevano il campo di tiro libero.

Non c'era modo di avanzare, non c'era modo di arretrare.

Rimasi immobile.

Il capo dei federali stava puntando la canna del suo fucile a
dardi e mirando direttamente alla mia coscia sinistra. Questa
era un bersaglio discretamente grande. Non c'era grasso sotto la
pelle. Solo carne soda, ricca di capillari e di altri elementi utili a
favorire una circolazione sanguigna rapida ed efficace. Del tutto priva di protezione, tranne per i nuovi pantaloni blu di un
sottile cotone estivo. *Non venga vestito così, non la faranno entrare.* Mi contrassi, come se il tono muscolare potesse far rim-
balzare quel maledetto coso. Poi mi rilassai di nuovo. Il tono
muscolare non aveva aiutato il gorilla e non avrebbe aiutato
me. Lontano, dietro i sette uomini, vedevo una squadra di paramedici in un angolo buio. Uniformi del dipartimento dei vigili del fuoco. Tre uomini, una donna. Erano in attesa. Avevano una barella pronta.

Quando non c'è più niente da fare, mettiti a parlare.

«Se avete altre domande, sarò lieto di scambiare due chiacchiere. Potremmo berci un caffè, mantenere le cose sul piano
civile. Decaffeinato, se preferite. Dato che è tardi. Ne faranno
di fresco, ne sono certo. Dopotutto questo è il Four Seasons»,
dissi.

Il capo dei federali non rispose. Preferì spararmi. Con il fucile a dardi, da circa due metri e mezzo, nella carne della coscia.
Udii l'esplosione del gas compresso e sentii dolore alla coscia.
Non una puntura. Un colpo sordo, attutito, come una ferita da
coltello. Poi una frazione di secondo di nulla, come d'incredulità. Poi una reazione acuta, furiosa. Pensai che, se fossi stato un
gorilla, avrei voluto dire ai maledetti zoologi di starsene a casa e
di lasciare in pace le mie orecchie.

Il capo dei federali abbassò il fucile.

Per un istante non accadde nulla. Poi sentii il cuore accelerare, la pressione sanguigna salire alle stelle e precipitare. Percepii un afflusso alle tempie. Guardai in basso. La piuma del dardo era ben conficcata nei pantaloni. La estrassi. L'ago era sporco di sangue, ma la punta era scomparsa. Il materiale ceramico si era polverizzato e il liquido che conteneva in sospensione era già dentro di me e svolgeva la sua funzione. Una grossa goccia di sangue sgorgò dalla ferita e impregnò il tessuto di cotone seguendo la trama e l'ordito come la mappa di un'epidemia che si diffonde per le strade di una città. Il cuore mi batteva forte. Sentivo il sangue fluire rumoroso dentro di me. Volevo fermarlo. Non c'era un modo pratico per farlo. Mi appoggiai all'indietro contro il banco. Solo per un istante, pensai. Per trovare sollievo. I sette uomini davanti a me sembrarono scivolare d'un tratto di lato. Come nella strategia difensiva del wheel play del baseball. Non sapevo se si fossero mossi loro o se avessi mosso io la testa. O forse si era mossa la stanza. Di certo era in corso una veloce rotazione. Una specie di sensazione di avvitamento. Il bordo del banco mi colpì sotto le scapole. O si stava sollevando o stavo scivolando giù io. Posai le mani dietro di me, piatte sulla sua superficie. Cercai di stabilizzarlo. O di stabilizzare me stesso. Invano. Il bordo mi colpì sulla nuca. Il mio orologio interno non stava funzionando bene. Cercavo di contare i secondi. Volevo arrivare a nove. Volevo battere il silverback. Per un ultimo residuo d'orgoglio. Non capivo se ci stessi riuscendo.

Toccai terra con il sedere. La vista svanì. Non si offuscò né si annerì. Al contrario si rischiarò. Si riempì di sagome argentee che vorticavano impazzite, che lampeggiavano orizzontalmente da sinistra a destra. Come una corsa in un luna park mille volte troppo veloce. Poi iniziai una serie di sogni folli, incalzanti, mozzafiato, vividi. Pieni di azione e di colore. Dopo mi resi conto che l'inizio dei sogni segnò il punto in cui ufficialmente persi conoscenza, steso là sul pavimento nell'atrio del Four Seasons.

43

Non so con precisione quando mi svegliai. L'orologio nella mia mente non funzionava ancora bene. Ma alla fine riemersi. Ero su un lettino. Avevo polsi e caviglie legati con manette di plastica alle sponde. Ero ancora vestito. A parte le scarpe. Quelle erano sparite. Nel mio stato di stordimento avevo sentito la voce di mio fratello morto nella testa. Una frase che amava ripetere da ragazzo: *Prima di criticare qualcuno, dovresti percorrere un chilometro con le sue scarpe. Così quando inizi a criticarlo, ti trovi a un chilometro di distanza e lui è costretto a inseguirti con le calze.* Mossi le dita dei piedi. Poi mossi i fianchi. Mi accorsi di avere le tasche vuote. Avevano preso la mia roba. Forse la avevano elencata tutta su un modulo e chiusa in un sacchetto.

Abbassai la testa sulla spalla e mi grattai il mento sulla camicia. Un principio di barba, un po' più lunga di quanto ricordassi. Forse di otto ore. Il gorilla del National Geographic Channel aveva dormito dieci ore. Un punto per Reacher, anche se su di me avevano probabilmente usato una dose minore. Almeno lo speravo. L'enorme primate era crollato a terra come un tronco.

Alzai di nuovo la testa e mi guardai attorno. Ero in una cella e la cella si trovava in una stanza. Niente finestre. La luce elettrica era intensa. Una nuova costruzione all'interno di una vecchia. Una serie di tre semplici gabbie di acciaio nuovo e lucente saldato a punti, disposte in fila in un locale vecchio e ampio di mattoni. Ogni cella misurava due metri e mezzo per lato ed era alta altrettanto. Il tetto era di sbarre, come le pareti. Il pavimento composto di placchette di metallo antiscivolo. Lungo i bordi queste erano ripiegate verso l'alto a formare un solco di un paio di centimetri. Per contenere i liquidi versati, immaginai. Ogni sorta di liquidi che possono essere versati in una cella. Il solco era saldato a punti in una stanga orizzontale che correva lungo le estremità di tutte le sbarre verticali. Nel pavimento non c'erano bulloni. Le celle non erano fissate a terra. Appoggiavano semplicemente lì, tre strutture a sé stanti piazzate in un locale vecchio e ampio.

Questo aveva un soffitto alto a botte. I mattoni erano stati tutti dipinti di recente di bianco, ma sembravano vecchi e consunti. Ci sono persone che osservando le dimensioni dei mattoni e la disposizione sanno dirti con esattezza dove si trovi un edificio e quando sia stato costruito. Io non sono tra questi. Ma nonostante ciò quel luogo mi pareva da East Coast. Del diciannovesimo secolo, costruito a mano. Da manodopera immigrata, che lavorava in fretta e in nero. Probabilmente ero ancora a New York. E probabilmente sotto terra. Quel posto sembrava un seminterrato. Non era umido, non era freddo, ma in qualche modo stabilizzato in termini di temperatura e umidità grazie al fatto che si trovava sotto terra.

Mi trovavo nella gabbia centrale. C'erano il lettino a cui ero legato e un gabinetto. Nient'altro. Il gabinetto era nascosto da un paravento a tre lati a forma di U alto circa un metro. La cassetta dell'acqua aveva un ripiano concavo che serviva da lavandino. Vedevo un rubinetto. Uno solo. Acqua fredda e basta. Le altre due gabbie erano simili. Lettino, gabinetto, nient'altro. Al di là di ciascuna cella, nel pavimento del locale esterno, partivano alcuni scavi recenti. Tre fosse strette, esattamente parallele, scavate, riempite e lisciate con cemento nuovo. Condutture fognarie per i gabinetti, supposi, e tubature dell'acqua per i rubinetti.

Le altre due gabbie erano vuote. Ero tutto solo.

Nell'angolo lontano del locale esterno, là dove le pareti incontravano il soffitto, c'era una telecamera di sorveglianza. Un occhio di vetro piccolo e luccicante. Presumibilmente un obiettivo grandangolare per vedere tutta la stanza nello stesso istante. Pensai ci fossero anche dei microfoni. Con molta probabilità ben più di uno, e alcuni nelle vicinanze. Origliare elettronicamente è difficile. La chiarezza è importante. L'eco di una stanza può rovinare tutto.

La gamba sinistra mi faceva un po' male. Una ferita da perforazione e un livido, là dove il dardo mi aveva colpito. Il sangue sui pantaloni si era seccato. Non ce n'era molto. Verificai la resistenza delle manette ai polsi e alle caviglie. Impossibile romperle. Tirai e strattonai per mezzo minuto. Non stavo cercando di liberarmi. Volevo solo appurare se sarei svenuto di nuovo per lo sforzo e cercavo di attirare l'attenzione di chiunque stesse guardando dalla telecamera di sorveglianza e ascoltando dai microfoni.

Non svenni di nuovo. La testa mi faceva un po' male via via che si schiariva e la fatica non diminuì affatto il pulsare della gamba. Ma a parte i piccoli sintomi, mi sentivo abbastanza bene. L'attenzione che attirai si fece attendere per più di un minuto e assunse la forma di un uomo che non avevo mai visto prima, che entrò con una siringa ipodermica. Una sorta di paramedico. Nell'altra mano stringeva un batuffolo di cotone inumidito, pronto per essere sfregato nell'incavo del mio gomito. Si fermò davanti alla gabbia e mi guardò attraverso le sbarre.

«È una dose letale?» gli chiesi.

«No», rispose l'uomo.

«È autorizzato a somministrare una dose letale?»

«No.»

«Allora è meglio che se ne vada. Perché, al di là di quante volte mi farà un'iniezione, dopo mi sveglierò sempre. E una di quelle volte verrò a prenderla. O le farò mangiare quella roba oppure gliela caccerò su per il culo e gliela inietterò da dentro.»

«È un antidolorifico», disse l'uomo. «Un analgesico. Per la sua gamba.»

«La mia gamba sta bene.»

«Ne è sicuro?»

«Se ne vada e basta.»

Così fece. Superò una robusta porta di legno dipinta di bianco come le pareti. Aveva un aspetto vecchio. Una forma vagamente gotica. Avevo visto porte simili in vecchi edifici pubblici. Scuole cittadine, stazioni di polizia.

Posai di nuovo la testa sul lettino. Non avevo cuscino. Fissai il soffitto attraverso le sbarre e feci per mettermi comodo. Ma meno di un minuto dopo due degli uomini che conoscevo varcarono la porta di legno. Due agenti federali. I due gregari, non il capo. Uno aveva un Franchi 12. Sembrava carico, armato e pronto. L'altro aveva una sorta di arnese in mano e un fascio di sottili catene avvolto sul braccio.

L'uomo con il fucile si avvicinò alle sbarre, vi infilò la canna in mezzo e mi cacciò la bocca contro la gola tenendola lì. L'uomo con le catene aprì la porta. Non con una chiave ma ruotando un disco a sinistra e a destra. Una serratura a combinazione. Spalancò la porta, entrò e si fermò accanto al lettino. L'arnese nella sua mano assomigliava a un paio di pinze, ma dotate di lame anziché di estremità fresate. Una sorta di taglierina. Vide che le guardavo e sorrise. Si chinò al di sopra della mia vita. La bocca del fucile premette con più forza nella mia gola. Una precauzione saggia. Anche con le mani legate, avrei potuto piegarmi in avanti all'altezza della vita e sferrare una buona testata. Non una delle migliori forse, ma con un bel movimento secco del collo avrei potuto mettere ko quel tizio più di quanto lo fossi stato io. Forse più di quanto lo fosse stato il silverback. Avevo già mal di testa. Un altro forte impatto non lo avrebbe peggiorato molto.

Ma la bocca del Franchi rimase ferma al suo posto e io fui ridotto alla condizione di spettatore. L'uomo con le catene le districò e le distese come per fare una prova. Una mi avrebbe legato i polsi alla vita, una le caviglie e la terza avrebbe collegato le prime due. Dispositivi di contenzione standard da carcere. Sarei stato in grado di avanzare strascicando i piedi uno alla volta e di sollevare le mani fino ai fianchi, ma nient'altro. L'uomo sistemò tutte le catene, le chiuse e le controllò, dopodiché utilizzò l'attrezzo per tagliare le manette di plastica. Uscì dalla gabbia, lasciò la porta aperta e il collega scostò il Franchi.

Supposi di dover scendere dal lettino e alzarmi. Perciò rimasi dov'ero. Devi razionare le vittorie dell'avversario. Devi dispensarle con lentezza e avarizia. Devi indurre gli avversari a esserti subliminalmente grati per ogni briciola di condiscendenza. In quel modo puoi cavartela con dieci piccole sconfitte al giorno anziché dieci grosse.

Ma i due federali avevano ricevuto lo stesso addestramento mio. Quello era chiaro. Non rimasero lì a prenderle e a frustrarsi. Si allontanarono e l'uomo che aveva sistemato le catene si girò ed esclamò dalla porta: «Caffè e muffin sono qui, ogni volta che vuole». Scaricò così l'onere della decisione sulle mie spalle, proprio come doveva essere. Non era elegante aspettare un'ora, trascinarsi di là zoppicando e trangugiare la roba come se fossi disperato. Sarebbe equivalso a farsi sconfiggere in pubblico, dalla mia stessa fame e sete. Non sarebbe stato affatto elegante. Perciò aspettai solo per un periodo simbolico, dopodiché scesi dal lettino e uscii dalla gabbia strascicando i piedi.

La porta di legno conduceva a un locale quasi delle stesse dimensioni e forma di quello in cui si trovavano le gabbie. Stessa costruzione, stesso colore di vernice. Niente finestre. Nel centro del pavimento c'era un grande tavolo di legno. Con tre sedie sul lato opposto, occupate dai tre federali.

Una dal mio lato, vuota. Mi aspettava. Sul tavolo, in una fila ordinata, c'era la roba delle mie tasche. Il rotolo di denaro, appiattito e bloccato sotto una manciata di monete. Il mio vecchio passaporto. Il bancomat. Lo spazzolino da denti pieghevole. La Metrocard che avevo acquistato per usare la metropolitana. Il biglietto da visita del NYPD di Theresa Lee, che mi aveva dato nella stanza con le piastrelle bianche sotto il Grand Central Terminal. Il biglietto da visita falso che la squadra locale di Lila Hoth mi aveva dato all'angolo di Eighth Avenue e di 35th Street. La chiavetta USB che avevo acquistato da Radio Shack, con la sua vistosa custodia di neoprene rosa. Più il telefono di Leonid. Nove oggetti distinti, tutti desolati e solitari sotto le lampadine intense del soffitto.

A sinistra del tavolo c'era un'altra porta. Stessa forma gotica, stessa struttura di legno, stessa vernice nuova. Immaginai portasse in un'altra stanza, la terza di tre disposte a L. O la prima delle tre, a seconda del punto di vista. A seconda che si fosse il prigioniero o il carceriere. A destra del tavolo c'era una cassettiera bassa che sembrava appartenere a una stanza da letto. Sopra c'erano una pila di tovagliolini, una pila di bicchieri di polistirolo, un thermos di acciaio e un piatto di carta con due muffin al mirtillo. Mi avvicinai sempre strascicando i piedi e mi versai un bicchiere di caffè. L'operazione fu più semplice del previsto perché la cassettiera era bassa. Le mani incatenate non mi ostacolarono molto. Portai il bicchiere al tavolo tenendolo in basso, con due mani. Mi sedetti sulla sedia libera. Chinai la testa e bevvi un sorso. L'azione mi fece apparire come sottomesso, il che era in effetti il suo scopo. O riverente o deferente. Il caffè inoltre era piuttosto cattivo e solo tiepido.

Il capo dei federali piegò la mano a coppa e la mise dietro la pila di monete, come se pensasse di prenderla. Poi scosse la testa, quasi il denaro fosse un argomento troppo prosaico per lui. Troppo materiale. Mosse la mano e si fermò sul passaporto.

«Perché è scaduto?» chiese.

«Perché nessuno riesce a fermare il tempo», dissi.

«Voglio dire, perché non l'ha rinnovato?»

«Non ne avevo immediato bisogno. Del resto, nemmeno lei ha un preservativo nel portafoglio.»

L'uomo tacque per un istante e domandò: «Quando è stata l'ultima volta che ha lasciato il paese?»

«Mi sarei seduto a parlare con voi, sa. Non avevate bisogno di spararmi un dardo come se fossi un animale scappato dallo zoo», risposi.

«Era stato avvertito più volte. E si è dimostrato molto restio a collaborare.»

«Avrebbe potuto cavarmi un occhio.»

«Ma non l'ho fatto. Non è successo niente, perciò è tutto a posto.»

«Non ho ancora visto un documento. Non so nemmeno il suo nome.»

L'uomo non disse nulla.

«Nessun documento, nessun nome, nessun diritto, nessuna accusa, nessun avvocato. È proprio un mondo nuovo, vero?» osservai.

«Ha afferrato l'idea.»

«Be', allora vi auguro buona fortuna», replicai. Guardai il passaporto, come se d'un tratto mi fossi ricordato qualcosa. Alzai le mani finché potei e mi piegai in avanti. Spostai il bicchiere di caffè al di fuori della mia portata, il che significò nello spazio tra il passaporto e il bancomat. Presi il primo, lo guardai di traverso e sfogliai le pagine in fondo. Scrollai le spalle, come se la memoria mi ingannasse. Feci per riporlo, ma non fui preciso nel ricollocarlo, leggermente ostacolato com'ero dalle catene. Il bordo rigido del libretto urtò il bicchiere di caffè e lo rovesciò. Questo si versò sul tavolo, si sparse fino al bordo più lontano e finì sulle gambe del capo dei federali. L'uomo fece quello che chiunque avrebbe fatto. Balzò indietro, si alzò e agitò le mani a mezz'aria come se potesse deviare il liquido una molecola alla volta.

«Mi dispiace», affermai.

Aveva i pantaloni zuppi. Perciò adesso l'onere della decisione era suo. Due scelte: spezzare il ritmo dell'interrogatorio prendendosi una pausa per cambiarsi o continuare con i pantaloni bagnati. Lo vidi riflettere. Non era così inscrutabile come pensava di essere.

Scelse di continuare con i pantaloni bagnati. Deviò verso la cassettiera e si tamponò con i tovaglioli. Poi ne portò alcuni e asciugò il tavolo. Fece un grosso sforzo per non reagire, il che era di per sé una reazione.

«Quando è stata l'ultima volta che ha lasciato il paese?» domandò di nuovo.

«Non ricordo», dissi.

«Dov'è nato?»

«Non ricordo.»

«Tutti sanno dove sono nati.»

«È stato tanto tempo fa.»

«Se necessario, ce ne staremo seduti qui tutto il giorno.»

«Sono nato a Berlino Ovest», risposi.

«E sua madre è francese?»

«Era francese.»

«Adesso cos'è?»

«Morta.»

«Mi dispiace.»

«Non è colpa sua.»

«È sicuro di essere cittadino americano?»

«Che razza di domanda è?»

«Una domanda semplice.»

«Il dipartimento di stato mi ha dato un passaporto.»

«La sua richiesta era veritiera?»

«L'ho firmata?»

«Immagino di sì.»

«Allora immagino fosse veritiera.»

«Come? È stato naturalizzato? È nato all'estero da un genitore straniero.»

«Sono nato in una base militare. In territorio sovrano degli Stati Uniti. I miei genitori erano sposati. Mio padre era un cittadino americano. Era un Marine.»

«Può provare tutto questo?»

«Devo?»

«È importante. Il fatto che sia o no un cittadino americano può influenzare ciò che le accadrà.»

«No, quanta pazienza avrò influenzerà ciò che mi accadrà.»

L'uomo a sinistra si alzò. Era quello che mi aveva premuto con forza la bocca del Franchi contro la gola. Da dietro il tavolo si spostò direttamente a sinistra e uscì superando la porta di legno, per passare nella terza stanza. Scorsi tavoli, computer, mobili e armadietti. Non c'erano altre persone. La porta si richiuse piano e la stanza in cui ci trovavamo piombò nel silenzio.

«Sua madre era algerina?» chiese il capo.

«Vi ho appena detto che era francese», affermai.

«Alcuni francesi sono algerini.»

«No, i francesi sono francesi e gli algerini sono algerini. Non è scienza missilistica.»

«D'accordo, alcuni francesi erano in origine immigrati algerini. O marocchini, tunisini o di altre parti del Nord Africa.»

«Mia madre non lo era.»

«Era musulmana?»

«Perché volete saperlo?»

«Sto facendo indagini.»

Assentii. «Probabilmente è meglio indagare su mia madre che sulla sua.»

«Che intende?»

«La madre di Susan Mark era una puttana adolescente che si faceva di crack. Forse la sua lavorava con lei. Magari facevano giochetti insieme.»

«Sta cercando di provocarmi?»

«No, ci sto riuscendo. È tutto rosso in faccia e ha i pantaloni bagnati. Inoltre non sta andando da nessuna parte. Mi sa proprio che questo interrogatorio non sarà inserito nel manuale d'addestramento.»

«Non è uno scherzo.»

«Ma ci assomiglia molto.»

Lui tacque e cambiò strategia. Con l'indice riallineò gli oggetti davanti a me. Li mise dritti e mi avvicinò di qualche centimetro la chiavetta USB. «Ci ha nascosto questa quando l'abbiamo perquisita. Susan Mark gliel'ha data sul treno», disse.

«Davvero l'ho fatto?» replicai.

L'uomo assentì. «Ma è vuota e comunque troppo piccola. Dov'è l'altra?»

«Quale altra?»

«Questa è chiaramente un'esca. Dov'è quella vera?»

«Susan Mark non mi ha dato niente. Ho comprato quell'aggeggio da Radio Shack.»

«Perché?»

«Mi piaceva.»

«Con la custodia rosa? Stronzate.»

Non dissi nulla.

«Le piace il colore rosa?» domandò.

«Nel posto giusto.»

«Quale sarebbe questo posto?»

«Uno che lei non frequenta da tempo.»

«Dove l'ha nascosta?»

Non risposi.

«Era in una cavità corporea?»

«Meglio per lei che non sia così. L'ha appena toccata.»

«Le piacciono le cose di questo tipo? È una checca?»

«Domande del genere possono funzionare giù a Guantanamo, ma non con me.»

L'uomo scrollò le spalle e con la punta del dito rimise la chiavetta nella fila; poi spinse in avanti di un paio di centimetri sia il biglietto da visita fasullo sia il cellulare di Leonid, come se spostasse due pedoni su una scacchiera. «Lei lavora per Lila Hoth. Il biglietto dimostra che era in contatto con la squadra che ha assoldato e il telefono dimostra che l'ha chiamata almeno sei volte. In memoria c'è il numero del Four Seasons.»

«Non è il mio telefono.»

«Lo abbiamo trovato in tasca sua.»

«Secondo quanto dicono Lila Hoth non si è fermata al Four Seasons.»

«Solo perché abbiamo chiesto loro di collaborare. Sappiamo entrambi che era là. L'ha incontrata due volte, poi lei ha mandato a monte il terzo appuntamento.»

«Chi è esattamente?»

«È una domanda che si sarebbe dovuto porre prima di acconsentire a lavorare per lei.»

«Non lavoravo per lei.»

«Il telefono dimostra di sì. Non è scienza missilistica.»

Non risposi.

«Dov'è adesso Lila Hoth?» chiese lui.

«Non lo sa?»

«Come faccio a saperlo?»

«Presumo l'abbiate beccata quando ha lasciato la stanza. Prima che iniziaste a spararmi dardi.»

L'uomo non disse nulla.

«Vi è sfuggita, vero? Vi è sparita sotto il naso. Splendido. Ragazzi, siete un esempio per tutti noi. Una cittadina straniera coinvolta in modo oscuro con il Pentagono e ve la lasciate scappare?» osservai.

«Uno scacco», affermò l'uomo. Parve un po' imbarazzato, ma pensai che non sarebbe dovuto esserlo. Perché lasciare un albergo sotto sorveglianza è relativamente facile. Lo fai non facendolo. Non lasciandolo subito. Mandi giù i bagagli con il fattorino nell'ascensore di servizio, gli agenti si accalcano nell'atrio, scendi a un altro piano con l'ascensore per la clientela e ti nascondi da qualche parte per due ore finché gli agenti rinunciano e se ne vanno. A quel punto esci. Ci vuole fegato, ma è facile, soprattutto se hai prenotato un'altra stanza con un altro nome, cosa che Lila Hoth aveva sicuramente fatto, almeno per Leonid.

«Dov'è adesso?» domandò l'uomo.

«Chi è quella donna?» domandai io.

«La persona più pericolosa che abbia mai incontrato.»

«Non sembrava.»

«Per questo lo è.»

«Non ho idea di dove sia», risposi.

Ci fu un lungo silenzio, poi l'uomo rimise a posto il biglietto da visita fasullo e il cellulare e avvicinò quello di Theresa Lee.

«Quanto sa il detective?» chiese.

«Che importanza ha?»

«Abbiamo davanti a noi una serie piuttosto semplice di compiti. Dobbiamo trovare le Hoth, dobbiamo recuperare la vera chiavetta, ma soprattutto dobbiamo contenere la perdita. Perciò dobbiamo sapere quanto sia estesa. Perciò dobbiamo sapere chi sa cosa.»

«Nessuno sa niente. Io meno di tutti.»

«Non è una gara. Non guadagna punti resistendo. Qui siamo tutti dalla stessa parte.»

«A me non sembra.»

«Deve prendere seriamente questa faccenda.»

«Lo sto facendo, davvero.»

«Allora ci dica quello che sa.»

«Non so leggere la mente. Non so chi sa cosa.»

Sentii la porta alla mia sinistra aprirsi di nuovo. Il capo alzò lo sguardo e con un cenno diede una sorta di consenso. Mi voltai e vidi l'uomo della sedia di sinistra. Impugnava il fucile. Non il Franchi 12. Il fucile a dardi. Lo alzò e sparò. Mi girai, ma era troppo tardi. Il dardo mi prese nel braccio, in alto.

44

Mi risvegliai ancora una volta, ma non aprii subito gli occhi. Sentivo che l'orologio nella mia testa aveva ripreso a funzionare, volevo che si ricalibrasse e si risistemasse senza interferenze. In quel momento indicava le sei di sera. Il che significava che ero rimasto privo di sensi all'incirca per altre otto ore. Avevo molta fame e molta sete. Il braccio mi faceva male come prima la gamba. Un piccolo livido che bruciava, proprio su in alto. Sentivo di essere ancora senza scarpe. Ma polsi e caviglie non erano legati alle sponde del lettino. Il che era un sollievo. Mi stirai pigramente e mi sfregai una mano sul viso. La barba era cresciuta. Presto ne avrei avuta una vera.

Aprii gli occhi. Mi guardai attorno. Scoprii due cose. Primo: Theresa Lee era nella gabbia alla mia destra. Secondo: Jacob Mark era nella gabbia alla mia sinistra.

Erano tutti e due poliziotti.

Nessuno di loro aveva addosso le scarpe.

Fu allora che iniziai a preoccuparmi.

Se avevo ragione ed erano le sei di sera, Theresa Lee era stata trascinata lì da casa. E Jacob Mark dal lavoro. Mi guardavano entrambi. Lee era dietro le sbarre, a circa un metro e mezzo. Indossava jeans e una camicia bianca. Era scalza. Jake era seduto sul lettino. Indossava l'uniforme da poliziotto meno la cintura, la pistola, la radio e le scarpe. Mi misi a sedere sul lettino, posai i piedi per terra e mi passai le mani tra i capelli. Poi mi alzai, mi avvicinai al lavandino e bevvi dal rubinetto. Era sicuramente New York. Riconobbi il gusto dell'acqua. Guardai Theresa Lee e le chiesi: «Sa dove ci troviamo esattamente?»

«Lei no?» replicò.

Scossi la testa.

«Dobbiamo presumere che in questo posto ci siano dei microfoni», affermò Lee.

«Sono sicuro di sì. Ma loro sanno già dove ci troviamo. Perciò non daremmo loro niente che già non abbiano.»

«Secondo me non è il caso di dire niente.»

«Possiamo discutere di toponomastica. Non credo che il Patriot Act proibisca di parlare di indirizzi stradali, almeno non ancora.»

Lee non replicò.

«Che c'è?» domandai.

Sembrava imbarazzata.

«Pensa stia giocando con lei?» chiesi.

Non rispose.

«Pensa sia qui per indurla con l'inganno a dire qualcosa che venga registrato?»

«Non lo so. Non so niente di lei.»

«Cosa intende?»

«Quei club di Bleecker Street sono più vicini a Sixth Avenue che a Broadway. Aveva la linea A proprio lì. O la B, la C o la D. Allora perché mai era sulla linea 6?»

«Legge di natura», risposi. «Abbiamo dei circuiti. Nel nostro cervello. Nel cuore della notte, con il buio pesto, tutti i mammiferi vanno istintivamente a est.»

«Davvero?»

«No, me lo sono appena inventato. Non avevo un posto dove andare. Sono uscito da un bar, ho svoltato a sinistra e preso a camminare. Non saprei darle una spiegazione migliore.»

Lee non disse nulla.

«Che altro c'è?» domandai.

«Non ha borse. Non ho mai visto un barbone senza niente. In genere si portano dietro più roba di quella che possiedo io. Usano i carrelli della spesa.»

«Io sono diverso», precisai. «E non sono un barbone. Non come loro.»

Lei non disse nulla.

«L'hanno bendata quando l'hanno portata qui?» chiesi.

Mi guardò a lungo, poi scosse la testa e sospirò. «Siamo in una vecchia caserma dei vigili del fuoco al Greenwich Village.

Sulla West 3rd. A livello stradale e più in alto è in disuso. Noi siamo nel seminterrato.»

«Sa chi siano quegli uomini?»

Lee non parlò. Si limitò a guardare la telecamera. «Stesso principio. Loro sanno chi sono. Almeno lo spero. Non nuocerà loro sapere che lo sappiamo», osservai.

«Crede?»

«Questo è il punto. Non possono impedirci di pensare. Sa chi siano?»

«Non hanno mostrato i documenti. Non oggi e nemmeno la prima notte, quando sono venuti a parlare con lei al distretto.»

«Ma?»

«Non mostrare i documenti può equivalere a mostrarli se si tratta dell'unico gruppo che non lo fa mai. Abbiamo sentito alcune storie.»

«Allora chi sono?»

«Lavorano direttamente per il segretario della Difesa.»

«Certo», osservai. «Il segretario della Difesa è di solito l'uomo più idiota del governo.»

Lee alzò di nuovo lo sguardo alla telecamera, come se avessi insultato l'apparecchio. Come se fosse stata lei la responsabile dell'insulto. «Non si preoccupi. Quegli uomini mi sembrano ex militari, nel qual caso sanno già quanto sia idiota il segretario della Difesa. Tuttavia, la Difesa fa parte del governo, il che significa che in ultima analisi lavorano per la Casa Bianca.»

Lee tacque per un istante, poi chiese: «Sa cosa vogliono?»

«In parte.»

«Non ce lo dica.»

«Non lo farò», affermai.

«Ma è una faccenda abbastanza grossa per la Casa Bianca?»

«Potenzialmente, immagino.»

«Merda.»

«Quando sono venuti a cercarla?»

«Questo pomeriggio. Alle due. Dormivo ancora.»

«Con loro c'era il NYPD?»

Lee assentì e nel suo sguardo comparve un vago risentimento.

«Conosceva gli agenti?» domandai.

Lei scosse la testa. «Erano boriosi uomini dell'antiterrorismo. Hanno le loro regole e stanno per conto proprio. Vanno in giro tutto il giorno in auto speciali. Talvolta in finti taxi. Uno davanti, due dietro. Lo sapeva? Tracciano grossi cerchi, su per la Tenth e giù per la Second. Come i B-52 che pattugliavano i cieli.»

«Che ora è adesso? Circa le sei e sei?»

Lee guardò l'orologio e sembrò sorpresa. «Esatte», rispose.

Mi girai dall'altra parte.

«Jake, e a lei com'è andata?» domandai.

«Sono venuti prima da me. Sono qui da mezzogiorno. L'ho guardata dormire.»

«Notizie di Peter?»

«Nessuna.»

«Mi spiace.»

«Russa, lo sa?»

«Ero pieno di un narcotico per gorilla. Sparato con un fucile a dardi.»

«Sta scherzando?»

Gli mostrai la macchia di sangue sui pantaloni, poi quella sulla spalla.

«È assurdo!» esclamò.

«Era al lavoro?»

Assentì. «La centrale ha richiamato la mia macchina alla base, mi stavano aspettando.»

«Perciò il suo dipartimento sa dov'è?»

«Non in modo specifico», rispose. «Ma sanno chi mi ha portato via.»

«È già qualcosa», commentai.

«Non proprio», ribatté. «Il dipartimento non farà niente per me. Quando vengono a prenderti persone come quelle, ti ritrovi bollato. Sei presumibilmente colpevole di qualcosa. I miei colleghi stavano già prendendo le distanze.»

«Come quando arrivano gli affari interni», osservò Lee.

«Perché Docherty non è qui?» le domandai.

«Ne sa meno di me. Anzi, ha fatto di tutto per saperne meno di me. Non lo aveva notato? È vecchio del mestiere.»

«È il suo collega.»

«Oggi lo è. Ma la prossima settimana si sarà scordato di aver avuto una collega. Sa come vanno queste cose.»

«Qui ci sono solo tre celle. Forse Docherty è da qualche altra parte», intervenne Jake.

«Con voi hanno già parlato?» chiesi.

Scossero entrambi la testa.

«Siete preoccupati?» chiesi.

Annuirono entrambi. «E lei?» domandò Lee.

«Dormo bene», risposi. «Ma credo sia soprattutto a causa del narcotico.»

Alle sei e mezzo ci portarono il cibo. Sandwich in confezioni di plastica che furono spinti tra le sbarre. Più bottiglie d'acqua. Bevvi prima l'acqua e riempii la bottiglia sotto il rubinetto. Il mio sandwich era al salame e formaggio. Il primo pasto che facevo.

Alle sette portarono via Jacob Mark per interrogarlo. Niente dispositivi di contenzione. Niente catene. Io e Theresa Lee restammo seduti sui lettini a circa due metri e mezzo di distanza, separati dalle sbarre. Non parlammo molto. Lee sembrava depressa. A un certo punto disse: «Quando sono crollate le Torri, ho perso dei buoni amici. Non solo poliziotti. Anche vigili del fuoco. Persone con cui avevo lavorato. Persone che conoscevo da anni». Lo disse come se quelle verità la isolassero dalla follia venuta dopo. Non risposi. Rimasi più che altro in silenzio e rievocai diverse conversazioni. Persone di ogni genere mi avevano parlato per ore. John Sansom, Lila Hoth, gli uomini nella stanza accanto. Stavo passando in esame quello che avevano detto tutti, come un falegname passa la mano su un pezzo di legno piallato in cerca dei punti ruvidi. Ce n'erano alcuni. Strani commenti parziali, bizzarre sfumature, implicazioni un po' stonate. Non sapevo cosa significassero. Non in quel momento. Ma sapere che c'erano era di per sé utile.

Alle sette e mezzo riportarono Jacob Mark e presero Theresa Lee. Niente dispositivi di contenzione. Niente catene. Jake si sedette sul lettino e incrociò le gambe dando la schiena alla te-

lecamera. Lo guardai. Una domanda. Fece una scrollata milli-
metrica di spalle e alzò gli occhi al cielo. Poi tenne le mani in
grembo, al di fuori del campo visivo della telecamera, fece il segno di una pistola con il pollice e l'indice destri. Si picchettò la
coscia e mi guardò. Annuii. Il fucile a dardi. Mise due dita in
basso tra le ginocchia e ne tenne un terzo davanti e a sinistra.
Annuii di nuovo. Due uomini dietro il tavolo e il terzo a sinistra con il fucile. Probabilmente sulla porta della terza stanza.
Di guardia. Perciò niente dispositivi di contenzione e niente
catene. Mi massaggiai le tempie e mentre avevo ancora le mani
sollevate chiesi con il solo movimento delle labbra: «Dove sono
le nostre scarpe?» Jake rispose nello stesso modo: «Non lo so».

Dopodiché restammo seduti in silenzio. Non so a cosa stesse
pensando Jake. Alla sorella probabilmente. O a Peter. Io stavo
valutando una scelta binaria. Ci sono due modi per combattere
qualcosa. Dall'interno o dall'esterno. Io ero il tipo che combatte dall'esterno. Da sempre.

Alle otto riportarono Theresa Lee e presero di nuovo me.

45

Niente dispositivi di contenzione. Niente catene. Pensavano chiaramente che temessi il fucile a dardi. Il che in certo qual modo era vero. Non perché tema le piccole ferite da perforazione. E non perché abbia qualcosa contro il sonno in sé. Amo dormire come chiunque altro. Ma non volevo perdere altro tempo. Avevo la sensazione di non potermi permettere altre otto ore steso a letto.

Nella stanza gli occupanti erano disposti esattamente come segnalato da Jacob Mark. Il capo era già seduto sulla sedia centrale. L'uomo che al mattino aveva sistemato le catene era quello che mi aveva condotto lì; mi lasciò nel centro del locale e andò a occupare il suo posto alla destra del capo. L'uomo che aveva maneggiato il Franchi era più lontano, a sinistra, con il fucile a dardi in mano. I miei averi erano ancora sul tavolo. O erano tornati sul tavolo. Dubito fossero lì quando Jake e Lee si erano trovati nella stanza. Non avrebbe avuto senso. Non c'erano ragioni. Non erano attinenti. Erano stati ricollocati appositamente per me. Soldi, passaporto, bancomat, spazzolino, Metrocard, il biglietto da visita di Lee, il biglietto da visita fasullo, la chiavetta e il cellulare. Nove oggetti. Tutti presenti e a posto. Il che era un bene, perché ne dovevo portare almeno sette con me.

L'uomo sulla sedia centrale disse: «Si sieda, signor Reacher».

Mi spostai verso la mia sedia e li sentii rilassarsi tutti e tre. Avevano lavorato tutta la notte e tutto il giorno. Ora erano alla terza ora di fila di interrogatorio. Un interrogatorio è un compito faticoso. Richiede profonda attenzione e flessibilità mentale. Ti logora. Perciò i tre erano stanchi. Abbastanza da aver perso il mordente. Non appena mi avviai verso la sedia, abbandonarono il presente ed entrarono nel futuro. Pensarono che i loro problemi fossero finiti. Iniziarono a riflettere sull'approccio. Sulla prima domanda. Presumevano raggiungessi la sedia, mi sedessi e fossi pronto ad ascoltare. A rispondere.

Si sbagliavano.

A mezzo passo dalla meta alzai il piede fino al bordo del tavolo, tesi la gamba e spinsi. Spinsi, non calciai perché non avevo scarpe. Il tavolo precipitò all'indietro e il bordo opposto colpì allo stomaco i due uomini seduti, bloccandoli contro gli schienali delle sedie. A quel punto mi stavo già spostando a sinistra. Da una posizione accucciata mi sollevai verso il terzo uomo, tirai il fucile a dardi in alto strappandoglielo di mano, e mentre era ancora dritto e vulnerabile, gli sferrai un calcio all'inguine. Lui mollò il fucile, si piegò in avanti mentre io alzavo la gamba, cambiavo piede e gli assestavo un calcio in faccia. Come in una giga irlandese. Mi voltai, abbassai il fucile, premetti il grilletto e sparai nel petto al capo. Poi superai il tavolo e colpii l'altro uomo alla testa con il calcio del fucile una, due, tre volte, con intensità e ferocia, finché tacque e smise di muoversi.

Quattro secondi rumorosi e violenti, dall'inizio alla fine. Quattro unità discrete di azione e tempo, strutturate separatamente, attuate separatamente. Il tavolo, il fucile a dardi, il capo, il secondo uomo. Uno, due, tre, quattro. Liscio e facile. I due uomini che avevo colpito erano in stato di incoscienza, sanguinanti. L'uomo per terra a causa del naso fracassato, l'uomo al tavolo per uno squarcio nel cuoio capelluto. Accanto a lui il capo stava già sprofondando nell'oblio, assistito dalla chimica, come già mi era successo due volte. Era interessante da osservare. Subentrava una specie di paralisi muscolare. Stava scivolando impotente giù dalla sedia ma muoveva gli occhi come se fosse ancora consapevole delle cose. Mi ricordai delle sagome vorticanti e mi chiesi se le vedesse anche lui.

Poi mi girai e studiai la porta della terza stanza. C'era ancora il paramedico. Forse ce n'erano altri. Forse molti altri. Ma la porta restò chiusa. La terza stanza restò silenziosa. Mi inginocchiai e controllai sotto la giacca del terzo uomo. Niente Glock. Aveva una fondina ascellare ma era vuota. Probabilmente era la procedura standard. Niente armi da fuoco in una stanza chiusa con un prigioniero presente. Controllai gli altri due. Stesso risultato. Fondine ascellari di nylon di tipo governativo, entrambe vuote.

La terza stanza restò silenziosa.

Controllai le tasche. Erano tutte vuote. Tutte asettiche. Lì

216

non c'era niente, tranne oggetti neutri come fazzolettini, monetine da qualche centesimo intrappolate nelle cuciture. Niente chiavi di casa, niente chiavi di macchina, niente cellulari. Di certo niente portafogli, niente portadistintivi e niente documenti d'identità.

Recuperai il fucile a dardi e lo tenni con una mano, puntato e pronto. Mi avvicinai alla porta della terza stanza. La spalancai, sollevai il fucile e finsi di prendere la mira. Un fucile è un fucile, anche se vuoto e del tipo sbagliato. Sta tutto nella prima impressione e nella reazione subliminale.

La terza stanza era deserta.

Niente paramedico, niente agenti di rinforzo, niente personale di supporto. Non c'era nessuno. Solo mobili grigi da ufficio e luci al neon. La stanza stessa era identica alle prime due, un locale seminterrato di vecchi mattoni dipinto tutto di bianco. Stesse dimensioni, stesse proporzioni. Aveva un'altra porta, che supposi conducesse a una quarta stanza o alla tromba delle scale. L'attraversai diretto a essa e la socchiusi.

C'era la tromba delle scale. Niente vernice, fatta eccezione per un vecchio strato scrostato di verde istituzionale. Richiusi la porta ed esaminai l'arredo da ufficio. Tre tavoli, cinque mobili, quattro armadietti, tutti grigi, tutti semplici e funzionali, tutti fatti di acciaio e tutti chiusi a chiave. Con serratura a combinazione come le celle, il che era logico perché non c'erano chiavi nelle tasche degli agenti. Le scrivanie non avevano pile di carte. Solo tre computer inattivi e un centralino con tre telefoni. Premetti le barre spazio e rianimai gli schermi uno alla volta. Ognuno richiedeva una password. Sollevai i ricevitori e premetti il tasto redial imbattendomi ogni volta nel normale segnale di linea. Un sistema di sicurezza molto coscienzioso. Accurato e coerente. Finisci una chiamata, sfiori la staffa, componi zero e riagganci. Quei tre non erano perfetti ma non erano nemmeno degli idioti.

Rimasi a lungo immobile. Ero rimasto deluso dalle serrature a combinazione. Volevo trovare le scorte, ricaricare il fucile a dardi e sparare agli altri due agenti. E volevo le mie scarpe.

Due desideri destinati a non essere esauditi.

Tornai a passi felpati verso le celle. Jacob Mark e Theresa Lee alzarono lo sguardo, lo distolsero e lo posarono di nuovo su

di me. Una classica reazione a scoppio ritardato perché ero solo
e impugnavo il fucile a dardi. Immaginai avessero udito dei rumori e presunto che mi stessero pestando. Immaginai che non
si aspettassero di vedermi tornare così presto o addirittura di
vedermi tornare.

«Cos'è successo?» domandò Lee.

«Si sono addormentati», spiegai.

«Come?»

«La mia conversazione dev'essere stata piuttosto noiosa.»

«Allora adesso è proprio nei guai.»

«Rispetto a quando?»

«Prima era innocente.»

«Si svegli, Theresa», esclamai.

Lei non rispose. Verificai tutte le chiusure delle porte delle
celle. Erano meccanismi sofisticati. Sembravano di alta qualità
e molto precisi. Avevano manopole cilindriche fresate e gra-
duate con incisioni accurate su tutto il bordo, dal numero uno
al numero trentasei. Si giravano in entrambi i sensi. Le ruotai e
non sentii niente di niente tra le dita, tranne il ronzio di una
resistenza meccanica lieve e costante. Davano l'impressione di
una tecnica perfetta. Di certo non sentii azionarsi alcun meccanismo di ritenuta.

«Volete che vi tiri fuori?» chiesi.

«Non può», rispose Lee.

«Se potessi, vorrebbe che lo facessi?»

«Perché non dovrei volerlo?»

«Perché a quel punto sarebbe decisamente nei guai. Se resta,
fa il loro gioco.»

Non rispose.

«Jake, lei che ne pensa?» domandai.

«Ha trovato le nostre scarpe?» chiese.

Scossi la testa. «Ma può prendere a prestito le loro. Sono
quasi della sua misura.»

«E lei?»

«Ci sono negozi di scarpe su Eighth Street.»

«Li raggiungerà scalzo?»

«Siamo al Greenwich Village. Se non posso camminare scalzo qui, allora dove?»

«Come fa a tirarci fuori?»

«Problemi e soluzioni del diciannovesimo secolo contro espedienti del ventunesimo. Ma sarà difficile. Perciò devo sapere da dove cominciare. E voi dovrete prendere una decisione davvero in fretta. Perché non abbiamo molto tempo.»

«Prima che si sveglino?»

«Prima che il Bricocenter più vicino chiuda.»

«D'accordo, io voglio uscire», disse Jake.

Guardai Theresa Lee.

«Non lo so. Non ho fatto niente», disse.

«Ha voglia di restare nei paraggi e di dimostrarlo? Perché farlo è dura. Lo è sempre stato.»

Non rispose.

«Ho raccontato a Sansom come studiavamo l'Armata Rossa. Sa che cosa temevano di più? Non noi, il nemico. Temevano di più i loro commissari politici. Il tormento peggiore era passare l'intera vita a dimostrare la propria innocenza all'infinito.»

Lee assentì. «Voglio uscire», disse.

«Va bene», affermai. Controllai le cose che dovevo controllare. Stimai dimensioni e pesi a occhio.

«Tenete duro», affermai. «Tornerò entro un'ora al massimo.»

La prima fermata fu nella stanza accanto. I tre agenti federali erano ancora più che sprofondati nell'oblio. Il capo sarebbe rimasto così per otto ore di fila. O forse più a lungo perché la sua massa corporea era meno di due terzi rispetto alla mia. Per un terribile momento mi venne in mente che forse l'avevo ucciso. Una dose calibrata per un uomo delle mie dimensioni poteva essere pericolosa per una persona più piccola. Ma in quel momento respirava regolarmente. Inoltre, aveva cominciato lui, perciò il rischio era suo.

Gli altri due si sarebbero svegliati molto prima. Forse abbastanza presto. Le commozioni cerebrali sono imprevedibili. Perciò mi infilai nell'anticamera e strappai tutti i cavi dei computer dai muri e li usai per legarli come polli. Polsi, gomiti, caviglie, collo, tutti stretti e collegati. Un'anima di rame multifilo, un robusto rivestimento di plastica, impossibile da rompere. Mi tolsi le calze, le legai insieme e le utilizzai per imbavagliare l'uomo con la ferita alla testa. Sgradevole per lui, ma immaginai ricevesse un'integrazione per quel compito pericoloso, perciò poteva anche guadagnarsela. Lasciai la bocca dell'altro così com'era. Aveva il naso fracassato e imbavagliarlo sarebbe equivalso a soffocarlo. Sperai che a suo tempo avrebbe apprezzato la mia gentilezza.

Verificai il mio operato, mi rimisi in tasca le mie cose presenti sul tavolo e lasciai l'edificio.

46

La scala conduceva al pianterreno e sbucava in fondo a quello che un tempo era il luogo dove venivano parcheggiate le autopompe.

C'era un vasto pavimento vuoto pieno di merda di topo e di quei rifiuti strani, occasionali che si accumulano negli edifici abbandonati. I grandi portoni per i mezzi erano chiusi da sbarre di ferro arrugginite e vecchi lucchetti. Nel muro di sinistra c'era tuttavia una porta per il personale. Raggiungerla non fu facile. C'era un sentiero ripulito solo in parte. I rifiuti sul pavimento erano stati in gran parte spostati dal passaggio dei federali, ma rimanevano ancora abbastanza residui da rendere difficile percorrerlo a piedi scalzi. Finii per togliere di mezzo la roba con un calcetto laterale e per camminare negli spazi che avevo creato, un passo alla volta. Era un'avanzata lenta. Ma alla fine arrivai.

La porta del personale era dotata di una serratura nuova, studiata però per tenere la gente fuori, non dentro. All'interno c'era solo una semplice leva. All'esterno c'era un disco a combinazione. Trovai per terra un pesante raccordo d'ottone per manichette e lo usai per tenere socchiusa la porta. La lasciai così per quando fossi tornato, uscii in un vicolo e con due passi cauti mi ritrovai sul marciapiede di West 3rd Street.

Puntai dritto verso Sixth Avenue. Nessuno mi guardò i piedi. Era una sera calda e c'era molta altra pelle più affascinante in mostra. Io stesso ne ammirai un po'. Poi chiamai un taxi che mi portò venti isolati a nord e mezzo a est, al Bricocenter di 23rd Street. Docherty aveva citato l'indirizzo. I martelli erano stati comprati là, prima dell'aggressione sotto la FRD Drive. Il negozio si stava preparando a chiudere, ma mi lasciarono entrare lo stesso. Trovai un piede di porco da un metro e mezzo nella sezione materiale edile. Acciaio laminato a freddo, spesso e resistente. Il percorso verso la cassa mi condusse attraverso la sezione giardinaggio e decisi di prendere due piccioni con una fava acquistando un paio di zoccoli di gomma. Erano brutti ma meglio di niente, nel senso letterale del termine. Pagai con il bancomat, che sapevo avrebbe lasciato una traccia elettronica ma non c'era ragione di nascondere il fatto che fossi in giro a comprare attrezzi. L'acquisto si sarebbe palesato di lì a poco in altri modi.

I taxi percorrevano lenti la strada all'esterno come avvoltoi in cerca di persone con cose troppo ingombranti per essere trasportate a mano. Il che non aveva alcun senso dal punto di vista economico. Risparmi cinque dollari in un negozio di una grande catena e ne paghi otto per portarlo a casa. Ma in quel momento l'accordo mi andava bene. Nel giro di un minuto ero diretto di nuovo a sud. Scesi sulla 3rd, ma non accanto alla caserma dei pompieri.

Tre metri più in là vidi il paramedico entrare nel vicolo.

Aveva un'aria pulita e riposata. Indossava pantaloni sportivi di cotone, una maglietta bianca e scarpe da basket. Rotazione del personale, pensai. Gli agenti tenevano il forte per tutto il giorno, il medico li sostituiva la notte. Per essere sicuri che i prigionieri fossero ancora vivi al mattino. Efficiente più che umano. Immaginai che il flusso di informazioni fosse ritenuto più importante dei diritti o del benessere degli individui.

Spostai il piede di porco nella sinistra, affrettai parecchio il passo con le mie calzature larghe di gomma e arrivai alla porta del personale prima che l'uomo la varcasse. Non volevo gettasse via il raccordo per la manichetta lasciando che si chiudesse alle sue spalle. Ciò mi avrebbe creato un problema di cui non avevo bisogno. Lui mi sentì, si girò sulla soglia e alzò le mani per difesa; io lo spintonai con forza e lo gettai a terra all'interno. Scivolò sui rifiuti e cadde su un ginocchio. Lo tirai su per il collo, lo tenni a distanza di braccio, spostai il raccordo d'ottone con l'alluce e lasciai che la porta si chiudesse con uno scatto. Dopodiché mi voltai, pronto a spiegare al tizio le alternative che aveva, ma vidi che le aveva già capite. Sta' buono o le prendi. Scelse di stare buono. Si accovacciò e alzò le mani in un gesto lieve, breve di resa. Sollevai il piede di porco con la sinistra e spinsi l'uomo con il braccio teso in direzione delle scale. Si dimostrò mite per tutto il tragitto verso il seminterrato. Non mi causò fastidi mentre attraversavamo l'ufficio. Poi arrivammo alla seconda stanza, vide i tre sul pavimento e capì cosa lo attendesse. Si contrasse. L'adrenalina fece il suo effetto. Combatti o fuggi. A quel punto mi guardò di nuovo, un uomo enorme, determinato con due scarpe ridicole e in mano una grossa barra metallica.

Tacque.

«Conosci le combinazioni delle celle?» gli domandai.

«No», disse.

«Allora come somministri gli antidolorifici?»

«Attraverso le sbarre.»

«Che succede se qualcuno ha un attacco e non puoi entrare nella cella?»

«Devo telefonare.»

«Dov'è la tua attrezzatura?»

«Nel mio armadietto.»

«Mostramela», dissi. «Aprilo.»

Tornammo in anticamera; mi condusse a un armadietto e ruotò il disco a combinazione. La porta si spalancò.

«Sai aprire qualche altro armadietto?» chiesi.

«No, solo questo», rispose.

Il suo armadietto aveva alcune mensole, piene zeppe di ogni sorta di strumenti medici. Siringhe sigillate, uno stetoscopio, piccole fiale di liquidi incolori, confezioni di batuffoli di cotone, pillole, bende, garze, cerotti.

Più una scatoletta di minuscole capsule di azoto.

E una di dardi sigillati.

Il che aveva un certo senso dal punto di vista burocratico. Immaginai la riunione della commissione incaricata di redigere il manuale operativo. Il Pentagono. Gli ufficiali di stato maggiore responsabili. Alcuni ufficiali di grado inferiore. L'ordine del giorno. Un consulente del dipartimento della Difesa insiste perché le munizioni del fucile a dardi vengano tenute dal personale medico. Perché l'anestetico è un farmaco. E via di questo passo. Poi un altro tizio in servizio attivo dice che l'azoto compresso non è una sostanza medica. Un terzo sottolinea che non è affatto logico conservare il propellente separato dalla carica. E così all'infinito. Immaginai gli agenti esasperati che alla fine rinunciano e cedono. *D'accordo, va bene tutto, ma ora procediamo.*

«Cosa c'è con precisione nei dardi?» indagai.

«Un anestetico locale più un bel po' di barbiturico.»

«Quanto barbiturico?»

«Abbastanza.»

«Per un gorilla?»

L'uomo scosse la testa. «Una dose ridotta. Calcolata per un essere umano normale.»

«Chi ha fatto i calcoli?»

«La ditta.»

«Sapendo a che serve?»

«Naturalmente.»

«Con specifiche, ordini d'acquisto e tutto quanto?»

«Sì.»

«E i test?»

«Giù a Guantanamo.»

«Questo è un grande paese, no?»

L'uomo non disse nulla.

«Ci sono effetti collaterali?» gli domandai.

«Nessuno.»

«Ne sei sicuro? Sai perché te lo chiedo, vero?»

L'uomo annuì. Sapeva perché glielo chiedevo. Avevo esaurito i cavi da computer, perciò dovetti tenerlo almeno un po' d'occhio mentre cercavo il fucile e lo caricavo. Caricarlo fu come un puzzle. Non avevo familiarità con la tecnologia. Dovetti procedere basandomi solo sul buonsenso e sulla logica. Chiaramente il meccanismo del grilletto provocava la liberazione del gas. Chiaramente il gas spingeva il dardo. I fucili sono in sostanza macchine semplici. Hanno una parte anteriore e una posteriore. Causa ed effetto si verificano secondo una sequenza razionale. Caricai quell'aggeggio in quaranta secondi.

«Vuoi stenderti sul pavimento?» dissi.

Lui non rispose. «Sai, per evitarti una botta in testa.»

L'uomo si stese sul pavimento.

«Preferenze per il posto? Il braccio? La gamba?» chiesi.

«Funziona meglio nella massa muscolare», rispose.

«Allora girati.»

Lui si girò e gli sparai nel sedere.

*

Ricaricai due volte e piantai due dardi negli agenti che avevano più probabilità di svegliarsi. Il che mi diede come minimo un margine di otto ore, a meno che non ci fossero stati altri arrivi imprevisti all'orizzonte. O che gli agenti non dovessero chiamare ogni ora per fare rapporto. O che non stesse già venendo una macchina per riportarci a Washington. Questi pensieri contrastanti mi infusero in parte un senso di rilassamento e in parte uno di fretta. Portai il piede di porco nel blocco delle celle. Jacob Mark mi guardò e non disse nulla. Theresa Lee mi guardò e disse: «Adesso su Eighth Street vendono scarpe del genere?»

Non risposi. Mi portai sul retro della sua cella e infilai la parte piatta del piede di porco sotto la struttura. Poi vi caricai sopra il mio peso e sentii l'intera gabbia muoversi solo di un po'. Solo di una frazione di centimetro. Non di più della naturale flessione del metallo.

«È una mossa stupida», osservò Lee. «Questo coso è un cubo indipendente, a sé stante. Potrebbe anche riuscire a rovesciarlo ma io sarei sempre al suo interno.»

«Per la verità non è a sé stante», osservai.

«Non è imbullonato al pavimento.»

«Ma è fissato a terra dai collegamenti fognari. Sotto il gabinetto.»

«Questo ci aiuterà?»

«Lo spero. Se lo inclino e le condutture fognarie reggono, allora il pavimento si staccherà e lei potrà strisciar fuori.»

«Reggeranno?»

«È un azzardo. Una specie di gara.»

«Tra cosa?»

«Tra la legislazione del diciannovesimo secolo e una ditta di saldature negligente con un contratto governativo. Vede come il pavimento non è saldato lungo tutto il perimetro? Solo in alcuni punti?»

«È l'essenza della saldatura a punti.»

«Quanto robusta è?»

«Parecchio. Probabilmente più del tubo del gabinetto.»

«Forse no. Nel diciannovesimo secolo a New York c'è stato

il colera. Una grande epidemia. Ha ucciso molte persone. Alla fine i notabili della città hanno capito che cosa lo avesse causato, cioè la mescolanza tra acque nere e acqua potabile. Perciò hanno costruito fogne adeguate. E hanno specificato ogni sorta di standard per tubi e raccordi. Quegli standard sono ancora presenti nelle norme edili dopo tutti questi anni. Un tubo come questo ha una flangia che si sovrappone al pavimento. Scommetto che sia fissata più saldamente dei punti di saldatura. Quei tizi dei lavori pubblici del diciannovesimo secolo hanno peccato per eccesso. Più di certe ditte moderne che vogliono i soldi della Homeland Security.»

Lee tacque per un istante. Poi abbozzò un breve sorriso. «Perciò o vengo fatta uscire illegalmente da una cella governativa o la conduttura fognaria si stacca dal pavimento. In entrambi i casi mi ritroverò nella merda.»

«Ha afferrato l'idea.»

«Una scelta grandiosa.»

«Ha deciso lei», dissi.

«Proceda.»

Due stanze più in là udii un telefono cominciare a squillare.

Mi inginocchiai, sistemai la punta del piede di porco nella posizione in cui doveva stare, cioè sotto la stanga orizzontale della cella, non tanto però da finire sotto il bordo del solco nel pavimento. Poi con il piede la spostai leggermente di lato finché si ritrovò proprio sotto una delle saldature d'angolo capovolte, là dove la forza sarebbe stata trasmessa verso l'alto da una sbarra verticale.

Due stanze più in là il telefono smise di squillare.

Guardai Lee e dissi: «Salga sul sedile del water. Usiamo ogni possibile aiuto».

Lei salì su e si mise in equilibrio. Sfruttai tutto il gioco del piede di porco, mi chinai con forza e rimbalzai una, due, tre volte. Centotredici chili di massa in movimento, moltiplicati per un metro e mezzo di leva. Accaddero tre cose. Primo, il piede di porco creò un'incisione poco profonda nel cemento sotto la gabbia, il che era inefficace dal punto di vista meccanico. Secondo, l'intera struttura di sbarre si deformò leggermente, il che era altrettanto inefficace. Ma terzo, una piccola sfera lucente di metallo si staccò con un rumore secco e saltellò via.

«Quello era un punto», gridò Lee. «Come in: saldatura a punti.»

Spostai il piede di porco e trovai una posizione simile una trentina di centimetri più a sinistra. Incastrai con forza l'arnese, ne sfruttai il gioco e rimbalzai. Seguirono gli stessi tre risultati. Il polverizzarsi del cemento, lo stridio delle sbarre che si piegavano e il rumore secco di un'altra sfera metallica che si staccava.

Due stanze più in là un secondo telefono cominciò a squillare. Un tono diverso, più urgente.

Indietreggiai e ripresi fiato. Spostai di nuovo il piede di porco, stavolta di una sessantina di centimetri a destra. Ripetei la procedura e fui ricompensato da un'altra saldatura rotta. Tre eliminate, molte altre da eliminare. Ora però avevo delle prese approssimative per le mani nella stanga sul fondo, là dove il piede di porco aveva creato lievi piegature a U nel metallo. Posai il piede di porco, mi accucciai con la cella di fronte e infilai le mani nelle prese con il palmo rivolto verso l'alto. Le strinsi con forza, inspirai profondamente e mi preparai a sollevare. L'ultima volta che ho guardato le Olimpiadi, i sollevatori di peso spostavano più di duecentoventi chili. Sicuramente non potevo raggiungere livelli simili. Ma anche molto meno poteva bastare.

Due stanze più in là il secondo telefono smise di squillare.

E cominciò un terzo.

Sollevai.

Alzai il lato della cella di una trentina di centimetri. Il pavimento di placchette antiscivolo gemette e si piegò come carta. Ma le saldature ressero. Il terzo telefono smise di squillare. Guardai Lee e muovendo solo le labbra dissi: «Salti». Lei afferrò il messaggio. Era una donna intelligente. Spiccò un bel balzo dal water e atterrò con entrambi i piedi scalzi proprio nel punto in cui due saldature erano sotto pressione. Non sentii niente nelle mani. Nessun impatto. Nessun urto. Perché le saldature si ruppero subito e il pavimento si piegò formando un rozzo scivolo a V. Simile a una bocca. L'apertura era larga circa trenta centimetri e profonda altrettanto. Utile, ma non abbastanza. Un ragazzino ci sarebbe passato attraverso, Lee no.

Almeno avevamo dimostrato il principio. Un punto a favore dei notabili cittadini del diciannovesimo secolo.

Due stanze più in là tutti e tre i telefoni cominciarono a squillare simultaneamente. I toni, rapidi e incalzanti, facevano a gara tra loro.

Ripresi di nuovo fiato e dopo fu solo questione di ripetere la triplice procedura all'infinito, per due saldature alla volta. Il piede di porco, il sollevamento pesi, il salto. Lee non era una donna grossa, ma nonostante ciò dovemmo spaccare una fila di saldature lunga quasi due metri prima che il pavimento si piegasse abbastanza da lasciarla uscire. Era una questione di semplice aritmetica. Il margine rettilineo del pavimento diventava parte di una circonferenza con un rapporto di uno a tre a nostro sfavore. Impiegammo molto tempo a compiere il lavoro. Quasi otto minuti. Ma alla fine ci riuscimmo. Lee uscì di schiena, prima con i piedi, come una danzatrice di limbo. La camicia le si impigliò e le salì sul corpo scoprendo lo stomaco liscio e abbronzato. Poi si dimenò liberandosi, strisciò di lato, si alzò e mi abbracciò con forza. Più a lungo del dovuto. Dopodiché si scostò. Mi riposai per un minuto e mi pulii le mani sui pantaloni. Quindi ripetei l'intera procedura daccapo per Jacob Mark.

Due stanze più in là i telefoni squillavano e tacevano, squillavano e tacevano.

47

Uscimmo rapidi. Theresa Lee prese le scarpe dell'agente capo.
Le erano grandi ma non di tanto. Jacob Mark prese tutti gli
abiti del paramedico. Pensò che una divisa incompleta da poliziotto di fuori città avrebbe dato nell'occhio per strada e probabilmente aveva ragione. Valeva la pena aspettare che si cambiasse. Stava molto meglio con i pantaloni sportivi di tela, la
maglietta e le scarpe da basket. Gli andavano alla perfezione.
Sulla parte posteriore dei pantaloni c'era una macchia di sangue grande quanto una moneta da cinque centesimi ma era
l'unico inconveniente. Lasciammo il paramedico addormentato con addosso la biancheria.

Poi ce ne andammo. Salimmo le scale, attraversammo il pavimento sporco, percorremmo il vicolo fino al marciapiede di
3rd Street. Era affollato. Faceva ancora caldo. Svoltammo a sinistra. Non c'era una vera ragione. Era una scelta a caso. Ma si
rivelò fortunata. Fatti circa cinque passi, udii uno strombettare
di clacson e uno stridio di pneumatici. Lanciai un'occhiata dietro di me e vidi un'auto nera inchiodare a tre metri dalla caserma dei pompieri, sull'altro lato. Una Crown Vic nera e lucida.
Ne uscirono di corsa due uomini. Li avevo visti prima. E sapevo con certezza che anche Theresa Lee li aveva visti prima. Abiti blu, cravatta blu, l'FBI. Avevano parlato con Lee nella sede
del distretto e con me in 35th Street. Mi avevano fatto domande sui numeri di telefono canadesi. Adesso, sei metri più indietro, si stavano precipitando verso il vicolo. Non ci videro. Ma
se avessimo svoltato a destra, ci saremmo scontrati faccia a faccia con loro mentre uscivano dall'auto. Perciò eravamo stati
fortunati. Festeggiammo affrettando furiosamente il passo,
dritti verso Sixth Avenue. Jacob Mark vi arrivò per primo. Era
l'unico di noi con un paio di scarpe decenti.

*

Attraversammo Sixth Avenue e seguimmo Bleecker Street per un po', poi trovammo rifugio in Cornelia Street, stretta, buia e relativamente silenziosa, fatta eccezione per i clienti ai tavolini dei caffè sul marciapiede. Ci tenemmo alla larga da loro e loro non ci prestarono alcuna attenzione. Erano più interessati al cibo. Non li biasimavo. Aveva un buon profumo. Avevo ancora molta fame, anche dopo il sandwich salame e formaggio. Puntammo verso l'estremità più tranquilla della strada e lì facemmo l'inventario. Lee e Jake non avevano niente. Tutta la loro roba era sotto chiave nel seminterrato della caserma dei vigili del fuoco. Io possedevo le cose recuperate dal tavolo della seconda stanza, di cui le più importanti erano i contanti, il bancomat, la Metrocard e il cellulare di Leonid. I contanti ammontavano a quarantatré dollari e qualche spicciolo. La Metrocard consentiva ancora quattro corse. Il cellulare di Leonid era quasi scarico. Concordammo che fosse ovvio che il mio numero di bancomat e quello telefonico di Leonid fossero già segnalati ai vari sistemi informatici. Se avessimo usato uno dei due, qualcuno lo avrebbe saputo nel giro di pochi secondi. Ma non ero troppo preoccupato. Le informazioni devono essere utili per risultare dannose. Se fossimo scappati dalla West 3rd e giorni dopo avessimo ritirato denaro a Oklahoma City o New Orleans o San Francisco, il dato sarebbe stato significativo. Se avessimo ritirato denaro subito a un paio di isolati dalla caserma dei vigili del fuoco, il dato sarebbe stato inutile. Non avrebbe detto loro niente che già non sapevano. E a New York ci sono tante antenne per i cellulari che la triangolazione risulta difficile. Una localizzazione approssimativa è utile in campagna. Non molto in una città. Un'area bersaglio larga e profonda due isolati può contenere cinquantamila persone e richiedere giorni di ricerche.

Perciò ci spostammo, trovammo un bancomat nell'atrio azzurro di una banca e io ritirai tutto il denaro che potei, cioè trecento dollari. A quanto pareva avevo un limite giornaliero. E la macchina funzionava con lentezza. Probabilmente di proposito. Le banche collaborano con le forze dell'ordine. Fanno scattare l'allarme e rallentano la transazione. L'idea è quella di dare il tempo alla polizia di arrivare. Forse in alcuni posti è possibile. Ma non molto probabile quando si ha a che fare con il traffico di una città. La macchina attese e attese ancora, poi sputò le banconote. Le presi e le sorrisi. In genere hanno telecamere di sorveglianza integrate, collegate a registratori digitali.

Ci spostammo ancora e Lee spese dieci dei miei nuovi dollari in un deli. Comprò un caricacellulare d'emergenza. Funzionava con una batteria stilo. Lo inserì nel telefono di Leonid e chiamò Docherty, il suo collega. Erano le dieci e dieci e si stava probabilmente preparando per andare al lavoro. Non rispose alla telefonata. Lee lasciò un messaggio e spense il telefono. Disse che i cellulari erano dotati di chip GPS. Non lo sapevo. Disse che i chip emettevano un bip ogni quindici secondi e potevano essere individuati con una precisione di quattro metri e mezzo. Che i satelliti GPS erano molto più accurati di una triangolazione basata sulle antenne. Che per utilizzare un cellulare quando si era in fuga bisognava tenerlo spento tranne per brevi momenti, poco prima di abbandonare un luogo e di spostarsi in quello seguente. Così i localizzatori GPS restavano sempre un passo indietro.

Perciò ci spostammo di nuovo. Eravamo tutti pronti a notare eventuali macchine della polizia per le strade. Ne vedemmo parecchie. Il NYPD è una struttura grossa. Il dipartimento di polizia più grande d'America. Forse il più grande del mondo. Trovammo un bistrò rumoroso nel cuore del territorio della New York University dopo essere passati a nord del Washington Square Park ed esserci quindi diretti a est. Il luogo era buio, affollato di studenti. Parte del cibo che vendeva era riconoscibile. Avevo fame ed ero ancora disidratato. Immaginai che i miei apparati avessero fatto lo straordinario per la doppia dose di barbiturico. Bevvi alcuni bicchieri pieni d'acqua di rubinetto e ordinai una specie di frullato di yogurt e frutta. Più un hamburger e un caffè. Lee e Jake non ordinarono niente. Dichiararono di essere troppo scossi per mangiare. Poi Lee si rivolse a me e disse: «Sarà meglio che ci spieghi cosa sta succedendo».

«Pensavo non volesse saperlo», osservai.

«Abbiamo appena superato quella linea.»

«Non hanno mostrato i documenti. Ha diritto di presumere che la detenzione fosse illegale. Nel qual caso evadere non è stato un crimine. Anzi probabilmente è stato il suo dovere.»

Lei scosse la testa. «Sapevo chi fossero, documenti o non documenti. E non è dell'evasione che mi preoccupo. Sono le scarpe. Quello mi metterà nei casini. Sono rimasta davanti a quel tizio e gli ho rubato le scarpe. L'ho guardato dritto in faccia. Questa è premeditazione. Diranno che ho avuto il tempo di riflettere e di reagire in modo appropriato.»

Guardai Jake per vedere se volesse far parte del gruppo o se pensasse ancora che l'innocenza era una benedizione. Scrollò le spalle, come per dire se abbiamo fatto trenta, facciamo trentuno. Perciò lasciai che la cameriera finisse di servirmi e poi raccontai loro ciò che sapevo. Del marzo del 1983, di Sansom, della valle di Korengal. Tutti i dettagli e tutte le implicazioni.

«In questo momento ci sono americani nella valle di Korengal. L'ho appena letto in una rivista. Immagino non finisca mai. Spero facciano meglio dei russi», commentò Lee.

«Erano ucraini», affermai.

«C'è differenza?»

«Sono sicuro che gli ucraini pensino di sì. I russi sbattevano in prima linea le minoranze e a queste la cosa non piaceva.»

«Capisco il problema della terza guerra mondiale. A quel tempo, intendo. Ma è passato un quarto di secolo. L'Unione Sovietica non c'è neanche più. Come può un paese risentirsi per qualcosa se oggi non esiste nemmeno più?» affermò Jake.

«Geopolitica», rispose Lee. «Riguarda il futuro, non il passato. Forse ci verrà voglia di fare cose simili in Pakistan o in Iran o da qualsiasi altra parte. C'è differenza se il mondo viene a sapere che lo abbiamo già fatto prima. Genera preconcetti. Questo lei lo sa. È un poliziotto. È forse contento quando non siamo in grado di citare precedenti condanne in tribunale?»

«Allora quanto è grossa questa faccenda secondo lei?» domandò Jake.

«Enorme», replicò lei. «Spaventosamente grossa. Per noi, a ogni modo. Perché nel complesso è ancora piccola. Il che è ironico, vero? Capisce che intendo? Se lo sapessero tremila persone, nessuno potrebbe farci molto. O anche trecento. O trenta. Sarebbe là fuori. Fine della storia. Ma in questo momento lo sappiamo solo noi tre. Tre è un numero piccolo. Abbastanza da essere contenuto. Possono far sparire tre persone senza che nessuno se ne accorga.»

«Come?»

«Succede, mi creda. Chi presterà attenzione? Lei non è sposato. Io nemmeno.» Mi guardò e chiese: «Reacher, lei è sposato?»

Scossi la testa.

Lee tacque per un attimo. «Non rimarrebbe nessuno in grado di far domande», affermò.

«Le persone con cui lavoriamo?» chiese Jake.

«I dipartimenti di polizia fanno quello che viene ordinato loro.»

«È assurdo.»

«È il mondo nuovo.»

«Sul serio è così?»

«È una semplice analisi costi-benefici. Tre persone innocenti contro una grossa questione geopolitica? Lei cosa farebbe?»

«Abbiamo dei diritti.»

«Li avevamo.»

A quella frase Jake non replicò. Terminai il caffè e buttai giù un altro bicchiere d'acqua di rubinetto. Lee chiese il conto, attese che arrivasse e lo pagassi, quindi riaccese il telefono di Leonid. Questo si rianimò con un'allegra, breve melodia e agganciò la rete; dieci secondi dopo la rete lo riconobbe e gli comunicò che c'era un nuovo messaggio. Lee premette il pulsante adeguato e cominciò a farlo scorrere.

«È di Docherty», annunciò. «Non mi ha ancora scaricato.»

Poi lesse e fece scorrere, lesse e fece scorrere. Contai mentalmente gli intervalli di quindici secondi e immaginai il chip GPS che inviava dopo ognuno una piccola raffica di dati dicendo: *Siamo qui! Siamo qui!* Arrivai a dieci. Centocinquanta secondi. Due minuti e mezzo. Era un messaggio lungo. E a giudicare dalla faccia di Lee era pieno di cattive notizie. Strinse le labbra e socchiuse gli occhi. Verificò ancora un paio di righe, dopodiché spense l'apparecchio e me lo porse. Lo misi in tasca. Mi guardò dritto negli occhi e disse: «Aveva ragione. Gli uomini morti sotto la FDR Drive erano la squadra di Lila Hoth. Il 17° ha fatto irruzione nei loro uffici e trovato le fatture emesse a Lila Hoth, presso il Four Seasons Hotel».

Non risposi.

«Ma non è questo il punto. Quelle fatture risalgono a tre mesi fa, non a tre giorni fa. Poi c'è quell'altro dato. La Homeland Security non ha notizia di due donne chiamate Hoth entrate nel paese. Certamente non tre giorni fa con la British Airways. E Susan Mark non ha mai chiamato Londra, né dal lavoro né da casa.»

48

Usa il telefono e spostati immediatamente, quella era la regola. Prendemmo la Broadway in direzione nord. Taxi e auto della polizia ci sfrecciarono accanto. I fasci dei fari ci inondarono di luce. Ci spingemmo in fretta fino ad Astor Place e poi ci infilammo sotto terra; bruciai tre delle quattro corse restanti sulla Metrocard sulla linea 6 in direzione uptown. Dove tutto era iniziato. Un'altra vettura R142A nuova di zecca. Erano le undici di sera e c'erano diciotto passeggeri oltre a noi. Trovammo tre posti vicini in una delle panche da otto. Lee si sedette in centro. Alla sua sinistra Jake si girò leggermente e chinò la testa per parlare a voce bassa. Alla sua destra io feci lo stesso. «Allora quale delle due? Le Hoth sono fasulle o il governo si sta già parando il culo cancellando i dati?» domandò Jake.

«Potrebbero essere entrambe le cose», rispose Lee.

«Le Hoth sono fasulle», dissi.

«Lo pensa o lo sa?»

«Alla Penn Station è stato troppo facile.»

«Come?»

«Mi hanno ingannato. Leonid ha fatto in modo che lo vedessi. Indossava una giacca che sotto le luci sembrava di un arancione brillante. Praticamente identica ai giubbotti di sicurezza che ho visto addosso ad alcuni operai delle ferrovie. Ha colpito la mia attenzione. Era previsto che lo notassi. Poi ha lasciato che lo pestassi. Perché era previsto che gli prendessi il telefono e scoprissi del Four Seasons. Mi hanno manipolato. Ci troviamo davanti a tutta una serie di strati. Avevano bisogno di parlarmi, ma non volevano che vedessi tutto. Non volevano mostrarmi completamente la loro mano. Perciò hanno escogitato un modo per coinvolgermi. Mi hanno attirato all'hotel e hanno tentato l'approccio facile, morbido. Un solo uomo che finge di essere incapace alla stazione e poi le lusinghe. Avevano persino un piano di riserva, che consisteva nel venire alla sede del distretto e nel denunciare la scomparsa della Mark. In entrambi i casi alla fine mi sarei fatto vivo.»

«Cosa volevano da lei?»

«Le informazioni di Susan.»

«Che sarebbero?»

«Non lo so.»

«Chi sono?»

«Non giornaliste», risposi. «Mi sono sbagliato. Lila ha recitato prima una parte, poi un'altra. Non so chi sia veramente.»

«L'anziana è autentica?»

«Non lo so.»

«Adesso dove sono? Hanno tagliato la corda dall'albergo.»

«Avevano da sempre un altro posto dove andare. Due vie aperte. La facciata pubblica e gli affari privati. Perciò non so dove siano adesso. Nel posto alternativo, ovviamente. Un luogo sicuro a lungo termine, suppongo. Probabilmente qui in città. Forse in una palazzina. Perché hanno dietro una squadra. Una loro squadra. Di criminali veri. Quelle guardie private avevano ragione. Quanto criminali, lo hanno scoperto nel modo più duro. Con i martelli.»

«Quindi anche le Hoth si stanno coprendo il culo», osservò Lee.

«Il tempo è sbagliato», replicai. «Se lo sono già coperto. Si sono nascoste da qualche parte e chiunque sapesse dove è morto.»

Il treno si fermò a 23rd Street. Le porte si aprirono. Nessuno salì. Nessuno scese. Theresa Lee fissò il pavimento. Jacob Mark guardò oltre lei fissandomi e disse: «Se la Homeland Security non riesce nemmeno a rintracciare l'ingresso di Lila Hoth nel paese, allora non può neanche dire se sia andata o no in California. Il che significa che potrebbe essere stata lei la donna con Peter».

«Sì», ammisi. «Potrebbe essere stata lei.»

Le porte si richiusero. Il treno ripartì.

Theresa Lee alzò lo sguardo dal pavimento, si girò verso di me e disse: «Ciò che è successo a quei quattro è colpa sua, sa.

Con i martelli. Proprio colpa sua. Ha detto a Lila che li conosceva. Li ha trasformati in un problema da risolvere».

«Grazie per avermelo fatto notare», risposi.

L'ha spinta oltre il limite.

Proprio colpa sua.

Il treno entrò sferragliando nella stazione di 28th Street.

Scendemmo a 33rd Street. Nessuno di noi voleva arrivare a Grand Central. Troppi poliziotti e forse, almeno nel caso di Jacob Mark, troppe associazioni negative. A livello stradale Park Avenue era affollata. Nel primo minuto passarono due auto della polizia. A ovest c'era l'Empire State Building. Troppi poliziotti. Tornammo indietro verso sud e imboccammo una trasversale tranquilla in direzione Madison. A quel punto mi sentivo piuttosto bene. Avevo passato sedici ore su diciassette in un sonno profondo ed ero pieno di cibo e liquidi. Lee e Jake avevano invece un'aria sfatta. Non avevano un posto dove andare e non erano abituati alla cosa. Ovviamente non potevano andare a casa. Non potevano neanche andare da qualche amico. Dovevamo presumere che tutti i luoghi che frequentavano fossero sorvegliati.

«Ci serve un piano», affermò Lee.

L'isolato in cui ci trovavamo aveva un'aria che mi piaceva. New York ha centinaia di microquartieri distinti. Atmosfera e sfumature variano di strada in strada, talvolta da edificio a edificio. Park e Madison oltre il numero 20 sono un po' fatiscenti. Le trasversali un po' malmesse. Forse un tempo erano esclusive e forse un giorno lo saranno ancora, ma in quel momento andavano bene. Ci nascondemmo per un po' sotto un'impalcatura sul marciapiede; osservammo gli ubriachi tornare barcollando a casa dai bar e la gente dei condomini vicini portare a spasso il cane prima di andare a letto. Vedemmo un tizio con un danese grande quanto un pony e una ragazza con un manchester terrier grande quanto la testa del danese. Nel complesso preferivo il manchester terrier. Cane piccolo, grande personalità. Quell'esserino pensava di essere il padrone del mondo. Aspettammo finché le lancette superarono la mezzanotte, dopodiché sgattaiolammo via e girammo di qua e di là, a est e a ovest fino a trovare l'albergo giusto. Era un edificio stretto con un'insegna antiquata illuminata, dotata di lampadine a basso wattaggio. Sembrava un po' cadente e sporco. Più piccolo di quello che desideravo. I posti più grandi erano molto migliori. Maggiori possibilità di trovare stanze libere, maggiore anonimato, meno controlli. Ma tutto sommato il posto che stavamo osservando era accettabile.

Era un discreto bersaglio per il trucco dei cinquanta dollari. Forse ce la saremmo cavata anche con quaranta.

Alla fine dovemmo arrivare a settantacinque, probabilmente perché il portiere notturno sospettava che avessimo in mente qualche giochetto sessuale a tre. Forse per il modo in cui Theresa Lee mi guardava. C'era qualcosa nei suoi occhi. Non sapevo cosa. Ma chiaramente il portiere notturno colse l'opportunità per aumentare il prezzo. La stanza che ci diede era piccola. Era in fondo all'edificio e aveva due letti gemelli e una finestra stretta su un condotto per l'aerazione. Non sarebbe mai finita su un dépliant turistico, ma aveva un'aria sicura e clandestina, ed ero certo che a Lee e Jake andasse bene trascorrerci la notte. Ma ero altrettanto certo che a nessuno dei due sarebbe andato bene trascorrerci due notti o cinque o dieci.

«Ci serve aiuto», affermò Lee. «Non possiamo vivere così a tempo indefinito.»

«Possiamo se lo vogliamo», risposi. «Io vivo così da dieci anni.»

«D'accordo, una persona normale non può vivere così a tempo indefinito. Ci serve aiuto. Questo problema non sparirà.»

«Potrebbe sparire», replicò Jake. «Per quello che ha detto prima. Se lo sapessero tremila persone, non sarebbe più un problema. Quindi tutto quello che dobbiamo fare è dirlo a tremila persone.»

«Una alla volta?»

«No, dovremmo contattare i giornali.»

«Ci crederebbero?»

«Se fossimo convincenti.»

«Pubblicherebbero la storia?»

«Perché no?»

«Chi sa cosa succede oggi con i giornali? Forse per una cosa del genere farebbero delle verifiche con il governo. Forse il governo direbbe loro di non muoversi.»

«E la libertà di stampa?»

«Sì, me la ricordo», commentò Lee.

«Allora chi diavolo ci aiuterà?»

«Sansom», dissi. «Sansom ci aiuterà. Qui è lui che ha fatto l'investimento più grosso.»

«Sansom *è* il governo. Aveva messo il suo uomo a pedinare Susan.»

«Perché ha molto da perdere. Noi possiamo sfruttarlo.» Estrassi il cellulare di Leonid dalla tasca e lo gettai sul letto accanto a Theresa Lee. «Mandi un messaggio a Docherty domani mattina. Si faccia dare il numero del Cannon House Office Building a Washington. Chiami l'ufficio di Sansom e pretenda di parlare con lui personalmente. Gli dica che è un agente di polizia di New York e che è con me. Gli dica che sappiamo che il suo uomo era sul treno. Poi gli dica che sappiamo che la DSM non era per il fucile VAL. Che sappiamo che c'è di più.»

49

Theresa Lee prese il telefono e lo tenne per un istante come se fosse un gioiello raro e prezioso. Quindi lo posò sul tavolino e chiese: «Cosa le fa pensare che ci sia di più?»

«Tutto sommato ci dev'essere di più. Sansom ha vinto quattro medaglie, non solamente una. Era uno dei loro uomini di riferimento. Deve aver fatto cose di ogni genere.»

«Come per esempio?»

«Qualsiasi cosa andasse fatta. Per chiunque ne avesse bisogno. Non solo per l'esercito. Quelli della Delta venivano prestati di quando in quando. Occasionalmente alla CIA.»

«Per fare che?»

«Interventi sotto copertura. Colpi di stato. Assassinii.»

«Il maresciallo Tito è morto nel 1980. In Jugoslavia. Crede sia stato Sansom?»

«No, credo che Tito si sia ammalato. Ma non mi sorprenderebbe se ci fosse stato un piano di riserva, in caso fosse rimasto in salute.»

«Breznev è morto nel 1982. In Russia. Poi Andropov, quasi subito dopo. Poi Cernenko, sparito in modo molto rapido. Come per un'epidemia.»

«Che cos'è lei? Una storica?»

«Una storica dilettante. Ma in ogni caso, tutto ciò ha portato a Gorbaciov e al progresso. Crede siamo stati noi? Crede sia stato Sansom?»

«Forse», dissi. «Non lo so.»

«Comunque sia, niente di ciò è legato al marzo del 1983 in Afghanistan.»

«Ci pensi però. Imbattersi in una pattuglia di cecchini sovietici al buio era un evento del tutto casuale. Avrebbero mandato un asso come Sansom, a cui facevano riferimento, in giro per i monti sperando in bene? Cento volte su centouno sarebbe tornato a mani vuote. È un rischio enorme a fronte di una ricompensa molto piccola. Questo non significa affatto pianificare una missione. Una missione ha bisogno di un obiettivo raggiungibile.»

«Molte falliscono.»

«Certo. Ma iniziano tutte con un bersaglio realistico. Più realistico che girare alla cieca in duemilacinquecento chilometri quadrati di montagne desolate sperando in un incontro casuale a tu per tu. Perciò ci dev'essere stato qualcos'altro in pentola.»

«È piuttosto vago.»

«C'è di più», ripetei. «E non è tanto vago. Diverse persone mi hanno parlato negli ultimi giorni. E io le ho ascoltate. Parte di quello che ho sentito non ha molto senso. Quei federali mi hanno bloccato al Watergate a Washington. Ho chiesto cosa stesse succedendo. Hanno avuto una reazione strana. Come se il cielo stesse per cadere. Era sproporzionata per un caso di sconfinamento tecnico di venticinque anni fa.»

«La geopolitica non è semplice.»

«Sono d'accordo. E sono il primo ad ammettere di non essere affatto un esperto. Ma anche così sembrava più che esagerata.»

«È sempre vago.»

«Ho parlato con Sansom a Washington. Nel suo ufficio. Sembrava irritabile di fronte all'intera faccenda. Cupo, come preoccupato.»

«Siamo nella stagione elettorale.»

«Ma agguantare il fucile è stato un bel colpo, no? Non c'era niente di cui vergognarsi. Proprio quello che l'esercito era solito definire grande e audace. Perciò la sua reazione non torna.»

«Resta vago.»

«Conosceva il nome del cecchino. Grigori Hoth. Dalle piastrine. Ho pensato che avesse tenuto le piastrine come souvenir. Ha detto, no, quelle piastrine sono state messe sotto chiave con il rapporto sull'azione e tutto il resto. È stata una sorta di lapsus. E tutto il resto? Cosa intendeva?»

Lee non disse nulla.

«Abbiamo parlato della sorte del cecchino e dell'osservatore. Sansom ha detto che non aveva armi silenziate. Il che è stata un'altra specie di lapsus. La Delta non parte mai per un'incursione notturna clandestina senza armi silenziate. Sono pignoli su cose del genere. Il che mi suggerisce che l'intero episodio del VAL sia stato un effetto secondario accidentale di qualcosa di totalmente diverso. Ho pensato che il fucile fosse il *succo* della storia. Ma questa faccenda è come un iceberg. Rimane ancora in gran parte sommersa», spiegai.

Lee non disse nulla.

«Poi abbiamo parlato di geopolitica. Lui ha sicuramente scorto un pericolo. Teme la Russia o la Federazione Russa, o comunque si chiami oggi. La ritiene instabile. Ha detto che la faccenda potrebbe diventare esplosiva se venisse fuori l'aspetto della storia riguardante la valle di Korengal. Mi segue? L'*aspetto* della storia riguardante la valle di Korengal? È stata una sorta di terzo lapsus. In effetti una palese ammissione che c'è di più. Direttamente dalla bocca dell'interessato.»

Lee non rispose.

«Di più, cosa?» domandò Jacob Mark.

«Non lo so. Ma di qualsiasi cosa si tratti, si parla di informazioni. Fin dall'inizio Lila Hoth era in cerca di una chiavetta USB. Secondo i federali ce n'è una là fuori da qualche parte. Hanno detto che il loro compito è recuperare la vera chiavetta. Vera, perché hanno dato un'occhiata a quella che ho comprato e immaginato fosse un'esca. Hanno detto che è vuota e comunque troppo piccola. Mi segue? Troppo piccola? Il che significa che ci sono in gioco alcuni grossi file. Parecchie informazioni.»

«Ma Susan non aveva niente con sé.»

«Vero. Tutti però presumono che la avesse.»

«Che genere di informazioni?»

«Non ne ho idea. Tranne per il fatto che Springfield mi ha parlato qui a New York. L'uomo della sicurezza di Sansom, allo Sheraton. In un corridoio tranquillo. È stato più che inflessibile. Mi ha avvertito. Ha scelto una metafora precisa. Ha detto: 'Non può proprio permettersi di rivoltare la pietra sbagliata'.»

«E allora?»

«Che succede quando rivolti una pietra?»

«Strisciano fuori delle cose.»

«Esatto. Tempo presente. Strisciano fuori delle cose. Qui non si tratta di cose che se ne stanno lì e basta, di cose morte venticinque anni fa. Qui si tratta di cose che si agitano e si contorcono in questo momento. Di cose che oggi sono vive.»

242

*

Vidi Theresa Lee riflettere. Lanciò un'occhiata al telefono sul tavolino. Socchiuse gli occhi. Immaginai pensasse alla telefonata mattutina con Sansom. «È un po' sbadato, no? Ha avuto tre lapsus», disse.

«Per quasi diciassette anni è stato un ufficiale della Delta», osservai.

«E?»

«Non duri diciassette anni se sei sbadato.»

«Quindi?»

«A me è parso molto impegnato. Consapevole di tutto ciò che deve fare per la campagna. Del suo aspetto, di quello che dice, di come viaggia. Di ogni piccola implicazione.»

«Quindi?»

«Quindi non penso sia sbadato.»

«Ha avuto tre lapsus.»

«Davvero? Non ne sono così sicuro. Mi chiedo invece se non abbia teso una trappola. Ha letto il mio curriculum. Ero un bravo poliziotto militare, piuttosto vicino alla sua generazione. Credo stesse cercando aiuto, in uno qualsiasi dei vecchi ambienti in cui poteva trovarlo.»

«Crede la volesse reclutare?»

«Forse», risposi. «Forse ha gettato un paio di briciole e aspettato di vedere se le seguissi.»

«Perché?»

«Perché vuole richiudere il vaso e non sa chi possa farlo per lui.»

«Non si fida di quelli del dipartimento della Difesa?»

«Lei lo farebbe?»

«Non è il mio mondo. Lei si fiderebbe?»

«Solo fin dove arriva il mio sputo.»

«Non si fida di Springfield?»

«Certo. Ma Springfield è solo. E Sansom ha un grosso problema. Perciò forse pensa che se è coinvolta un'altra persona, anche lui può farcela. Più sono, più è contento.»

«Quindi sarà costretto ad aiutarci.»

«Non costretto», la corressi. «La sua giurisdizione è strettamente limitata. Ma potrebbe essere incline a farlo. Per questo voglio che lo chiami.»

«Perché non lo chiama lei?»

«Perché domani mattina all'inizio delle attività non sarò qui.»

«No?»

«Ci vedremo alle dieci al Madison Square Park. Un paio di isolati più a sud rispetto a qui. Fate attenzione nel raggiungerlo.»

«Dove va?»

«Fuori.»

«Dove?»

«A cercare Lila Hoth.»

«Non la troverà.»

«Probabilmente no. Ma ha una squadra. Forse saranno loro a trovare me. Sono sicuro mi stiano cercando. Inoltre hanno la mia foto.»

«Farà da esca?»

«Farò qualsiasi cosa serva.»

«Sono sicura che anche la polizia la stia cercando. E il dipartimento della Difesa e l'FBI. Forse persone di cui non ha mai sentito parlare.»

«Sarà una notte di gran lavoro da tutti i punti di vista.»

«Stia attento, d'accordo?»

«Sempre.»

«Quando va?»

«Ora.»

50

New York. Una del mattino. Il luogo migliore e peggiore al mondo per essere inseguiti. Le strade erano ancora calde. Il traffico scarso. Passavano parecchi secondi senza macchine sulla Madison. C'erano ancora persone in giro. Alcune erano addormentate, nei portoni o sulle panchine. Altre camminavano con o senza meta. Io optai per l'itinerario senza meta. Scelsi 30th Street, andai fino alla Park e poi alla Lexington. Non mi hanno mai insegnato l'arte di restare invisibile. Per quello selezionavano uomini più piccoli. Persone di corporatura normale. Mi davano un'occhiata e rinunciavano all'impresa. Presumevano che un uomo delle mie dimensioni fosse sempre facile da individuare. Però riesco a cavarmela. Ho imparato da solo alcune tecniche. Alcune sono controintuitive. La notte è migliore del giorno perché i posti sono più vuoti. Quando i posti sono più vuoti, spicco di meno. Perché quando le persone mi cercano, cercano un uomo grosso. E le dimensioni sono più facili da stimare quando hai intorno elementi di paragone. Mettimi in un gruppo di cinquanta persone e spicco letteralmente in mezzo agli altri con la testa e le spalle. Quando sono solo, sono meno sicuri. Non ci sono riferimenti. Le persone hanno difficoltà a giudicare l'altezza di soggetti isolati. Lo sappiamo da esperimenti basati su testimonianze oculari. Inscena un fatto, chiedi le prime impressioni e lo stesso soggetto può essere descritto tra il metro e settantatré e il metro e novantaquattro. Le persone vedono, ma non guardano.

Tranne quelle addestrate a guardare.

Prestai molta attenzione alle macchine. Non c'è modo di trovare un individuo a New York a meno di non percorrerne lentamente le strade in macchina. È un luogo troppo grande per qualsiasi metodo alternativo. Le auto di pattuglia bianche e blu del NYPD erano facili da notare. Grazie alle luci sul tetto avevano una sagoma caratteristica anche a grande distanza. Ogniqualvolta ne vedevo arrivare una, mi fermavo nel portone più vicino e mi stendevo. L'ennesimo barbone. In inverno non sarei stato convincente perché privo di un mucchio di vecchie coperte. Ma faceva ancora caldo. I veri barboni erano ancora in maglietta.

Le auto della polizia senza insegne erano più difficili da identificare. La loro sagoma di profilo era identica a tutte le altre, ma la politica nazionale e il budget delle forze dell'ordine restringono la scelta a un numero ridotto di marche e modelli. Inoltre i mezzi personali vengono tipicamente trascurati. Sono sporchi, con botte o graffi, spesso con qualche noia meccanica.

Tranne le auto federali senza insegne. Stesse marche, stessi modelli ma spesso nuove, pulite, cerate e lucidate. Abbastanza facili da scorgere, ma non da distinguere da certe macchine di servizio. Le società di limousine usano in parte le stesse marche e gli stessi modelli. Crown Vic ed equivalenti della Mercury. E gli autisti in livrea tengono pulite le vetture. Passai un po' di tempo sdraiato nei portoni solo per vedermi sfrecciare davanti targhe della T&LC. Taxi and Limousine Commission. Il che mi lasciò sconfortato, finché mi ricordai del commento di Theresa Lee sulle squadre antiterrorismo del NYPD che se ne andavano in giro con finti taxi. Dopodiché peccai per eccesso di cautela.

Supposi che la squadra di Lila Hoth disponesse di auto a noleggio. Hertz, Avis, Enterprise o chiunque altro ci fosse sulla piazza. Di nuovo un numero ridotto di marche e modelli, perlopiù catorci nazionali ma nuovi, puliti e ben tenuti. Vidi parecchi veicoli che rispondevano ai requisiti e parecchi che non rispondevano. Presi tutte le precauzioni ragionevoli per stare alla larga dalle forze dell'ordine e feci tutti gli sforzi ragionevoli per permettere agli uomini di Lila Hoth di vedermi. L'ora tarda aiutava. Semplificava le cose. Segmentava la popolazione. Gli spettatori innocenti erano in genere a casa a letto.

Camminai per mezz'ora, ma non accadde nulla.

Fino all'una e mezzo del mattino.

Finché seguendo un anello non arrivai alla 22nd e alla Broadway.

51

Rividi per caso la ragazza con il manchester terrier. Andava a sud sulla Broadway verso la 22nd. La bestiola stava pisciando su alcuni pali ignorando chiunque altro. Li oltrepassai, il cane mi notò e abbaiò. Mi girai per rassicurarlo che non ero un gran pericolo e con la coda dell'occhio vidi una Crown Vic nera superare il semaforo di 23rd Street. Pulita, lucida, con la cresta di antenne sul bagagliaio messa in risalto dai fari di un'auto trenta metri più indietro.

Rallentò sino a procedere a passo d'uomo.

In quell'isolato la Broadway è larga il doppio. Sei corsie tutte dirette a sud, divise dopo il semaforo da una piccola isola pedonale nel centro. Io mi trovavo sul marciapiede di sinistra. Accanto a me, un condominio. Dopo, diversi negozi. Alla mia destra, sei corsie più in là, il Flatiron Building. Oltre ancora negozi.

Proprio davanti un ingresso della metropolitana.

La ragazza con il cane svoltò a sinistra alle mie spalle ed entrò nel condominio. Vidi un portiere dietro un tavolo. La Crown Vic si fermò nella seconda delle sei corsie. L'auto dietro la sorpassò e il fascio dei suoi fari delineò il profilo di due uomini sui sedili anteriori. Erano immobili. Forse controllavano una fotografia, forse telefonavano per avere istruzioni, forse chiedevano aiuto.

Mi sedetti su un muretto basso di mattoni che correva attorno a un'aiuola davanti al condominio. L'ingresso della metropolitana era a tre metri.

La Crown Vic restò dov'era.

Molto più a sud di me il marciapiede della Broadway era largo. Accanto ai negozi era di cemento. La metà vicina al cordolo era composta da una lunga grata della metropolitana. L'ingresso della metropolitana tre metri più in là era una scala stretta.

L'estremità sud della stazione di 23rd Street. Le linee N, R e W. Il marciapiede per la direzione uptown.

Scommisi con me stesso che fosse un ingresso con tornelli alti a griglia.

Attesi.

Gli uomini in macchina rimasero immobili.

All'una e mezzo del mattino la metropolitana aveva da tempo adottato l'orario notturno. Con intervalli di venti minuti tra i treni. Non udii alcun brontolio o rombo provenire da sotto. Non c'era nessun risucchio d'aria. I rifiuti sulle grate lontane del marciapiede se ne stavano fermi.

La Crown Vic girò le ruote anteriori. Udii il sibilo della pompa del servosterzo e il rumore dei pneumatici sull'asfalto. Svoltò bruscamente attraversando quattro corsie, si raddrizzò dopo aver tracciato una stretta S e si fermò accanto al marciapiede al mio fianco.

I due uomini restarono all'interno.

Attesi.

Era certamente un'auto federale. Un'auto del parco macchine ufficiale. Specifiche standard LX, non il modello Police Interceptor. Vernice nera, coprimozzi di plastica. Il marciapiede non era affollato ma neanche deserto. Le persone andavano in fretta a casa o passeggiavano più lentamente a coppie. Nelle trasversali a sud c'erano vari club. Potevo dirlo perché di tanto in tanto comparivano gruppetti casuali di individui storditi che si protendevano nelle corsie in cerca di taxi di passaggio.

Gli uomini in macchina si mossero. Uno si piegò verso destra e l'altro verso sinistra, come fanno due persone quando afferrano le maniglie delle portiere nello stesso momento.

Osservai le grate della metropolitana lungo il marciapiede, una quarantina di metri più a sud.

Niente. Aria ferma. Nessun rifiuto si muoveva.

I due scesero dalla macchina. Indossavano entrambi abiti scuri. Avevano le giacche spiegazzate sulla schiena, a causa della macchina. Il passeggero ci girò attorno e restò accanto al guidatore vicino al cofano della Crown Vic. Erano alla stessa mia altezza, forse a sei metri, dalla parte opposta del marciapiede. Avevano già i distintivi appesi al taschino. FBI, supposi, anche se non ero abbastanza vicino da esserne certo. Tutti quei distintivi civili mi sembrano uguali. Il passeggero gridò: «Agenti federali», come se ne avesse bisogno.

Non reagii.

Rimasero vicino all'auto. Non salirono sul marciapiede. Per un meccanismo difensivo subliminale, pensai. Il marciapiede era un minuscolo bastione. Non offriva un'effettiva protezione, ma quando lo avessero superato avrebbero dovuto agire. Avrebbero dovuto intervenire e non erano sicuri di come sarebbe andata.

Le grate della metropolitana rimasero ferme e silenziose.

«Jack Reacher?» gridò il passeggero.

Non risposi. Quando non c'è più niente da fare, fa' scena muta.

«Resti dov'è», urlò il guidatore.

Le mie scarpe erano di gomma, molto meno aderenti e compatte rispetto a quelle a cui ero abituato. Ma malgrado ciò percepii attraverso di esse la prima debole eco del rombo della metropolitana. Un treno che partiva da 28th Street in direzione downtown o dalla 14th in direzione uptown. Le possibilità erano cinquanta e cinquanta. Un treno in direzione downtown non mi andava bene. Ero sul lato sbagliato della Broadway. Il treno in direzione uptown era quello che volevo.

Osservai le grate lontane sul marciapiede.

I rifiuti se ne stavano fermi.

«Tenga le mani dove le possa vedere», esclamò il passeggero.

Misi una mano in tasca. In parte per trovare la Metrocard, in parte per vedere cosa sarebbe successo dopo. Sapevo che l'addestramento di Quantico teneva in gran considerazione la sicurezza pubblica. Gli agenti sono istruiti a estrarre le armi solo in situazioni di grave emergenza. Molti non le estraggono mai, dal diploma alla pensione, neanche una volta. C'erano persone innocenti tutt'intorno. L'atrio di un condominio proprio dietro di me. Il campo di tiro era alto, vasto e bello, pieno di tragedie collaterali pronte a verificarsi. Passanti, traffico, neonati addormentati nelle camere dei piani bassi.

I due agenti estrassero le armi.

Due mosse identiche. Due armi identiche. Pistole Glock sfilate con fluidità, rapidità e scioltezza dalle fondine ascellari. Erano entrambi destrimani.

«Non si muova», urlò il passeggero.

Alla mia sinistra in lontananza le grate della metropolitana si mossero. Un treno in direzione uptown, dalla mia parte. Il muro d'aria davanti a esso si spostava rapido, accumulava pressione, cercava una via di fuga. Mi alzai e girai attorno alla ringhiera fino alla cima delle scale. Non velocemente, non lentamente. Scesi un gradino alla volta. Alle mie spalle sentii gli agenti rincorrermi. Suole dure sul cemento. Avevano scarpe migliori delle mie. Girai la Metrocard in tasca e la presi tenendo la parte giusta verso l'esterno.

La barriera era alta. Sbarre dal pavimento al soffitto, come una cella di prigione. C'erano due tornelli, uno a sinistra, uno a destra. Entrambi stretti e lungo l'intera altezza. Non era necessario alcun controllo. Non era necessaria una guardiola per il personale. Infilai la carta, l'ultimo credito rimasto fece accendere la luce verde e passai di là. Alle mie spalle gli agenti si bloccarono. Con un tornello normale avrebbero spiccato un balzo e dato spiegazioni dopo. Ma l'ingresso HEET senza personale li privò di quell'alternativa. E non avevano una Metrocard. Probabilmente vivevano fuori, a Long Island e andavano in macchina al lavoro. Passavano la giornata alla scrivania o in auto. Rimasero impotenti dietro le sbarre. Non avevano neanche la possibilità di gridare minacce o di negoziare. Avevo calcolato alla perfezione. Il muro d'aria era già lì in stazione, sollevava la polvere e faceva rotolare i bicchieri vuoti. Le prime tre vetture avevano già superato la curva. Il treno gemette, cigolò, si fermò e io salii senza nemmeno variare il passo. Le porte si chiusero e il treno mi portò via. L'ultima immagine che ebbi degli agenti era di loro due dal lato sbagliato del tornello con le pistole abbassate lungo i fianchi.

52

Ero su un treno della linea R. La linea R segue la Broadway fino a Times Square, poi prosegue un po' più dritto fino a 57th
Street e a Seventh Avenue, dove piega bruscamente a destra per
fermarsi alla 59th e Fifth e quindi alla 60th e Lexington prima
di proseguire sotto il fiume e a est fino a Queens. Un bel distretto, non c'erano dubbi, ma ben poco allettante la notte e
comunque avevo la sensazione viscerale che l'azione si trovasse
da un'altra parte. Sicuramente a Manhattan. Sull'East Side con
molta probabilità e non lontano da 57th Street. Lila Hoth aveva usato il Four Seasons come esca. Il che collocava con certezza la sua vera base da qualche parte nei paraggi. Non nelle adiacenze ma in una zona comoda vicina.

La sua vera base era una palazzina, non un appartamento o
un altro albergo. Perché aveva con sé una squadra e dovevano
andare e venire inosservati.

C'erano molte palazzine nella parte est di Manhattan.

Rimasi sul treno fin oltre Times Square. Lì salì un po' di
gente. Nel minuto che impiegò a raggiungere 49th Street aveva
a bordo ventisette passeggeri. Poi cinque scesero alla 49th e la
popolazione cominciò a diminuire. Io scesi alla 59th e Fitfth.
Non lasciai la stazione. Rimasi sul marciapiede e guardai il treno proseguire senza di me. Poi mi sedetti su una panchina e attesi. Immaginai che gli agenti su 22nd Street si fossero attaccati
alla radio. Che i poliziotti si stessero precipitando alle stazioni
della linea R in una sorta di lunga cascata sequenziale. Me li figuravo seduti in macchina o in piedi sui marciapiedi mentre
calcolavano l'avanzamento sotterraneo del treno, si contraevano e si rilassavano di nuovo quando presumevano che fossi passato sotto di loro, diretto più in là lungo la linea. Me li figuravo
mentre attendevano ancora cinque minuti e poi rinunciavano.
Perciò attesi. Dieci minuti buoni. Dopodiché me ne andai.
Spuntai da sotto terra e non trovai nessuno che mi stesse cer-

cando. Ero solo a un angolo deserto con il vecchio e famoso Plaza Hotel proprio davanti a me, tutto illuminato, e il parco dietro di me, tutto buio.

Ero due isolati a nord e uno e mezzo a ovest del Four Seasons.

Ero esattamente tre isolati a ovest dal punto in cui Susan Mark sarebbe uscita dal treno della linea 6, quando tutto è iniziato.

E allora capii che Susan Mark non era mai stata diretta al Four Seasons Hotel. Non vestita di nero e pronta a combattere. Nessun combattimento sarebbe stato possibile nell'atrio, nel corridoio o nella suite di un albergo. Non ci sarebbe stato alcun vantaggio nell'essere vestiti di nero in presenza di luci. Perciò Susan era diretta da qualche altra parte. Probabilmente al luogo segreto che doveva trovarsi in una trasversale buia e discreta. Ma sempre nel riquadro originario dei sessantotto isolati, tra 42nd Street e la 59th, tra Fifth Avenue e la Third. Più probabilmente in uno dei quadranti superiori vista la natura dell'area. Nel quadrante superiore sinistro o nel quadrante superiore destro. In uno dei due sottoriquadri di sedici isolati, forse.

Che contenevano cosa?

Quasi due milioni di cose diverse.

Il che era quattro volte meglio di otto milioni di cose diverse ma non tanto da indurmi a fare balzi di gioia. Mi diressi a est, attraversai Fifth Avenue e ripresi il mio girovagare senza meta facendo attenzione alle auto e restando nell'ombra. C'erano molti meno barboni rispetto alla zona più in giù, verso i numeri 20, e immaginai che stendersi in un portone sarebbe stato più provocatorio che non farlo. Perciò osservai il traffico e mi preparai a combattere o fuggire, a seconda di chi mi avesse scovato per primo.

Attraversai Madison Avenue e mi diressi verso la Park. Adesso ero proprio dietro il Four Seasons, che si trovava due isolati a sud. La strada era tranquilla. Perlopiù negozi monomarca e boutique, tutti chiusi. Svoltai a sud sulla Park e poi a est, di nuovo sulla 58th. Non vidi molto. Alcune palazzine, ma sembravano tutte uguali. Facciate spoglie di arenaria di cinque o sei piani, in basso finestre con le sbarre, in alto finestre chiuse, niente luci. Alcune erano consolati appartenenti a piccoli paesi. Altri uffici di rappresentanza di associazioni benefiche e piccole società. Alcune erano abitazioni, ma divise in più appartamenti. Altre sicuramente residenze di singole famiglie, ma tutte le singole famiglie sembravano essere più che addormentate dietro le porte chiuse. Attraversai la Park e mi diressi verso la Lexington. Davanti c'era Sutton Place. Tranquillo e molto residenziale. In genere composto da appartamenti ma anche da alcune case. Storicamente il quartiere era ubicato più a sud-est ma gli intermediatori ottimisti ne avevano spinto i confini a nord e soprattutto a ovest, fino a Third Avenue. Le nuove zone periferiche erano del tutto anonime.

Il territorio ideale per un nascondiglio.

Continuai a passeggiare a est e a ovest, a nord e a sud, 58th, 57th, 56th, Lexington, Third, Second. Attraversai parecchi isolati. Non mi balzò niente all'occhio. E nessuno mi balzò addosso. Vidi parecchie macchine ma tutte procedevano di gran carriera dal punto A al punto B. Nessuna presentava la caratteristica andatura esitante di un'auto il cui guidatore sta anche scrutando i marciapiedi. Vidi parecchie persone ma in genere molto lontane e del tutto innocenti. Malati di insonnia che portavano a spasso il cane, personale medico che tornava a casa dagli ospedali dell'East Side, addetti della nettezza urbana, portieri dei condomini che facevano due passi. Una delle persone con il cane si avvicinò abbastanza da parlare. Il cane era un vecchio bastardino grigio e la persona una vecchia bianca sull'ottantina. Aveva i capelli acconciati ed era perfettamente truccata. Indossava un vestito estivo antiquato che per essere completo avrebbe avuto bisogno di un paio di guanti bianchi lunghi. Il cane si fermò e mi guardò afflitto. La donna lo ritenne una presentazione sociale adeguata. «Buonasera», disse.

Erano quasi le tre e quindi tecnicamente mattina. Ma non volevo sembrare polemico. Perciò mi limitai a rispondere: «Salve».

«Salve, ciao, hello. Sa che è una parola di recente invenzione?»

«Quale parola?» chiesi.

«Hello», spiegò. «È nata come saluto solo dopo l'invenzione del telefono. La gente sentiva di dover dire qualcosa quando sollevava la cornetta. È una corruzione dell'antica parola *halloo*. Che era in realtà un'espressione di shock o di sorpresa. Ti imbattevi in qualcosa di inaspettato e ti veniva da esclamare: *halloo!* Forse la gente si spaventava per il trillo acuto della suoneria del telefono.»

«Sì», dissi. «Forse era così.»

«Lei ha un telefono?»

«Li ho usati», risposi. «Di certo li ho sentiti squillare.»

«Trova il suono fastidioso?»

«Ho sempre pensato di sì.»

«Be', arrivederci», disse la donna. «Chiacchierare con lei è stato davvero piacevole.»

Succedeva solo a New York, pensai. La donna proseguì con il vecchio cane a fianco. La guardai allontanarsi. Si diresse a est e poi a sud su Second Avenue e sparì. Mi girai e mi preparai ad andare di nuovo a ovest. Ma sei metri più in là una Chevy Impala dorata inchiodò e Leonid scese da dietro.

53

Leonid rimase sul marciapiede, l'auto ripartì e si fermò sei metri alle mie spalle. Il guidatore scese. Ottima mossa. Ero bloccato sul marciapiede con un uomo davanti e un altro dietro. Leonid aveva lo stesso aspetto eppure sembrava diverso. Sempre alto, sempre magro, sempre calvo a parte la barba corta rossiccia, ma ora indossava abiti pratici e aveva abbandonato l'atteggiamento sonnolento. Sembrava più di un gangster. Più di un attaccabrighe o di un teppista. Sembrava un professionista. Addestrato e competente.

Sembrava un ex soldato.

Indietreggiai contro il muro del palazzo vicino in modo da poter sorvegliare entrambi gli uomini contemporaneamente. Leonid alla mia sinistra e l'altro alla mia destra. Il secondo era tarchiato, più o meno sulla trentina. Aveva un'aria mediorientale più che dell'Europa dell'Est. Capelli scuri, niente collo. Non enorme. Come Leonid, ma compresso verticalmente e quindi espanso lateralmente. Era vestito nello stesso modo, con una tuta nera di poco prezzo. Guardai i pantaloni e una parola mi si impresse in testa.

Usa e getta.

L'uomo fece un passo verso di me.

Leonid lo imitò.

Due scelte, come sempre: combatti o fuggi. Eravamo sul marciapiede sud di 56th Street. Avrei potuto attraversare di corsa la strada e cercare di scappare. Ma Leonid e il suo amico sarebbero stati più veloci di me. Era una questione di probabilità. La maggior parte degli esseri umani è più veloce di me. L'anziana con il vestito estivo forse lo era. Il suo vecchio bastardino grigio anche.

Scappare era abbastanza brutto. Scappare ed essere preso subito assolutamente indecoroso.

Perciò rimasi dov'ero.

Alla mia sinistra Leonid si avvicinò di un altro passo.

Alla mia destra l'uomo basso lo imitò.

Qualsiasi cosa l'esercito non mi abbia insegnato sull'arte di non farsi vedere, me l'ha insegnata in tema di combattimento. Mi avevano dato un'occhiata e spedito dritto in palestra. Ero come molti figli di militari. Avevamo un passato strano. Eravamo vissuti un po' dappertutto nel mondo. Parte della nostra cultura era imparare dai locali. Non la storia, la lingua o gli interessi politici. Da loro imparavamo a combattere. Le tecniche preferite. Le arti marziali in Estremo Oriente, le risse sfrenate nei posti più brutti d'Europa, i coltelli, le pietre e le bottiglie in quelli più brutti degli States. All'età di dodici anni avevamo condensato il tutto in una sorta di ferocia composita disinibita. Soprattutto disinibita. Avevamo imparato che le inibizioni ti nuocevano prima di qualsiasi altra cosa. *Just do it* era il nostro motto, molto prima che la Nike iniziasse a fare scarpe. Quelli di noi che avevano scelto la carriera militare furono accettati, seguiti e ulteriormente istruiti; allo scopo fummo separati e poi riuniti. A dodici anni ci credevamo dei duri. A diciotto ci credevamo invincibili. Non era così. Ma lo eravamo quasi all'età di venticinque.

Leonid fece un altro passo.

L'altro uomo lo imitò.

Spostai lo sguardo su Leonid e gli vidi un tirapugni d'ottone sulla mano.

Lo stesso valeva per l'uomo basso.

Se li erano infilati rapidamente e con disinvoltura. Leonid fece un passo di lato. Anche l'altro uomo. Stavano perfezionando l'angolatura. Io ero con le spalle contro un edificio, il che mi lasciava centottanta gradi di spazio libero davanti. Ognuno di loro voleva quarantacinque gradi di quello spazio a destra e quarantacinque a sinistra. In tal modo, se fossi partito di scatto, tutte le direzioni d'uscita sarebbero state coperte in egual misura. Come i tennisti nel doppio. Lunga pratica, sostegno reciproco e intesa istintiva.

Erano entrambi destrimani.

Prima regola quando combatti contro un tirapugni d'ottone: non farti colpire. Specialmente non in testa. Ma anche i colpi sulle braccia o nelle costole possono spezzare le ossa e paralizzare i muscoli.

Il miglior modo per non farsi colpire è estrarre una pistola e sparare agli avversari da una distanza di circa tre metri. Abbastanza vicino da non sbagliare, abbastanza lontano da restare incolume. Il secondo miglior modo è tenere gli avversari ben lontani o stringerli molto. Da molto lontano possono sferrare pugni per tutta la notte e non ti colpiscono. Da molto vicino non possono sferrare un bel niente. Il modo per tenerli ben lontani è sfruttare il maggior allungo, se lo possiedi, o usare i piedi. Io ho un allungo straordinario. Ho due braccia molto lunghe. Il gorilla silverback del programma televisivo sembrava tozzo al confronto. I miei istruttori nell'esercito scherzavano sempre sul mio allungo. Ma mi trovavo di fronte a due uomini e non sapevo se tirar calci fosse un'alternativa da poter utilizzare in aggiunta. Tanto per cominciare avevo un paio di scarpe schifose. Zoccoli di gomma da giardino. Mi stavano larghi. Li avrei persi. E tirar calci a piedi nudi significa finire con le ossa rotte. I piedi sono ancora più fragili delle mani. Tranne in una scuola di karate, in cui esistono regole. In strada non ne esistono. Secondo, non appena alzi una gamba, ti ritrovi sbilanciato e potenzialmente vulnerabile. Un attimo dopo sei per terra e poi morto. Lo avevo visto succedere. Lo avevo fatto succedere.

Appoggiai il tallone destro al muro dietro di me.

Attesi.

Immaginai si sarebbero riuniti. Due balzi simultanei a distanza di novanta gradi l'uno dall'altro. Diretti verso l'interno, più o meno sincroni. La buona notizia era che non avrebbero cercato di uccidermi. Lila Hoth lo aveva proibito. Voleva cose da me e i cadaveri non hanno niente da offrire.

La cattiva notizia era che numerose lesioni gravi sono quasi fatali.

Attesi.

«Non c'è bisogno che tu ti faccia male, sai. Puoi semplicemente venire con noi se vuoi e parlare con Lila.» Il suo inglese era meno raffinato di quello di lei. L'accento era pesante. Ma conosceva tutte le parole.

«Venire con voi dove?» dissi.

«Sai che non posso dirtelo. Dovrai metterti una benda.»

«Rinuncio alla benda. Ma non c'è bisogno che anche voi vi facciate male. Potete semplicemente proseguire e dire a Lila che non mi avete mai visto.»

«Ma non sarebbe vero.»

«Non essere schiavo della verità, Leonid. A volte la verità fa male. A volte ti prende a calci in culo.»

Il lato positivo di un'aggressione concertata da parte di due avversari è che devono comunicare il segnale d'inizio. Forse è solo un'occhiata o un cenno, ma c'è sempre. Un avvertimento di una frazione di secondo. Supposi che Leonid fosse il capo. Di solito chi parla per primo lo è. Avrebbe annunciato l'attacco. Osservai i suoi occhi con grande attenzione.

«Te la sei presa per quello che è successo alla stazione ferroviaria?» domandai.

Lui scosse la testa. «Ho lasciato che mi colpissi. Era necessario. Lila aveva detto così.»

Osservai i suoi occhi.

«Parlami di Lila», affermai.

«Cosa vuoi sapere?»

«Chi è.»

«Vieni con noi e chiediglielo.»

«Lo sto chiedendo a te.»

«È una donna che ha un lavoro da fare.»

«Che genere di lavoro?»

«Vieni con noi e chiediglielo.»

«Lo sto chiedendo a te.»

«Un lavoro importante. Un lavoro necessario.»

«Che implica cosa?»

«Vieni con noi e chiediglielo.»

«Lo sto chiedendo a te.»

Le risposte cessarono. La conversazione cessò. Percepii che si stavano contraendo. Osservai il volto di Leonid. Vidi i suoi occhi sgranarsi e la sua testa chinarsi in avanti in un minuscolo cenno. Balzarono dritti verso di me, insieme. Mi staccai dal muro, avvicinai i pugni al petto, puntai i gomiti all'esterno a mo' di ali d'aereo e li caricai con la stessa forza con cui caricavano me. Ci incontrammo in un punto, come un triangolo che collassa, e i miei gomiti li colpirono in piena faccia. Alla mia destra sentii i denti dell'uomo basso schizzare via e alla mia sinistra la mandibola di Leonid cedere. L'impatto è uguale alla massa moltiplicata per la velocità al quadrato. Avevo parecchia massa, ma le mie scarpe erano cedevoli e i piedi scivolavano al loro interno per il caldo, perciò la mia velocità era inferiore a quella che sarebbe dovuta essere.

Il che ridusse un po' l'impatto.

Il che li lasciò entrambi in piedi.

Il che mi diede altro lavoro da fare.

Mi girai e sferrai all'uomo basso un gancio destro spropositato all'orecchio. Non c'era stile. Non c'era finezza. Era solo un grosso e rozzo pugno. L'orecchio gli si appiattì contro la testa e assorbì parte della forza, ma una quantità ben maggiore proseguì oltre la cartilagine fracassata, all'interno del cranio. Il collo si piegò di lato e l'altro orecchio sbatté sulla spalla. A quel punto stavo già tornando indietro tra gli stridii delle mie schifose scarpe e cacciando il gomito in profondità nel ventre di Leonid. Nello stesso posto in cui lo avevo colpito alla Penn Station, ma con una forza dieci volte superiore. Per poco non gli staccai la spina dorsale dalla schiena. Sfruttai il rimbalzo per saltare nell'altra direzione, di nuovo addosso all'uomo basso. Stava cercando di rannicchiarsi, pronto per la conta fino a otto. Gli assestai un destro basso nei reni. Quello lo fece raddrizzare e ruotare verso di me. Piegai le ginocchia, mi gettai in avanti e gli diedi una testata in mezzo agli occhi. Esplosiva. Qualsiasi osso che il gomito non avesse rotto cedette e lui crollò a terra come un sacco. Leonid allora mi picchiettò sulla spalla con il tirapugni d'ottone. Credeva di aver tirato un pugno, ma nel suo stato di sfinimento il picchiettio fu tutto ciò che riuscì a combinare. Feci con calma, mi diedi lo slancio, mirai con cura e lo stesi con un montante alla mandibola. Era già rotta per la gomitata. Adesso si ruppe un po' di più. Ossa e carne tracciarono pigramente un arco rosso nell'aria, ben evidenti sotto le luci della strada. I denti anche, immaginai, e forse parte della lingua.

Ero un po' scosso. Come sempre. L'eccesso di adrenalina mi stava prostrando. Le ghiandole surrenali sono lente, quelle figlie di puttana. Poi ipercompensano. Troppo, troppo tardi. Impiegai dieci secondi a riprendere fiato. Altri dieci per calmarmi. Poi trascinai gli uomini sul marciapiede e li sistemai seduti contro il muro, là dove mi ero messo in piedi. Mentre li trascinavo, le loro felpe con cappuccio si allungarono di un metro. Abiti di poco prezzo. Usa e getta, in caso si fossero impregnati del mio sangue. Li misi in posizione in modo che non cadessero e non soffocassero, quindi lussai loro il gomito destro. Erano tutti e due destrimani ed era probabile che li rivedessi. Nel qual caso li volevo fuori combattimento. Niente danni permanenti. Tre settimane con un gesso leggero li avrebbero guariti, rimessi a posto come nuovi.

Avevano un cellulare in tasca. Li presi entrambi. Entrambi avevano la mia fotografia. Entrambi l'elenco delle chiamate vuoto. Non c'era nient'altro. Niente soldi. Niente chiavi. Niente prove materiali. Nessun indizio del luogo da cui erano arrivati. E nessuna probabilità che potessero dirmelo a breve. Li avevo pestati troppo duramente. Erano ko. In ogni caso anche quando si fossero risvegliati, non c'era garanzia che si ricordassero qualcosa. Addirittura neanche il nome. Le commozioni cerebrali hanno effetti imprevedibili. I paramedici non scherzano quando chiedono alle vittime che giorno sia e chi sia il presidente.

Da parte mia nessun rammarico. Meglio peccare per eccesso di sicurezza. Chi durante una lotta pensa al dopo di solito non ci arriva. Perciò nessun rammarico. Ma non c'era neanche un guadagno netto. Il che era frustrante. Nemmeno i tirapugni d'ottone mi andavano bene. Li provai tutti e due ed erano troppo piccoli. Li gettai in un tombino sei metri più in là.

L'auto era ancora in folle accanto al marciapiede. Aveva targhe di New York. Niente navigatore. Perciò nessuna memoria digitale con l'indirizzo della base. Trovai un contratto di noleggio nella tasca della portiera emesso a un nome che non avevo mai sentito e un indirizzo di Londra che supposi falso. Nel cruscotto trovai il manuale di istruzioni dell'auto, un piccolo bloc-notes a spirale e una penna a sfera. Il bloc-notes non aveva scritte. Presi la penna, tornai dai due e con la mano sinistra tenni ferma la testa di Leonid. Poi gli scrissi sulla fronte con la penna a sfera, conficcandola in profondità nella pelle e ripassando più volte le grosse lettere per chiarezza.

LILA, CHIAMAMI.

Quindi rubai la macchina e mi allontanai.

54

Mi diressi a sud su Second Avenue, presi 50th Street verso est fino in fondo e mollai l'auto davanti a un idrante a mezzo isolato dalla FDR Drive. Speravo che quelli del 17º Distretto la trovassero, si insospettissero ed effettuassero qualche test. Gli abiti sono usa e getta. Le auto, non tanto. Se gli uomini di Lila avevano usato quell'Impala per allontanarsi dall'aggressione con i martelli, allora all'interno ci sarebbero state alcune prove microscopiche. Io non potevo vederle a occhio nudo, ma le squadre della Scientifica non si basano solo sulla vista umana.

Pulii il volante, il cambio e le maniglie delle porte con i lembi della camicia. Poi buttai le chiavi in un tombino, tornai indietro sulla Second, rimasi nell'ombra e cercai un taxi. C'era un discreto flusso di traffico che andava in centro e ogni auto era illuminata dai fari di quella successiva. Riuscivo a vedere quante persone ci fossero in ogni veicolo. Ricordavo bene le informazioni di Theresa Lee: finti taxi che vanno su lungo la Tenth e giù lungo la Second, un uomo davanti, due dietro. Attesi un taxi che fosse sicuramente vuoto a parte il guidatore e gli feci cenno. Il guidatore era un sikh indiano con il turbante e una barba lunga che sapeva ben poco l'inglese. Non era un poliziotto. Mi portò a sud fino a Union Square. Scesi lì e mi sedetti su una panchina al buio a guardare i ratti. Union Square è il posto migliore della città per vederli. Di giorno il dipartimento Parchi e giardini getta un fertilizzante a base di ossi e sangue nelle aiuole. Di notte i ratti vengono fuori e fanno festa.

Alle quattro mi addormentai.

Alle cinque uno dei telefoni che avevo sottratto mi vibrò in tasca.

Mi svegliai e passai un secondo a controllare a destra, a sinistra e dietro, quindi estrassi il telefono dai pantaloni. Non suonava.

Vibrava solo. Modalità silenziosa. Sulla piccola finestra mono-cromatica davanti si leggeva: *Numero privato*. Lo aprii e il gran-de schermo a colori all'interno mi disse la stessa cosa. Accostai il telefono all'orecchio ed esclamai: «Pronto». Mi rispose Lila Hoth. Era la sua voce, il suo accento, la sua dizione. «Allora ha deciso di dichiarare guerra. Chiaramente per lei non ci sono re-gole di ingaggio», disse.

«Chi è lei con precisione?» domandai.

«Lo scoprirà.»

«Devo saperlo ora.»

«Sono il suo incubo peggiore. Da circa due ore. E ha ancora qualcosa che mi appartiene.»

«Allora venga a prenderla. Meglio ancora, mandi altri dei suoi uomini. Mi permetta di fare un altro po' d'esercizio.»

«Stasera è stato fortunato, nient'altro.»

«Sono sempre fortunato», replicai.

«Dove si trova?» chiese.

«Proprio davanti a casa sua.»

Ci fu un attimo di silenzio. «No, non è vero.»

«Esatto», replicai. «Ma mi ha appena confermato che vive in una casa. E che in questo momento è alla finestra. Grazie per l'informazione.»

«Dove si trova veramente?»

«A Federal Plaza», risposi. «Con l'FBI.»

«Non le credo.»

«Come vuole.»

«Mi dica dov'è.»

«Vicino a lei», risposi. «Third Avenue e 56th Street.»

Fece per ribattere, poi si bloccò immediatamente. Non andò più in là di una vaga *n*. Una nasale alveolare sonora. L'inizio di una frase che sarebbe stata impaziente, lamentosa e un po' compiaciuta come: *Non è vicino a me*.

Non si trovava nei paraggi della Third e della 56th.

«Ultima possibilità», affermò. «Voglio quello che è mio.» La sua voce si addolcì. «Possiamo accordarci. Lo lasci da qual-che parte al sicuro e mi dica dove. Lo manderò a prendere. Non ci dobbiamo incontrare. Potrebbe persino guadagnare qualcosa.»

«Non mi interessa un lavoro.»

«E restare vivo?»

«Non ho paura di lei, Lila.»

«È quello che ha detto Peter Molina.»

«Dov'è?»

«Proprio qui con noi.»

«Vivo?»

«Venga a vedere.»

«Ha lasciato un messaggio al suo allenatore.»

«O forse ho fatto sentire un nastro che ha inciso prima di morire. Forse mi ha detto che il suo allenatore non risponde mai al telefono all'ora di cena. Forse mi ha detto molte cose. Forse l'ho costretto.»

«Dove si trova, Lila?» domandai.

«Non glielo posso dire», rispose. «Ma potrei mandarla a prendere.»

A un centinaio di metri vidi un'auto della polizia percorrere 14th Street. Lentamente. Due chiazze rosa comparvero dietro il finestrino quando il guidatore girò la testa a destra e a sinistra.

«Da quando conosce Peter Molina?» chiesi.

«Da quando l'ho rimorchiato al bar.»

«È ancora vivo?»

«Venga a vedere.»

«Ha i giorni contati, Lila. Ha ucciso quattro americani a New York. Non la passerà liscia», dissi.

«Io non ho ucciso nessuno.»

«Lo hanno fatto i suoi uomini.»

«Uomini che hanno già lasciato il paese. Siamo a prova di bomba.»

«Siamo?»

«Fa troppe domande.»

«Se i suoi uomini hanno agito per suo ordine, non è a prova di bomba. È un complotto.»

«Questo è un paese di leggi e di processi. Non ci sono prove.»

«L'auto?»

«Non esiste più.»

«Per me lei non sarà mai a prova di bomba. La troverò.»

«Spero proprio di sì.»

A un centinaio di metri l'auto della polizia rallentò fino a procedere a passo d'uomo.

«Esca fuori e mi incontri, Lila. Oppure torni a casa. Una delle due. Ma in ogni caso lei qui è finita», affermai.

«Noi non siamo mai finiti», ribatté.

«Noi chi?»

Non ci fu risposta. Il telefono divenne muto. Non si sentiva niente, tranne il silenzio assoluto della linea libera.

A un centinaio di metri l'auto della polizia si fermò.

Chiusi il telefono e lo rimisi in tasca.

Due poliziotti scesero dalla macchina e si diressero verso la piazza.

Rimasi dov'ero. Alzarsi e scappare sarebbe stato troppo sospetto. Meglio restare lì. Non ero solo nel parco. Là con me c'erano forse quaranta persone. Alcune sembravano abitanti fissi. Altri erano vagabondi temporanei. New York è una grande città. Cinque distretti. I viaggi fino a casa sono lunghi. Spesso è più facile riposare per strada.

I poliziotti puntarono il fascio di una torcia sulla faccia di un uomo addormentato.

Proseguirono. Illuminarono il successivo.

E quello dopo ancora.

Non andava bene. Non andava bene per niente.

Ma non fui l'unico a trarre quella conclusione. Qua e là nella piazza vidi alcune sagome alzarsi dalle panchine e strisciar via in più direzioni. Forse persone con mandati pendenti, spacciatori con roba negli zaini, solitari scontrosi che non volevano contatti, paranoici smarriti e diffidenti del sistema.

Due poliziotti, mezzo ettaro di terreno, forse trenta persone ancora sulle panchine, forse dieci da poco in movimento.

Rimasi a guardare.

I poliziotti continuarono ad avanzare. I fasci delle loro torce si muovevano a scatti nella caligine notturna. Gettavano lunghe ombre. Controllarono un quarto tizio, poi un quinto. Poi un sesto. Altre persone si alzarono. Alcuni se ne andarono insieme, altri si spostarono semplicemente da una panchina all'altra. La piazza era piena di sagome, alcune inerti, altre mobili. Tutto avveniva al rallentatore. Come in una danza pigra, stanca.

Rimasi a guardare.

Il linguaggio corporeo dei poliziotti lasciò trasparire una sorta di indecisione. Era come raggruppare dei gatti. Si avvicinarono alle persone ancora sulle panchine. Si giravano e puntavano la luce su quelle che si allontanavano. Continuarono a camminare, a chinarsi, a girarsi. Non c'era uno schema. Solo movimento casuale. Continuarono ad avanzare. Arrivarono a dieci metri da me.

Poi mollarono.

Puntarono i fasci delle torce un'ultima volta tracciando un cerchio simbolico, quindi tornarono alla macchina. Li guardai andar via. Rimasi sulla panchina, espirai e cominciai a pensare ai chip GPS nei cellulari sottratti che avevo in tasca. Una parte di me mi diceva che era impossibile che Lila Hoth avesse accesso ai satelliti per rintracciarli. Ma un'altra parte di me si era focalizzata sulle sue parole, *Noi non siamo mai finiti. Noi* è una parola grossa. Solo tre lettere, ma con profonde implicazioni. Forse i criminali del blocco orientale si erano accaparrati più delle concessioni per il gas e il petrolio. Forse avevano acquisito altri tipi di infrastrutture. La vecchia macchina dell'intelligence sovietica doveva essere finita da qualche parte. Pensai ai laptop, alle connessioni a banda larga e a tutta quella tecnologia che non comprendevo fino in fondo.

Tenni il telefono in tasca, ma mi alzai dalla panchina e mi incamminai verso la metropolitana.

Il che fu un grave errore.

La stazione della metropolitana di Union Square è un hub importante. Ha un atrio grande quanto una piazza sotterranea. Ingressi multipli, uscite multiple, linee multiple, binari multipli. Scale, guardiole, lunghe serie di tornelli. Più lunghe file di macchine per ricaricare le Metrocard o comprarne di nuove. Presi i contanti e ne comprai una nuova. Infilai due banconote da venti dollari nella fessura e ricevetti in cambio venti corse più tre in omaggio. Presi la tessera, mi girai e mi allontanai. Erano quasi le sei del mattino. La stazione si stava riempiendo di gente. Stava cominciando la giornata lavorativa. Passai accanto a un'edicola. Aveva una miriade di riviste diverse. E balle tozze di nuovi tabloid pronti per essere venduti. Giornali spessi, sistemati in pile alte. Due titoli distinti. Entrambi cubitali. Uno era composto da cinque parole, a lettere grosse, con parecchio inchiostro nero: I FEDERALI CERCANO UN TERZETTO. Anche l'altro aveva cinque parole: I FEDERALI INSEGUONO UN TER-ZETTO. In pratica un consenso unanime. Tutto sommato preferivo *cercano* a *inseguono*. Era più passivo, meno impegnato. Quasi benevolo. Supposi che chiunque avrebbe preferito essere cercato anziché inseguito.

Mi voltai.

E vidi due poliziotti che mi osservavano con attenzione.

Due errori in uno. Prima il loro, a cui poi si aggiunse il mio. Il loro errore fu convenzionale. Gli agenti federali sulla 22nd e Broadway avevano diramato la notizia che ero scappato in metropolitana. Al che le forze dell'ordine avevano genericamente ipotizzato che sarei scappato di nuovo in metropolitana. Perché, se hanno scelta, combattono sempre l'ultima battaglia un'ultima volta.

Il mio errore fu finire dritto nella loro pigra trappola.

Dato che c'erano guardiole, c'erano controllori. Dato che c'erano controllori, non c'erano tornelli alti di accesso-uscita.

Solo normali sbarre ad altezza di coscia. Strisciai la nuova tessera e passai di là. L'atrio mutò trasformandosi in un passaggio lungo e largo. Le frecce indicavano a destra e a sinistra, in alto e in basso segnalando le varie linee e le varie direzioni. Superai un uomo che suonava il violino. Si era piazzato là dove gli echi lo avrebbero aiutato. Era piuttosto bravo. Lo strumento aveva un timbro deciso, viscerale. Suonava un vecchio pezzo triste che riconobbi come appartenente a un film sulla guerra del Vietnam. Forse non una scelta ispirata per i pendolari del mattino. Mi girai con indifferenza come se lo stessi studiando e vidi i due poliziotti superare il tornello dietro di me.

Svoltai un angolo a caso e seguii un passaggio più stretto ritrovandomi su un marciapiede per i treni in direzione uptown. Era affollato. E faceva parte di una coppia simmetrica. Davanti a me c'era il bordo del marciapiede e poi i binari, poi ancora una fila di piloni di ferro che sostenevano la strada sovrastante, i binari in direzione downtown e il rispettivo marciapiede. Due di tutto, pendolari compresi. Persone stanche, rivolte le une verso le altre con un'aria come intontita, in attesa di andare in direzioni opposte.

Le terze rotaie erano disposte una contro l'altra ai due lati dei piloni centrali di ferro. Erano coperte come lo sono le terze rotaie nelle stazioni. Le coperture erano costituite da strutture a tre lati, aperte dalla parte rivolta verso i treni.

Dietro di me e lontano alla mia sinistra i poliziotti si fecero strada sul marciapiede. Controllai dall'altra parte. A destra. Altri due poliziotti si infilarono nella calca. Erano larghi e grossi per l'attrezzatura. Scostarono con garbo le persone dal loro cammino posando loro i palmi sulle spalle, compiendo movimenti brevi e ritmici con il dorso della mano come se nuotassero.

Mi portai al centro del marciapiede. Avanzai fino a trovarmi con i piedi sulla striscia gialla di avvertimento. Mi spostai di lato fino ad avere un pilastro proprio alle spalle. Guardai a sinistra. Guardai a destra. Non arrivavano treni.

I due poliziotti continuarono ad avanzare. Dietro ne comparvero altri quattro. Due da un lato, due dall'altro. Fendettero la folla lentamente e con sicurezza.

Mi protesi.

Nei tunnel non c'erano fari.

La folla si muoveva e si ammassava ai miei fianchi spostata dai nuovi arrivi, disturbata dalle onde generate dall'avanzare inesorabile dei poliziotti, spinta in avanti dalla certezza subliminale, tipica di qualsiasi utente della metropolitana, che il treno stia per arrivare.

Controllai di nuovo al di sopra delle spalle, a destra e a sinistra.

Sul mio marciapiede c'erano i poliziotti.

Otto.

Sul marciapiede opposto non ce n'era uno.

56

La gente ha paura della terza rotaia. Non c'è ragione di averne, a meno che non si abbia l'intenzione di toccarla. Centinaia di volt, ma non ti saltano addosso. Devi andarli a cercare per metterti nei guai.

È abbastanza facile da scavalcare, anche con un paio di scarpe schifose. Pensai che se le mie calzature di gomma non erano l'ideale per quanto riguardava il controllo della precisione, per lo meno erano perfette in termini di isolamento elettrico. Ma pianificai lo stesso le mosse con molta cura, come una coreografia teatrale. Salta giù, atterra con due piedi nel centro della linea in direzione uptown, il piede destro sulla seconda rotaia, il sinistro oltre la terza, infilati nello spazio tra i due pilastri, il piede destro al di là dell'altra terza rotaia, il sinistro sulla rotaia della linea in direzione downtown, una serie di passi piccoli, precisi, affettati, poi il sospiro di sollievo, il balzo sul marciapiede della linea in direzione downtown e via di corsa.

Abbastanza facile da fare.

Abbastanza facile perché i poliziotti lo facessero dietro di me. Probabilmente loro lo avevano già fatto prima.

Io no.

Attesi. Controllai alle mie spalle, a destra e a sinistra. I poliziotti erano vicini. Abbastanza da rallentare, mettersi in formazione e decidere con esattezza come fare ciò che andava fatto. Non sapevo quale sarebbe stato il loro approccio. Ma di qualsiasi tipo fosse, avrebbero agito con lentezza. Non volevano una fuga precipitosa di massa. Il marciapiede era affollato e ogni gesto improvviso avrebbe potuto avere conseguenze negative impreviste.

Controllai a sinistra. Controllai a destra. Nessun treno in arrivo. Mi chiesi se i poliziotti li avessero fermati. Presumibilmente esisteva una procedura collaudata. Feci un mezzo passo in avanti. La gente si infilò alle mie spalle, tra me e il pilastro.

Cominciarono a premere contro la schiena. Mi ressi dalla parte
opposta. La striscia d'avvertimento lungo il bordo del marciapiede era di vernice gialla applicata su gobbe circolari. Non
c'era pericolo di scivolare o di sdrucciolare.

I poliziotti si erano disposti ad ampio semicerchio. Erano
circa a due metri e mezzo da me. Stavano avanzando verso l'interno, spingendo la gente all'esterno, alterando il loro perimetro, lenti e cauti. La gente guardava dal marciapiede della linea
in direzione downtown. Si toccavano con i gomiti, mi indicavano, si alzavano in punta di piedi.

Attesi.

Sentii un treno. A sinistra. Nel tunnel una luce si muoveva.
Arrivava rapido. Il nostro treno. In direzione uptown. Alle mie
spalle la folla si agitò. Udii la folata d'aria e lo stridio dei bordini di ferro. Vidi la carrozza illuminata superare dondolando e
sobbalzando la curva. Pensai facesse circa i cinquanta all'ora.
Circa un metro e trenta al secondo. Mi servivano due secondi.
Erano sufficienti. Perciò avrei dovuto andare quando il treno
fosse stato a due metri e sessanta da me. I poliziotti non mi
avrebbero seguito. Il tempo di reazione li avrebbe privati del
margine di cui avevano bisogno. Tanto per cominciare si trovavano a due metri e mezzo dal bordo del marciapiede. E avevano
priorità diverse. Avevano una moglie, una famiglia, ambizioni
e una pensione. Avevano una casa, un giardino, un prato da tagliare e bulbi da piantare.

Feci un altro minuscolo passo in avanti.

Il faro stava arrivando dritto verso di me. Di fronte. Ondeggiava e sussultava. Rendeva difficile stimare la distanza.

Poi sentii un treno arrivare alla mia destra. Un treno in direzione downtown, che si avvicinava rapido dall'altra parte. Sim-
metrico, ma non perfettamente sincronizzato. Come due tende
che si chiudevano con quella di sinistra che guidava quella di
destra.

Ma di quanto?

Mi serviva un intervallo di tre secondi, e uno complessivo di
cinque, perché salire sul marciapiede della linea in direzione
downtown mi avrebbe portato via molto più tempo che saltare
giù da quello della linea in direzione uptown.

Restai fermo per un intero secondo a fare congetture, a valutare, a percepire, a cercare di giudicare.

I treni arrivavano rombando, uno da sinistra, l'altro da destra.

Cinquecento tonnellate e cinquecento tonnellate.

Velocità di avvicinamento sui cento chilometri all'ora.

I poliziotti avanzarono un po'.

Era il momento di decidere.

Andai.

Saltai giù con il treno in direzione uptwon a trenta metri. Atterrai con due piedi tra le rotaie, mi stabilizzai e compii i piccoli passi che avevo programmato. Come lo schema di una danza in un libro. Piede destro, piede sinistro oltre la terza rotaia, mani sui pilastri. Mi fermai per una frazione di secondo e controllai a destra. Il treno in direzione downtown era molto vicino. Dietro di me quello in direzione uptown passò sfrecciando. I freni stridettero e gemettero. Un vento furioso mi strattonò la camicia. Con la coda dell'occhio scorsi i finestrini illuminati sfilare via come luci stroboscopiche.

Guardai a destra.

Il treno in direzione downtown sembrava enorme.

Era il momento di decidere.

Andai.

Il piede destro oltre la terza rotaia, il sinistro nella sede dei binari. Il treno in direzione downtown mi era quasi addosso. A pochi metri. Ondeggiava e sussultava. I freni mordevano forte. Vedevo il guidatore. Aveva la bocca spalancata. Sentivo l'aria formare un muro davanti alla carrozza.

Abbandonai la coreografia. Mi gettai semplicemente verso il marciapiede lontano. Era a meno di un metro e mezzo, ma mi sembrava estremamente distante. Come l'orizzonte in una distesa. Guardai a destra e vidi ogni rivetto e ogni bullone del muso del treno diretto in centro. Mi stava venendo dritto addosso. Misi le mani sul bordo del marciapiede e saltai su. Pensai che la calca mi avrebbe spinto di nuovo giù. Invece diverse mani mi afferrarono e mi tirarono su. Il treno mi sfrecciò accanto alla spalla e la scia d'aria mi fece ruotare. I finestrini volarono via. I passeggeri ignari leggevano libri e giornali, oppure stavano in piedi dondolando. Le mani mi trascinarono e mi spinsero in mezzo alla folla. Le persone tutt'intorno a me urlarono. Vidi le loro bocche aperte in preda al panico, ma non le sentii. Lo stridio dei freni del treno le aveva sopraffatte. Abbassai la testa e mi feci strada a forza nella ressa. Le persone si spostavano a destra e a sinistra per lasciarmi passare. Qualcuna mi diede una pacca sulla schiena mentre avanzavo. Fui seguito da aspre grida di esultanza.

Succedeva solo a New York.

Superai un tornello d'uscita e mi diressi verso la strada.

Il Madison Square Park era sette isolati a nord. Avevo quasi quattro ore da impiegare. Le passai a fare spese e a mangiare a Park Avenue South. Non perché avessi cose da comprare. Non perché avessi particolarmente fame. Ma perché è sempre meglio dare a chi ti insegue quello che non si aspetta. Si ritiene che i fuggitivi vadano lontano e veloce. Non che vagabondino nel quartiere più vicino entrando e uscendo da negozi e caffè.

Erano da poco passate le sei del mattino. Deli, supermercati, ristoranti e coffee shop erano gli unici locali aperti. Iniziai da un Food Emporium che aveva un ingresso su 14th Street e un'uscita sulla 15th. Vi passai quarantacinque minuti. Presi un cestino e girovagai per i corridoi fingendo di fare la spesa. Dava meno nell'occhio che stare fuori in strada. Dava anche meno nell'occhio che girovagare per i corridoi senza un cestino. Non volevo che il responsabile della sicurezza chiamasse qualcuno. Finsi di abitare nei paraggi. Riempii la cucina immaginaria di provviste sufficienti per due giorni. Caffè, naturalmente. Più miscela per pancake, uova, bacon, un filone di pane, burro, un po' di marmellata, una confezione di salame, un etto di formaggio. Quando mi stufai e il cestino divenne pesante, lo lasciai in un corridoio deserto e sgattaiolai fuori dal retro del negozio.

La fermata seguente fu in un ristorante quattro isolati più a nord. Percorsi il marciapiede di destra dando la schiena al traffico. Nel ristorante mangiai pancake e bacon che qualcun altro aveva comprato e cotto. Si confaceva di più al mio stile. Lì passai altri quaranta minuti. Mi spostai di mezzo isolato, in una brasserie francese. Seguirono altro caffè e un croissant. Qualcuno aveva lasciato un *New York Times* su una sedia. Lo lessi da cima a fondo. Non si parlava di cacce all'uomo in città. Nella sezione nazionale non si parlava della corsa al Senato di Sansom.

Divisi le ultime due ore in quattro parti. Mi spostai da un supermercato all'angolo della Park e della 22nd a un drugstore Duane Reade di fronte e poi a una farmacia cvs sulla Park e sulla 23nd. Da tutto quel che vedevo si capiva che la nazione spendeva più per la cura dei capelli che per il cibo. Poi alle dieci meno venticinque smisi di fare spese e uscii nella luce nuova, intensa del mattino, feci un giro e diedi una lunga e attenta occhiata alla mia destinazione dall'imbocco di 24th Street, un canyon anonimo in ombra tra due edifici enormi. Non vidi nulla di preoccupante. Nessun'auto strana, nessun furgone parcheggiato, nessuna coppia e nessun terzetto di persone vestite modestamente con un filo all'orecchio.

Perciò alle dieci esatte entrai nel Madison Square Park.

Trovai Theresa Lee e Jacob Mark fianco a fianco su una panchina vicino a un'area per cani. Avevano l'aria riposata ma ansiosa e stressata, ognuno a suo modo. Ognuno per le sue ragioni, presumibilmente. Erano due delle forse cento persone sedute in pace al sole. Il parco era un rettangolo di alberi, di prati e di sentieri. Era una piccola oasi, larga un isolato e alta tre, recintata, circondata da quattro marciapiedi affollati. I parchi sono posti abbastanza buoni per gli appuntamenti clandestini. I cacciatori sono in genere attirati dai bersagli mobili. Credono che i fuggitivi si muovano sempre. Tre persone su cento sedute immobili mentre la città vortica attorno a loro attraggono meno l'attenzione di tre su cento che camminano spedite per strada.

Non l'ideale, ma pur sempre un rischio accettabile.

Controllai tutt'intorno per l'ultima volta e mi sedetti accanto a Lee. Lei mi porse un quotidiano. Uno dei tabloid. Lo avevo già visto. Il titolo con INSEGUONO. «Sostiene che abbiamo sparato a tre agenti federali», disse.

«Abbiamo sparato a quattro», precisai. «Non dimentichiamo il paramedico.»

«Ma la mettono come se avessimo usato armi vere. Come se quei tizi fossero morti.»

«Vogliono vendere molti giornali.»

«Siamo nei guai.»

« Questo lo sapevamo già. Non serviva ce lo dicesse un giornalista.»

« Docherty si è fatto vivo di nuovo », affermò. « Mi ha mandato messaggi per tutta la notte mentre il telefono era spento.»

Si alzò dalla panchina e prese un fascio di carte dalla tasca posteriore. Tre fogli di carta ingiallita dell'albergo, piegati in quattro.

« Ha preso appunti?» dissi.

« Erano messaggi lunghi. Non volevo tenere il telefono acceso, in caso ci fossero state cose da riesaminare », rispose.

« Allora cosa sappiamo?»

« Il 17º Distretto ha controllato gli accessi al sistema di trasporti. È la procedura standard dopo un crimine importante. Quattro uomini hanno lasciato il paese tre ore dopo l'ora probabile dei decessi. Dal JFK. Il 17º li ritiene potenziali sospetti. È uno scenario plausibile.»

Assentii.

« Il 17º Distretto ha ragione », confermai. « Me l'ha detto Lila Hoth.»

« L'ha incontrata?»

« Mi ha chiamato.»

« Dove?»

« Su un altro telefono che ho preso a Leonid. Lui e un suo amico mi hanno trovato. Non è andata proprio come volevo, ma sono riuscito ad avere un minimo contatto.»

« Ha confessato?»

« Più o meno.»

« Allora dov'è adesso?»

« Non lo so con precisione. Immagino da qualche parte a est della Fifth, a sud della 59th.»

« Perché?»

« Ha usato il Four Seasons come facciata. Perché spostarsi?»

« C'era un'auto a noleggio bruciata nel Queens. Il 17º pensa che i quattro l'abbiano usata per lasciare Manhattan. Poi l'hanno mollata e hanno preso la sopraelevata per raggiungere l'aeroporto.»

Assentii di nuovo. « Lila ha detto che l'auto che hanno usato non esiste più.»

« Ma c'è una cosa », proseguì Lee. « I quattro non sono tornati a Londra, in Ucraina o in Russia. Hanno seguito una rotta per il Tagikistan.»

«Che sarebbe dove?»

«Non lo sa?»

«Quei nuovi posti mi confondono.»

«Il Tagikistan è proprio vicino all'Afghanistan. Ha un confine in comune con esso. Anche con il Pakistan.»

«Per il Pakistan ci sono voli diretti.»

«Esatto. Perciò quegli uomini erano del Tagikistan o dell'Afghanistan stesso. Il Tagikistan è il luogo dove vai per entrare in Afghanistan senza farti notare troppo. Attraversi il confine con un pick-up. Le strade sono brutte, ma Kabul non è troppo lontana.»

«D'accordo.»

«E c'è un'altra cosa. La Homeland Security ha un protocollo. Una sorta di algoritmo informatico. Riescono a rintracciare gruppi di persone attraverso itinerari simili e prenotazioni collegate. È saltato fuori che quei quattro sono entrati nel paese tre mesi fa dal Tagikistan insieme ad altre persone, comprese due donne con passaporti del Turkmenistan. Una aveva sessant'anni, l'altra ventisei. Hanno passato insieme l'immigrazione sostenendo di essere madre e figlia. La Homeland Security è disposta a giurare che i loro passaporti fossero autentici.»

«D'accordo.»

«Quindi le Hoth non erano ucraine. Hanno raccontato solo balle.»

Rimuginammo tutti quelle informazioni in silenzio per venti lunghi secondi. Riesaminai tutte le cose che Lila ci aveva detto e le cancellai una a una. Come quando si estraggono i dossier da un cassetto, li si sfoglia e li si butta nei rifiuti.

«Abbiamo visto i loro passaporti al Four Seasons. A me sono sembrati credibili», dissi.

«Erano falsi. Altrimenti li avrebbero usati per l'immigrazione», osservò Lee.

«Lila aveva gli occhi azzurri», affermai.

«L'ho notato», rispose Lee.

«Dov'è esattamente il Turkmenistan?»

«Sempre vicino all'Afghanistan. Ha un confine più lungo. L'Afghanistan è circondato da Iran, Turkmenistan, Uzbekistan, Tagikistan e Pakistan, in senso orario dal Golfo.»

«Era più facile quando era tutta Unione Sovietica.»

«Solo se non ci vivevi.»

«Turkmenistan e Afghanistan sono etnicamente simili?»

«Probabile. Tutti quei confini sono arbitrari. Sono accidenti della storia. Ciò che conta sono le divisioni in tribù. Le linee su una carta non hanno niente a che vedere con esse.»

«È un'esperta?»

«Il NYPD sa più della CIA su quella regione. Abbiamo uomini laggiù. Abbiamo un'intelligence migliore di qualsiasi altra.»

«Una persona dell'Afghanistan potrebbe procurarsi un passaporto del Turkmenistan?»

«Trasferendosi?»

«Chiedendo aiuto e ottenendolo.»

«Da un simpatizzante etnico?»

Annuii. «Forse sottobanco.»

«Perché lo chiede?»

«Alcuni afghani hanno gli occhi azzurro chiaro. In particolare le donne. Un singolare filamento genetico nella popolazione.»

«Pensa che le Hoth siano afghane?»

«Conoscevano un bel po' di cose sul conflitto con i sovietici. Vagamente infiorettate, ma molti dei dettagli che sapevano erano giusti.»

«Forse leggono libri.»

«No, conoscevano i sentimenti. Il clima. Come i vecchi cappotti pesanti. Particolari del genere non erano di conoscenza comune. Sono informazioni che sa chi ci è dentro. In pubblico l'Armata Rossa sosteneva, per ovvie ragioni, di essere splendidamente equipaggiata. La nostra propaganda diceva di loro la stessa cosa, per ragioni altrettanto ovvie. Ma non era vero. L'Armata Rossa stava cadendo a pezzi. Molte di quelle che hanno riferito le Hoth mi sono parse informazioni di prima mano.»

«E allora?»

«Forse Svetlana ha davvero combattuto lì. Ma dall'altra parte.»

Lee tacque per un istante. «Pensa che le Hoth siano donne di una tribù afghana?»

«Se Svetlana ha combattuto lì, ma non per i sovietici, allora devono esserlo.»

Lee tacque di nuovo. «Nel qual caso Svetlana ha raccontato l'intera storia dall'altro punto di vista. È stato tutto invertito. Comprese le atrocità.»

«Sì», dissi. «Non le ha subite. Le ha commesse.»

Tacemmo tutti di nuovo per altri venti secondi. Continuai a spostare lo sguardo su e giù lungo il parco. *Guarda, non vedere, ascolta, non sentire. Più ti impegni, più sopravvivi.* Nulla tuttavia mi balzò all'occhio. Non stava accadendo niente di strano. La gente andava e veniva, portava i cani nell'area apposita, a una bancarella di hamburger si stava formando la coda. Era presto ma ogni ora del giorno o della notte è l'ora di pranzo per qualcuno. Dipende da quando inizia il giorno. Lee stava rivedendo gli appunti. Jacob Mark fissava il terreno, ma il suo sguardo era focalizzato da qualche altra parte, ben più in profondità rispetto alla superficie. Alla fine si piegò in avanti, girò la testa e mi guardò. Eccola che arriva, pensai. La grande domanda. Lo scoglio da superare.

«Quando Lila Hoth l'ha chiamata, ha parlato di Peter?» chiese.

Annuii. «L'ha rimorchiato lei al bar.»

«Perché impiegare quattro ore per farlo?»

«L'arte del mestiere. Per divertimento e per scaltrezza. Perché poteva.»

«Dov'è adesso?»

«Ha detto che è qui in città.»

«Sta bene?»

«Non ha voluto dirmelo.»

«Secondo lei sta bene?»

Tacqui.

«Risponda, Reacher», incalzò.

«No», risposi.

«No, non mi risponderà?»

«No, non credo stia bene.»

«Però potrebbe.»

«Posso sbagliarmi.»

«Cosa le ha detto Lila?»

«Le ho detto che non avevo paura di lei e lei ha ribattuto che era quello che aveva detto anche Peter. Le ho chiesto se stesse bene e ha risposto che avrei dovuto andare da lei e vederlo coi miei occhi.»

«Perciò potrebbe star bene.»

«È possibile. Ma cerchi di essere realistico.»

«A proposito di che? Perché due donne di una tribù afghana dovrebbero volersi invischiare con Peter?»

«Per arrivare a Susan, naturalmente.»

«A che scopo? Il Pentagono si ritiene aiuti l'Afghanistan.»

«Se Svetlana era una combattente di una tribù, era una mujaheddin. Quando i russi sono andati a casa, i mujaheddin non sono tornati ad accudire le pecore. Sono andati avanti. Alcuni sono diventati talebani, il resto al-Qaeda.»

58

«Devo andare alla polizia per Peter», affermò Jacob Mark. Si stava già alzando dalla panchina quando mi protesi oltre Theresa Lee e gli toccai il braccio.

«Rifletta bene», dissi.

«Che c'è da riflettere? Mio nipote è vittima di un rapimento. È un ostaggio. La donna ha confessato.»

«Rifletta bene su quello che farà la polizia. Chiameranno subito i federali. I federali la richiuderanno di nuovo e metteranno Peter all'ultimo posto perché hanno pesci più grossi da prendere.»

«Devo tentare.»

«Peter è morto, Jake. Mi dispiace ma deve affrontare la realtà.»

«C'è ancora una possibilità.»

«Allora il modo più rapido per trovarlo è trovare Lila. E noi possiamo farlo meglio dei federali.»

«Crede?»

«Guardi il loro curriculum. Se la sono lasciati sfuggire una volta e ci hanno lasciato evadere di prigione. Non li manderei a cercare un libro in biblioteca.»

«Come diavolo la troviamo da soli?»

Guardai Theresa Lee. «Ha parlato con Sansom?»

Lei scrollò le spalle come se avesse buone e cattive notizie. «Gli ho parlato brevemente. Ha detto che forse sarebbe venuto qui di persona. Che mi avrebbe richiamato per accordarci su dove e quando. Ho risposto che non avrebbe potuto farlo perché tengo il telefono spento. Allora ha detto che avrebbe usato il cellulare di Docherty, che avrei dovuto chiamare lui e ricevere il messaggio. Così ho fatto e Docherty non ha risposto. Perciò ho tentato con il centralino del distretto. L'operatore ha detto che Docherty non era disponibile», affermò.

«Che significa?»
«Che lo hanno appena arrestato.»

Il che cambiava tutto. Lo capii prima ancora che Lee parlasse.
Mi porse gli appunti piegati. Li presi come se ricevessi il testimone in una staffetta. Dovevo proseguire il più velocemente
possibile. Lei si ritirava dalla gara, la sua corsa era finita. «Capisce, vero? Adesso mi devo costituire. Lui è il mio collega. Non
posso lasciarlo affrontare questa follia da solo», affermò.
«Pensava che l'avrebbe scaricata in un batter d'occhio», osservai.
«Ma non lo ha fatto. E comunque ho i miei principi.»
«Non servirà a niente.»
«Forse no. Ma non volterò le spalle al mio collega.»
«Così molla e basta. Da una cella di prigione non aiuterà
nessuno. Fuori è sempre meglio che dentro.»
«Per lei è diverso. Lei domani se ne può andare. Io no. Io vivo qui.»
«E Sansom? Mi servono un'ora e un luogo.»
«Non ho queste informazioni. Comunque sia, dovrà stare
attento con Sansom. Al telefono è parso strano. Non sono riuscita a capire se fosse infuriato o molto preoccupato. Difficile
stabilire da che parte starà, quando e se verrà qui.»
Poi mi diede il primo cellulare di Leonid e il caricabatterie
d'emergenza. Mi strinse il braccio solo per un istante. Il surrogato universale di un abbraccio e un gesto di buona fortuna.
Subito dopo la nostra relazione temporanea a tre si disgregò
completamente. Jacob Mark balzò in piedi prima ancora che
Lee iniziasse ad alzarsi. «Lo devo a Peter. D'accordo, potranno
rimettermi in una cella, ma almeno saranno là fuori a cercarlo», affermò.
«Potremmo cercarlo noi», ribattei.
«Non abbiamo risorse.»
Li guardai entrambi e chiesi: «Ne siete sicuri?»
Ne erano sicuri. Si allontanarono, uscirono dal parco, sul
marciapiede di Fifth Avenue, dove si fermarono e allungarono
il collo in cerca di un'auto della polizia, proprio come si fa

quando si cerca di fermare un taxi. Io rimasi seduto solo per un minuto, poi mi alzai e andai dall'altra parte.

Prossima fermata: da qualche parte a est della Fifth e a sud della 59th.

Il Madison Square Park si annida all'estremità sud di Madison Avenue, proprio dove questa inizia all'altezza di 23rd Street. Madison Avenue corre dritta per centoquindici isolati fino al Madison Avenue Bridge che porta nel Bronx. Puoi arrivare allo Yankee Stadium da quella parte, anche se altre vie sono migliori. Avevo intenzione di coprire forse un terzo della sua lunghezza, fino a 59th Street, che era un po' a nord-ovest del punto in cui Lila Hoth aveva detto di non trovarsi, sulla Third e 56th.

Era un posto buono come altri per iniziare.

Presi il bus, che era un mezzo lento e ingombrante, una scelta assurda per un fuggitivo dallo sguardo allucinato e una copertura perfetta per me. Il traffico era intenso e superammo parecchi poliziotti, alcuni a piedi, altri in macchina. Li guardai dal finestrino. Nessuno ricambiò l'occhiata. Un uomo su un bus è quasi invisibile.

Smisi di essere invisibile quando scesi a 59th Street. Il regno dei negozi, pertanto il regno dei turisti, pertanto coppie rassicuranti di poliziotti a ogni angolo. Presi una trasversale fino alla Fifth, trovai una fila di ambulanti ai piedi di Central Park e comprai una maglietta nera con la scritta NEW YORK CITY, un paio di occhiali da sole contraffatti e un cappellino da baseball nero con sopra una mela rossa. Mi cambiai in un bagno nell'atrio di un albergo e tornai sulla Madison un po' diverso. Erano passate quattro ore da quando qualsiasi poliziotto di servizio aveva parlato con il suo comandante. In quattro ore la gente dimentica molto. Immaginai che *alto* e *camicia cachi* fossero tutto ciò che ricordavano. Non potevo far niente per quanto riguardava l'altezza, ma la mia nuova metà superiore del corpo, nera, mi avrebbe forse permesso di passare inosservato. In più c'era la scritta sulla maglietta, gli occhiali da sole e il cappellino, che mi facevano sembrare un qualsiasi idiota venuto da fuori città.

Cosa che sostanzialmente ero. Sapevo in verità che fare. Trovare un nascondiglio segreto è difficile. Trovarne uno in una grande città densamente popolata è quasi impossibile. Stavo solo vagabondando a caso per gli isolati, seguendo un'intuizione geografica che tanto per cominciare si sarebbe potuta rivelare del tutto sbagliata, cercando di trovare motivi per restringerla ulteriormente. *L'albergo Four Seasons. Non nelle adiacenze ma in una zona comoda vicina.* Il che significava cosa? Due minuti in macchina? Cinque minuti a piedi? In quale direzione? Non a sud, pensai. Non oltre 57th Street, che è un'importante via che attraversa la città. A due sensi, con cinque corsie. Sempre trafficata. Nella microgeografia di Manhattan 57th Street è come il fiume Mississippi. Un ostacolo. Un confine. Molto più allettante dileguarsi a nord, negli isolati più tranquilli e bui che stanno al di là.

Osservai il traffico e pensai: non due minuti in macchina. Guidare comportava mancanza di controllo, mancanza di flessibilità e ritardi, strade e viali a senso unico, difficoltà di parcheggio, veicoli potenzialmente facili da ricordare fermi nelle zone di carico, targhe rintracciabili e verificabili.

In città camminare era meglio che guidare, chiunque fossi.

Presi 58th Street e giunsi all'ingresso posteriore dell'hotel. Era sontuoso come quello principale. Pietra e ottone, bandiere svolazzanti, facchini in divisa e portieri con il cilindro. C'era una lunga fila di limousine in attesa accanto al marciapiede. Lincoln, Mercedes, Maybach, Rolls-Royce. Ben più di un milione di dollari in prodotti del settore automobilistico, tutti stipati in circa venticinque metri. C'era una zona di carico con un portone a serranda grigio, chiuso.

Rimasi accanto a un fattorino con la schiena rivolta alla porta dell'albergo. Dove andare? Dall'altra parte della strada non c'era niente tranne una fila ininterrotta di palazzi alti. Per lo più condomini con il pianterreno affittato a clienti esclusivi. Proprio di fronte c'era una galleria d'arte. Mi infilai tra due paraurti cromati, attraversai la strada e ammirai alcuni quadri in vetrina. Poi mi voltai e guardai indietro.

A sinistra dell'albergo, sul lato più vicino a Park Avenue, non c'era niente di interessante.

Poi guardai a destra, lungo l'isolato in direzione della Madison e mi venne una nuova idea.

L'hotel in sé era una costruzione recente, realizzata con un budget da capogiro. Gli edifici vicini erano tutti silenziosi, lussuosi e solidi, alcuni vecchi, altri nuovi. Ma all'estremità occidentale dell'isolato c'erano tre vecchi palazzi in fila. Stretti, tutti attaccati, quattro piani di mattoni, vecchi, scrostati, scheggiati, macchiati, cadenti. Finestre sporche, architravi infossate, tetti piatti, erbacce sui cornicioni, vecchie scale di ferro antincendio che scendevano a zig-zag lungo i quattro piani superiori. I tre palazzi sembravano tre denti marci in un bel sorriso. Uno aveva un ristorante chiuso al pianterreno. Uno un negozio di ferramenta. Il terzo un negozio abbandonato talmente tanto tempo prima che non riuscii a capire cosa fosse. Ognuno aveva una porta stretta collocata con discrezione a lato dell'attività commerciale. Due porte avevano una pulsantiera, il che significava appartamenti. La porta accanto al vecchio ristorante aveva un solo campanello, il che significava un solo occupante nei quattro piani superiori.

Lila Hoth era una miliardaria ucraina di Londra. Quella era una bugia. Perciò chiunque fosse in realtà, disponeva di un budget. Un budget generoso, certo, che le consentiva di prendere una suite al Four Seasons se e quando necessario. Ma presumibilmente non infinito. Una palazzina in vendita a Manhattan valeva come minimo venti milioni di dollari o più. Una in affitto poteva costare varie decine di migliaia di dollari al mese.

Ci si poteva garantire la riservatezza in modo più economico negli edifici fatiscenti d'uso misto come i tre che stavo guardando. Forse ci sarebbero stati anche altri vantaggi. Niente portieri nei paraggi, meno occhi curiosi. Senza contare il fatto che un'attività come un ristorante o un negozio di ferramenta riceveva consegne a tutte le ore del giorno e della notte. Probabilmente un andirivieni casuale non avrebbe attirato molta attenzione.

Mi spostai lungo la strada, rimasi sul marciapiede di fronte ai tre vecchi palazzi e li fissai. La gente mi superava in un flusso continuo. Scesi in strada per togliermi di mezzo. C'erano due poliziotti all'angolo lontano della Madison e della 57th. A cinquanta metri, in diagonale. Non guardavano dalla mia parte.

Tornai a osservare gli edifici e riesaminai le ipotesi. La stazione della linea 6 della 59th e Lexington era vicina. Il Four Seasons era vicino. Third Avenue e 56th Street non erano vicine. *Non è vicino a me.* L'anonimato era garantito. Il costo limitato. Cinque su cinque. Perfetto. Pensai quindi che forse stavo cercando un posto come uno dei tre di fronte, localizzato da qualche parte in un raggio di cinque minuti a est o a ovest della porta posteriore dell'albergo. Non a nord altrimenti Susan Mark avrebbe parcheggiato a Midtown e pensato di scendere dalla metropolitana a 68th Street. Non a sud a causa della barriera psicologica di 57th Street. Assolutamente non altrove perché avevano usato il Four Seasons come facciata. Se fossero state altrove, avrebbero usato un altro albergo. A New York non mancano posti sfarzosi.

Una logica impeccabile. Forse troppo. Limitante, certo. Perché se mi fossi attenuto all'ipotesi che Susan Mark volesse scendere alla 59th e pensasse di avvicinarsi da nord, e che 57th Street fosse una barriera concettuale a sud, allora 58th Street era il centro di tutto. Per percorrere i lunghi isolati che attraversano Manhattan ci vogliono circa cinque minuti. Perciò un raggio di cinque minuti a destra o a sinistra della porta posteriore dell'albergo terminava proprio nell'isolato in cui stavo gironzolando o in quello successivo a est, tra la Park e la Lexington. Gli immobili fatiscenti d'uso misto sono rari in isolati come quelli. La speculazione edilizia li aveva fatti scomparire molto tempo prima. Era del tutto possibile che stessi guardando gli unici edifici rimasti in piedi nell'intera zona con il medesimo codice postale.

Pertanto era del tutto possibile che stessi guardando il nascondiglio di Lila Hoth.

Del tutto possibile ma estremamente improbabile. Credo nella fortuna come chiunque altro, ma non sono pazzo.

Credo però anche nella logica, probabilmente più degli altri, e la logica mi aveva condotto in quel punto. Riesaminai di nuovo il tutto e finii per credere a me stesso.

Grazie a un fattore extra.

Cioè che la stessa logica aveva portato lì anche qualcun altro.

Springfield scese sull'asfalto accanto a me e disse: «Pensa di sì?»

Springfield indossava lo stesso abito che gli avevo visto addosso prima. Lana leggera estiva di colore grigio con una trama simile alla seta, leggermente lucida. Era stropicciato e spiegazzato come se ci avesse dormito dentro. Cosa che forse aveva fatto davvero.

«Pensa sia questo il posto?» disse.

Non risposi. Ero troppo occupato a controllare attorno. Guardai centinaia di persone e decine di auto. Ma non vidi nulla di cui preoccuparmi. Springfield era solo.

Mi voltai. Springfield ripeté la domanda. «Pensa sia questo?»

«Dov'è Sansom?» chiesi.

«È rimasto a casa.»

«Perché?»

«Perché questo genere di cose è complesso e io sono migliore di lui.»

Assentii. Per i sottufficiali era un dogma essere migliori degli ufficiali. Di solito avevano ragione. Io di certo ero stato contento dei miei. Avevano fatto parecchi buoni lavori per me.

«Allora qual è il patto?» domandai.

«Quale patto?»

«Tra me e lei.»

«Non abbiamo un patto», rispose. «Non ancora.»

«Lo avremo?»

«Forse dovremmo parlare.»

«Dove?»

«Dove vuole», affermò. Il che era buon segno. Significava che, se nel mio prossimo futuro ci fossero state una trappola o un'imboscata, sarebbero state improvvisate e quindi non perfettamente efficaci. Forse fino al punto da consentirmi di sopravvivere.

«Quanto bene conosce la città?» gli domandai.

« Me la cavo. »

« Giri due volte a sinistra e vada al 57 della East 57th. Io arriverò dieci minuti dopo di lei. Ci vediamo dentro. »

« Che genere di posto è? »

« Ci potremmo bere un caffè. »

« Va bene », disse. Diede un'ulteriore occhiata all'edificio con il vecchio ristorante alla base, poi attraversò la strada in diagonale in mezzo al traffico e svoltò a sinistra in Madison Avenue. Io andai dall'altra parte fino all'ingresso posteriore del Four Seasons. Questo si trovava proprio lì, su 58th Street. Era un edificio che occupava un isolato. Il che significava che l'ingresso anteriore si trovava su 57th Street. Al 57 della East 57th per essere precisi. Sarei entrato quattro minuti prima di Springfield. Avrei saputo se si fosse portato una squadra. Avrei visto se qualcuno fosse entrato prima di lui, con lui o dopo di lui. Attraversai il retro diretto all'atrio, mi tolsi cappellino e occhiali e rimasi in un angolo tranquillo in attesa.

Springfield entrò solo all'ora esatta, cioè quattro minuti dopo. Non c'era stato il tempo di schierare in fretta qualcuno in strada. Di parlare con qualcuno. Probabilmente neanche di fare una telefonata dal cellulare. In genere le persone rallentano un po' il passo per comporre il numero e conversare.

Accanto alla porta c'era un uomo con un abito formale da mattino. Giacca nera a coda di rondine e cravatta argento. Non un portiere. Non un capo fattorino. Una specie di responsabile del ricevimento ospiti, anche se il suo titolo era probabilmente molto più importante. Si avviò verso Springfield e questi gli lanciò una sola occhiata, al che l'uomo si allontanò come se fosse stato schiaffeggiato. Springfield aveva quel genere di faccia.

Si fermò per un istante, si orientò e puntò alla sala da tè, dove in precedenza avevo incontrato le Hoth. Io rimasi nel mio angolo a osservare l'ingresso sulla strada. Non c'erano rinforzi. Non c'erano berline senza insegne ferme all'esterno. Lasciai passare dieci minuti e ne aggiunsi altri due, non si sapeva mai. Non accadde nulla. Solo il normale viavai di un hotel cittadino di lusso. Persone ricche che andavano, persone ricche che venivano. Quelle povere correvano di qua e di là a fare cose per loro.

Entrai nella sala da tè e trovai Springfield sulla stessa sedia che aveva usato Lila Hoth. Era di servizio lo stesso cameriere anziano e dignitoso. Si avvicinò. Springfield chiese un'acqua minerale. Io un caffè. Il cameriere annuì impercettibilmente e si allontanò di nuovo.

«Ha incontrato le Hoth qui due volte», osservò Springfield.

«Una volta proprio a questo tavolo», risposi.

«Il che è tecnicamente un problema. Entrare in rapporti con loro in qualsiasi modo può essere considerato un crimine.»

«In base a?»

«In base al Patriot Act.»

«Chi sono esattamente le Hoth?»

«Anche attraversare i binari della metropolitana è un reato. Tecnicamente potrebbe beccarsi fino a cinque anni di prigione.»

«Ho anche sparato a quattro agenti federali con i dardi.»

«A nessuno importa di loro.»

«Chi sono le Hoth?»

«Non posso fornire spontaneamente informazioni.»

«Allora perché siamo qui?»

«Lei aiuta noi, noi aiutiamo lei.»

«Come mi potete aiutare?»

«Possiamo cancellare tutti i suoi reati.»

«E io come posso aiutare voi?»

«Può aiutarci a trovare quello che abbiamo perso.»

«La chiavetta?»

Springfield annuì. Il cameriere tornò con il vassoio. Acqua minerale e caffè. Dispose le cose con cura sul tavolo e indietreggiò.

«Non so dove sia la chiavetta», affermai.

«Sono sicuro sia così. Ma è stato più vicino lei a Susan Mark di chiunque altro. E Mark ha lasciato il Pentagono con essa. Non era a casa sua o in macchina né in nessun altro luogo in cui è andata. Perciò speriamo che abbia visto qualcosa. Forse per lei non significava niente, ma per noi forse sì.»

«L'ho vista spararsi. È tutto.»

«Dev'esserci stato di più.»

«Avevate il vostro capo dello staff sul treno. Cosa ha visto lui?»

«Niente.»

«Cosa c'era nella chiavetta?»

«Non posso fornire spontaneamente informazioni.»

«Allora non posso aiutarvi.»

«Perché vuole saperlo?»

«Desidero sapere almeno a grandi linee il guaio in cui sto per cacciarmi», spiegai.

«Allora dovrebbe porsi una domanda.»

«Quale domanda?»

«Quella che ancora non si è posto, quella che si sarebbe dovuto porre fin dall'inizio. La domanda chiave, idiota.»

«Cos'è? Una gara? Sottufficiali contro ufficiali?»

«Quella battaglia è finita molto tempo fa.»

Perciò riandai agli inizi in cerca della domanda che non mi ero mai posto. Gli inizi erano il treno della linea 6 e la passeggera numero quattro nella parte destra della carrozza, sola sulla sua panca da otto, bianca, sulla quarantina, bruttina, capelli neri, abiti neri, borsa nera. Susan Mark, cittadina americana, ex moglie, madre, sorella, adottata, residente ad Annandale, in Virginia.

Susan Mark, impiegata civile al Pentagono.

«Che lavoro faceva esattamente?» domandai.

61

Springfield bevve una lunga sorsata d'acqua, poi fece un veloce sorriso e disse: «È stato lento, ma alla fine ci è arrivato».

«Allora che lavoro faceva?»

«Era amministratrice di sistema, responsabile di una certa quantità di tecnologie informatiche.»

«Non so cosa significhi.»

«Significa che conosceva un mucchio di master password dei computer.»

«Di quali computer?»

«Non di quelli importanti. Non poteva lanciare missili o che. Ma ovviamente era autorizzata ad accedere ai documenti dello HRC. E ad alcuni archivi.»

«Ma non agli archivi della Delta, giusto? Sono nella Carolina del Nord. A Fort Bragg, non al Pentagono.»

«I computer sono collegati in rete. Adesso ogni cosa è dappertutto e da nessuna parte.»

«E vi ha avuto accesso?»

«Per un errore umano.»

«Cosa?»

«È stato in parte un errore umano.»

«In parte?»

«Ci sono molti amministratori di sistema. Gestiscono problemi comuni. Si aiutano l'un l'altro. Hanno una propria chat room e una propria bacheca digitale. C'era una linea di codice difettosa che ha reso le singole password meno opache del dovuto. Perciò c'è stata una fuga di informazioni. Pensiamo sapessero tutto, ma che a loro andasse bene così. Una persona poteva entrare e aiutarne un'altra con il minimo clamore. Anche se il codice fosse stato corretto, lo avrebbero probabilmente cancellato.»

Mi ricordai che Jacob Mark aveva detto: *Era brava con il computer.*

«Dunque ha avuto accesso agli archivi della Delta?» affermai.

Springfield si limitò ad annuire.

«Ma lei e Sansom ve ne siete andati cinque anni prima di me. A quel tempo niente era computerizzato. Di certo non gli archivi», osservai.

«I tempi cambiano», affermò Springfield. «L'esercito americano così come lo conosciamo ha quasi novant'anni. Abbiamo novant'anni di merda accumulata. Vecchie armi arrugginite che il nonno di qualcuno ha portato indietro come souvenir, bandiere e uniformi catturate tutte piene di muffa e chi più ne ha più ne metta. Più letteralmente migliaia di tonnellate di carta. Forse milioni di tonnellate. È un problema pratico. Rischio di incendi, topi, immobili.»

«E allora?»

«Allora negli ultimi dieci anni hanno fatto le grandi pulizie. I manufatti vengono mandati ai musei o gettati via, i documenti scannerizzati e conservati nei computer.»

Annuii. «Susan Mark è entrata nel sistema e ne ha copiato uno.»

«Ha fatto più che copiarlo», rispose Springfield. «Ne ha prelevato uno, l'ha trasferito su un drive esterno e ha cancellato l'originale.»

«Il drive esterno è la chiavetta?»

Lui assentì. «E non sappiamo dove si trovi.»

«Perché lei?»

«Perché era adatta allo scopo. La parte rilevante dell'archivio dove cercare è stata rintracciata attraverso la medaglia. Il personale dello HRC conserva i documenti relativi alle medaglie. Come ha detto lei. Susan era un'amministratrice di sistema. Ed era vulnerabile per via del figlio.»

«Perché ha cancellato l'originale?»

«Non lo so.»

«Deve aver aumentato il rischio.»

«Significativamente.»

«Che documento era?»

«Non posso fornire spontaneamente informazioni.»

«Quando è stato ripescato dagli archivi cartacei e scannerizzato?»

«Un po' più di tre mesi fa. È un processo lento. Il programma è in corso da dieci anni e sono arrivati solo fino all'inizio degli anni Ottanta.»

«Chi svolge il lavoro?»

«Uno staff di specialisti.»

«Con una falla. Le Hoth l'hanno individuata più o meno subito.»

«Evidentemente.»

«Avete già capito dove?»

«Stiamo prendendo provvedimenti.»

«Che tipo di documento era?»

«Non posso fornire spontaneamente informazioni.»

«Ma era un file grosso.»

«Abbastanza.»

«E le Hoth lo vogliono.»

«Questo è chiaro.»

«Perché lo vogliono?»

«Non posso fornire spontaneamente informazioni.»

«Lo dice con insistenza.»

«Lo ribadisco con insistenza.»

«Chi sono le Hoth?»

Lui si limitò a sorridere e fece un gesto circolare come per ribadire: *Non posso fornire spontaneamente informazioni.* Un'ottima risposta da sottufficiale. Cinque parole, la quarta delle quali era forse la più significativa.

«Potrebbe farmi delle domande. Io potrei avanzare spontaneamente delle ipotesi. E lei potrebbe commentare», dissi.

«Chi pensa siano le Hoth?» affermò.

«Penso siano native dell'Afghanistan.»

«Continui», disse lui.

«Non è un gran commento.»

«Continui.»

«Probabilmente talebane o simpatizzanti di al-Qaeda, agenti operativi o collaboratrici.»

Non ci furono reazioni.

«Al-Qaeda», dissi. «I talebani di solito se ne stanno a casa.»

«Continui.»

«Agenti operativi», affermai.

Non ci furono reazioni.

« Capi? »

« Continui. »

« Al-Qaeda usa donne come capi? »

« Usano qualsiasi cosa funzioni. »

« Non sembra plausibile. »

« È quello che vogliono farci credere. Vogliono che cerchiamo uomini che non esistono. »

Non dissi nulla.

« Continui », affermò lui.

« D'accordo, quella che si fa chiamare Svetlana ha combattuto con i mujaheddin e sapeva che avevate preso il fucile VAL a Grigori Hoth. Hanno usato il nome di Hoth e la sua storia per accattivarsi le nostre simpatie. »

« Perché? »

« Perché adesso al-Qaeda vuole prove documentarie di qualsiasi altra cosa voi abbiate fatto quella notte. »

« Continui. »

« Per la quale Sansom si è preso una bella medaglia. Perciò una volta, quando è accaduta, dev'essere sembrata una cosa molto valida. Ma adesso temete di essere smascherati. Quindi presumo non sembri più molto valida. »

« Continui. »

« Sansom è giù di corda, ma anche il governo è agitato. Perciò è una questione sia personale sia politica. »

« Continui. »

« Quella notte lei si è guadagnato una medaglia? »

« La Superior Service Medal. »

« Che arriva direttamente dal segretario della Difesa. »

Springfield annuì. « Un grazioso gingillo per un umile sergente. »

« Quindi il viaggio è stato più politico che militare. »

« Ovvio. A quel tempo non eravamo ufficialmente in guerra con chicchessia. »

« Sapete che le Hoth hanno ucciso quattro persone e probabilmente anche il figlio di Susan Mark, vero? »

« Non lo sappiamo. Ma lo sospettiamo. »

« Allora perché non le avete arrestate? »

« Io mi occupo della sicurezza di un membro del Congresso. Non posso arrestare nessuno. »

«I federali sì.»

«I federali lavorano in modi misteriosi. A quanto sembra, considerano le Hoth combattenti nemiche di prima categoria e un bersaglio molto significativo, oltre che estremamente pericoloso, ma allo stato attuale non operativo.»

«Che significa cosa?»

«Significa che in questo momento c'è più da guadagnare a lasciarle al loro posto.»

«Il che in realtà significa che non sono in grado di trovarle.»

«Naturalmente.»

«A voi sta bene?»

«Le Hoth non hanno la chiavetta altrimenti non la starebbero ancora cercando. Perciò in un modo o nell'altro non m'importa.»

«Invece dovrebbe», osservai.

«Pensa sia la loro base? Quella dove si trovava poco fa?»

«Questo isolato o il seguente.»

«Io credo che sia questo», affermò. «I federali hanno perquisito la suite dell'albergo. Mentre erano fuori.»

«Lila me l'ha detto.»

«Avevano alcuni sacchetti di negozi. Per facciata. Perché sembrasse tutto a posto.»

«Li ho visti.»

«Due di Bergdorf Goodman e due di Tiffany. Quei negozi sono vicini, a circa un isolato dai vecchi palazzi. Se la loro base fosse nell'isolato a est della Park, sarebbero andate invece da Bloomingdale's. Perché in realtà non hanno fatto spese. Volevano solo alcuni accessori nella suite, per ingannare gli altri.»

«Buona osservazione», dissi.

«Non vada in cerca delle Hoth», affermò Springfield.

«Adesso si preoccupa per me?»

«Potrebbe perdere in due modi. Penseranno la stessa cosa nostra, che anche se non ha la chiavetta, sappia in qualche modo dove sia finita. E potrebbero essere persino più malvagie e persuasive di noi.»

«E?»

«Potrebbero rivelarle in effetti cosa contiene. Nel qual caso dal nostro punto di vista lei diventerebbe un problema da risolvere.»

«Quanto grave è?»

«Io non mi vergogno. Ma il maggiore Sansom ne sarebbe imbarazzato.»

«E gli Stati Uniti.»

«Anche.»

Il cameriere tornò e si informò se volessimo qualcos'altro. Springfield disse di sì. Riordinò per entrambi. Il che significava che aveva altro di cui parlare. «Mi ripeta esattamente cos'è successo sul treno», affermò.

«Perché lei non era là al posto del capo dello staff? Era un genere di lavoro più per lei che per lui.»

«La cosa ci è piombata addosso all'improvviso. Ero in Texas con Sansom. A raccogliere fondi. Non abbiamo avuto il tempo di organizzarci.»

«Perché i federali non avevano qualcuno sul treno?»

«Lo avevano. Avevano due persone sul treno, due donne. Sotto copertura, prese a prestito dall'FBI. Gli agenti speciali Rodriguez e Mbele. Lei è salito nella vettura sbagliata e ha fatto tutto il viaggio con loro.»

«Erano brave», commentai. Ed era vero. La donna ispanica piccola, accaldata, stanca, il sacchetto del supermercato avvolto attorno al polso. La donna dell'Africa occidentale con l'abito batik. «Erano molto brave. Ma come sapevate tutti che avrebbe preso quel treno?»

«Non lo sapevamo», rispose Springfield. «Era un'operazione vasta. Un gran guazzabuglio. Sapevamo che era in una macchina. Perciò abbiamo messo degli uomini ad attenderla nei tunnel di accesso a Manhattan. L'idea era seguirla da lì fino a qualsiasi posto avesse raggiunto.»

«Perché non è stata arrestata sui gradini del Pentagono?»

«C'è stata una breve discussione. I federali hanno vinto. Volevano eliminare l'intera catena in un colpo solo. E potevano riuscirci.»

«Se non avessero combinato un casino.»

«Certo.»

«Mark non aveva la chiavetta. Perciò non avrebbero eliminato un bel niente.»

«Ha lasciato il Pentagono con essa e non è né a casa sua né nell'auto.»

«Ne siete sicuri?»

«La casa è stata fatta completamente a pezzi e potrei mangiarmi il frammento più grande rimasto dell'auto.»

«Con quanta cura hanno perquisito la metropolitana?»

«La carrozza numero 7622 è ancora al capolinea di 207th Street. Dicono che potrebbe volerci un mese o più per ricostruirla.»

«Cosa diavolo c'era in quella chiavetta?»

Springfield non rispose.

Uno dei telefoni nella mia tasca iniziò a vibrare.

62

Li estrassi tutti e tre dalla tasca e li disposi sul tavolo.

Uno si stava spostando di un paio di millimetri alla volta. La vibrazione era forte. Sul display si leggeva: *Numero privato.* Lo aprii, lo accostai all'orecchio e dissi: «Pronto?»

«È ancora a New York?» domandò Lila Hoth.

«Sì», risposi.

«È vicino al Four Seasons?»

«Non molto», affermai.

«Ci vada adesso. Ho lasciato un pacchetto per lei alla reception.»

«Quando?» chiesi.

Ma la linea s'interruppe.

Lanciai un'occhiata a Springfield e dissi: «Aspetti qui». Poi mi affrettai a raggiungere l'atrio. Non vidi alcuna schiena che si allontanava, diretta alla porta. La scena era tranquilla. L'incaricato di ricevere gli ospiti con la giacca a coda di rondine se ne stava in piedi, in ozio. Mi avvicinai alla reception, dissi il mio nome e chiesi se avessero qualcosa per me. Un minuto dopo tenevo una busta in mano. Recava il mio nome scritto sulla parte anteriore in grosse lettere nere. Nell'angolo in alto a sinistra, là dove ci sarebbe dovuto essere il mittente, c'era il nome di Lila Hoth. Chiesi all'impiegato quando la avessero consegnata. Mi disse più di un'ora prima.

«Ha visto chi l'ha lasciata?» domandai.

«Un signore straniero.»

«L'ha riconosciuto?»

«No, signore.»

La busta era imbottita, di circa quindici centimetri per ventitré. Leggera. Conteneva qualcosa di rigido. Di rotondo, forse di dodici centimetri di diametro. La portai nella sala da tè e mi sedetti di nuovo con Springfield. «Dalle Hoth?» disse.

Assentii.

«Potrebbe essere piena di spore di antrace», osservò.

«Sembra più un CD», replicai.

«Di cosa?»

«Di musica popolare afghana, forse.»

«Spero di no», disse. «Ho ascoltato la musica popolare afghana. A lungo e da vicino.»

«Vuole che aspetti ad aprirlo?»

«Fino a quando?»

«Finché non sarà fuori portata.»

«Correrò il rischio.»

Perciò strappai la busta e la scossi. Ne uscì un unico disco che emise un rumore di plastica a contatto con il legno del tavolo.

«Un CD», affermai.

«Un DVD in realtà», precisò Springfield.

Era artigianale. Un disco vergine fabbricato dalla Memorex. Sul lato dell'etichetta avevano scritto GUARDI QUESTO con un pennarello indelebile nero. Era la stessa calligrafia della busta. La stessa penna. La calligrafia e la penna di Lila Hoth, presumibilmente.

«Non ho un lettore DVD», osservai.

«Allora non lo guardi.»

«Penso di doverlo fare.»

«Cos'è successo sul treno?»

«Non lo so.»

«Può vedere un DVD su un computer. Come le persone che guardano i film sul laptop in aereo.»

«Non ho un computer.»

«Li hanno gli hotel.»

«Non voglio restare qui.»

«Ci sono altri hotel in città.»

«Dove alloggia?»

«Allo Sheraton. Dove eravamo prima.»

Così Springfield pagò il conto della sala da tè con una carta di credito platino e andammo a piedi dal Four Seasons allo Sheraton. Era la seconda volta che facevo quel percorso. Ci volle quasi altrettanto. Marciapiedi affollati, gente che si muoveva lenta nella calura. Era l'una del pomeriggio e faceva molto caldo. Per tutto il tragitto stetti in guardia per individuare eventuali poliziotti, il che non facilitò la nostra avanzata. Ma alla fine ci arrivammo. Lo schermo al plasma nell'atrio elencava l'intera serie di eventi. La sala da ballo era riservata da un'associazione commerciale. Qualcosa che aveva a che fare con una pay TV. Il che mi fece pensare al National Geographic Channel e al gorilla silverback.

Springfield aprì la porta del business center con la sua chiave. Non entrò con me. Mi disse che avrebbe aspettato nell'atrio e quindi se ne andò. Tre delle quattro postazioni di lavoro erano occupate. Due donne, un uomo, tutti in abiti scuri, tutti con valigette di pelle aperte con le carte sparpagliate. Occupai la sedia vuota e mi accinsi a capire come vedere un DVD al computer. Trovai una fessura nell'unità centrale che sembrava adatta allo scopo. Ci infilai il disco, incontrai una piccola resistenza, poi il motore ronzò e l'unità lo risucchiò.

Per cinque secondi non accadde molto. Parecchi arresti, avvisi e ronzii. Poi sullo schermo si aprì un'ampia finestra. Era vuota. Ma nell'angolo in fondo c'era un'icona. Simile all'immagine dei pulsanti di un lettore DVD. PLAY, PAUSE, FAST FORWARD, REWIND, SKIP. Spostai il mouse e mentre passava sui pulsanti, il puntatore da freccia diventò una manina paffuta.

Il telefono in tasca cominciò a vibrare.

63

Estrassi il telefono dalla tasca e lo aprii. Mi guardai attorno nella stanza. I miei tre colleghi erano tutti profondamente assorti a lavorare. Una aveva un grafico a barre sullo schermo. Colonne di colori intensi e nitidi, alcune alte, altre basse. L'uomo stava leggendo le e-mail. L'altra donna stava battendo rapida sulla tastiera.

Accostai il telefono all'orecchio e dissi: «Pronto?»

«Lo ha già preso?» domandò Lila Hoth.

«Sì», risposi.

«Lo ha già guardato?»

«No.»

«Dovrebbe farlo.»

«Perché?»

«Lo troverà istruttivo.»

Guardai di nuovo gli occupanti della stanza e chiesi: «C'è l'audio?»

«No, è un film muto. Purtroppo. Con l'audio sarebbe meglio.»

Non risposi.

«Dove si trova?» chiese.

«Nel business center di un albergo.»

«Il Four Seasons?»

«No.»

«Ci sono computer nel business center?»

«Sì.»

«Può vedere un DVD su un computer, sa.»

«Così mi hanno detto.»

«Altri possono vedere lo schermo?»

Non risposi.

«Lo guardi», disse. «Resterò in linea. Lo commenterò. Come un'edizione speciale.»

Non risposi.

«Come un director's cut», aggiunse e rise brevemente.

Spostai il mouse e collocai la manina paffuta sul pulsante play. Attese lì, paziente.

Cliccai il mouse.

L'unità centrale emise altri ronzii, poi la finestra vuota sullo schermo si illuminò e mostrò due righe orizzontali deformate. Lampeggiarono due volte, quindi l'immagine si trasformò in una vista grandangolare di un vasto spazio all'aperto. Era notte. La telecamera era ferma. Montata in alto su un treppiede, immaginai. La scena era intensamente illuminata da luci alogene violente collocate poco al di fuori dell'inquadratura. Il colore era naturale. L'ambiente aveva un'aria straniera. Terra battuta, di una tonalità cachi scuro. Piccoli sassi e una grossa pietra. Questa era piatta, più grande di un letto king-size. Era stata trapanata e dotata di quattro anelli di ferro. Uno a ogni angolo.

Agli anelli era legato un uomo nudo. Era basso, magro e asciutto. Aveva la pelle olivastra e una barba nera. Era sulla trentina. Steso di schiena, allungato a formare un'ampia X.

La telecamera era posizionata a circa un metro dai suoi piedi. Nella parte alta dell'immagine la sua testa si muoveva a scatti da una parte all'altra. Aveva gli occhi chiusi. La bocca aperta. I tendini del collo risaltavano come corde.

Urlava ma non potevo sentirlo.

Era un film muto.

Lila Hoth mi parlò all'orecchio.

«Cosa vede?» chiese.

«Un uomo su una lastra», risposi.

«Continui a guardare.»

«Chi è?»

«*Era* un tassista che ha fatto una commissione per un giornalista americano.»

L'angolo della telecamera era all'incirca a quarantacinque gradi, calcolai. Faceva apparire grandi i piedi del tassista e piccola la testa. Per un buon minuto questi si agitò e si dimenò. Alzava la testa e la pestava sulla pietra. Cercava di stordirsi. O di uccidersi forse. Invano. Una figura sottile entrò nell'inquadratura in alto e infilò un panno ripiegato sotto la testa dell'uomo. La figura era Lila Hoth. Non c'erano dubbi. La definizione del video non era eccezionale, ma non c'era possibilità di sbagliarsi. I capelli, gli occhi, il modo in cui si muoveva.

Il panno era probabilmente un asciugamano.

«L'ho appena vista», dissi.

«Con il cuscino? È necessario, per evitare le ferite autoinflitte. E inclina la testa. Li induce a guardare.»

«Cosa?»

«Continui.»

Mi guardai attorno nella stanza. I miei tre colleghi erano sempre intenti a lavorare. Erano tutti profondamente concentrati sui propri affari.

Sullo schermo non accadde niente per quasi venti secondi. Il tassista continuava a gemere in silenzio. Poi Svetlana Hoth entrò nell'inquadratura da un lato. Anche lei era inconfondibile. Il corpo a forma di idrante, i capelli grigio acciaio della stessa lunghezza.

Brandiva un coltello.

Si avvicinò piano alla pietra e si accovacciò accanto all'uomo. Fissò la telecamera per un lungo secondo. Non per vanità. Stava valutando l'angolazione, cercando di non ostacolare la visuale. Adattò la propria posizione fino a sistemarsi discreta nell'angolo creato dal braccio sinistro dell'uomo e dal lato del suo petto.

L'uomo stava fissando il coltello. Svetlana si piegò in avanti e a destra e gli posò la punta della lama su un punto circa a metà tra l'inguine e l'ombelico. Premette in basso. L'uomo sussultò in modo incontrollabile. Dalla ferita fuoriuscì una grossa lingua di sangue. Sotto le luci questo sembrava nero. L'uomo gridava senza fine. Vedevo la sua bocca formare parole. *No!* e *Ti prego!* sono chiare in qualsiasi idioma.

«Dove accadeva questo?» domandai.

«Non lontano da Kabul», rispose Lila Hoth.

Svetlana mosse la lama in alto verso l'ombelico. Il sangue la seguì puntuale. Lei continuò a muoverla. Come un chirurgo o un macellaio, noncurante, abile, esperta. Aveva praticato tagli simili già molte volte. La lama continuava a muoversi. Si fermò all'altezza dello sterno.

Svetlana posò il coltello.

Con l'indice seguì la linea del taglio. Il sangue serviva da lubrificante. Premette in basso e ficcò il dito nella ferita fino alla prima nocca. Lo fece scorrere su e giù. Di tanto in tanto si fermava.

«Controlla di aver tagliato tutta la parete muscolare», spiegò Lila Hoth.

«Come lo sa? Non vede le immagini», osservai.

«Sento il suo respiro.»

Svetlana riprese il coltello e tornò nei punti in cui il dito si era fermato. Usò la punta con molta delicatezza e incise là dove sembravano esserci lievi ostruzioni.

Poi si sedette sui talloni.

Il ventre del tassista era aperto, come se fosse stata abbassata una cerniera. Il lungo taglio dritto era lievemente divaricato. La parete muscolare, lacerata. Non era più in grado di trattenere la pressione interna.

Svetlana si portò di nuovo in avanti. Usò entrambe le mani. Le inserì nella ferita e divise la pelle con molta cura, poi frugò dentro. Le immerse fino ai polsi. Si contrasse e raddrizzò le spalle.

Sollevò ed estrasse l'intestino dell'uomo.

Questo formò una massa rosa lucida, brillante, grande quasi quanto un pallone morbido da calcio. Attorcigliato, molle, mobile, bagnato e fumante.

Posò la massa sul petto dell'uomo con estrema cura.

Poi scivolò giù dalla roccia e uscì dall'inquadratura.

L'occhio imperturbabile della telecamera continuò a fissare.

Il tassista abbassò lo sguardo inorridito.

«Ora è solo questione di tempo. La ferita non li uccide. Non tagliamo vasi importanti. Il sanguinamento cessa piuttosto rapidamente. Tutto si basa sul dolore, sullo shock e sull'infezione. I più forti resistono a tutti e tre. Muoiono di ipotermia, pensiamo. La temperatura interna è ovviamente compromessa. Dipende dal tempo. Il nostro record è di diciotto ore. Alcuni dicono due giorni interi, ma io non ci credo.»

«Lei è pazza, lo sa?»

«È quello che ha detto Peter Molina.»

«Ha visto il filmato?»

«È nel filmato. Continui a guardare. Lo mandi avanti velocemente, se vuole. Comunque senza l'audio non è molto divertente.»

Controllai di nuovo la stanza attorno a me. Tre persone, assorte nel lavoro. Cliccai con la manina paffuta sul pulsante di fast forward. L'immagine prese a scorrere veloce. La testa del tassista si muoveva in avanti e all'indietro tracciando un minuscolo arco convulso.

«Normalmente non li facciamo uno alla volta. È meglio avere una sequenza. Il secondo aspetta finché il primo muore e così via. Aumenta il terrore. Dovrebbe vederli, lì che desiderano che il tizio precedente viva un minuto di più. Ma alla fine muoiono e i riflettori si spostano. È allora che hanno l'attacco di cuore. Sa, se sono predisposti. Se sono impressionabili. Ma possiamo sempre organizzare una sequenza live. Per questo ora usiamo il video», affermò Lila Hoth.

Volevo ripeterle che era pazza, ma non lo feci perché mi avrebbe parlato di nuovo di Peter Molina.

«Continui a guardare», disse.

Le immagini scorrevano. Le braccia e le gambe del tassista si contraevano involontariamente. Con strani effimeri movimenti, a velocità doppia. La testa si girava a destra e a sinistra.

«Peter Molina ha visto tutto questo. Desiderava che quel tizio resistesse. Il che era assurdo perché ovviamente è morto mesi fa. Ma questo è l'effetto. Come le ho detto, il video è un valido equivalente», affermò Lila Hoth.

«Lei è pazza», ribattei. «E anche morta. Lo sa? Come se avesse appena messo un piede in strada. Il camion non l'ha ancora investita, ma lo farà.»

«Lei è il camion?»

«Ci può scommettere il culo.»

«Mi fa piacere. Continui a guardare.»

Cliccai il pulsante fast forward più e più volte e la velocità dell'immagine aumentò di quattro volte, di otto, di sedici e infine di trentadue. Il tempo volò. Un'ora. Novanta minuti. Poi l'immagine divenne perfettamente immobile. Il tassista smise di muoversi. Giacque a lungo del tutto inerte; dopo, Lila Hoth entrò a precipizio nell'inquadratura. Premetti il tasto play per tornare alla velocità normale. Lila si chinò accanto alla testa dell'uomo e gli tastò il polso. Alzò la testa e sfoderò un sorriso felice.

Dritto alla telecamera.

Dritto a me.

« È già finita? » domandò al telefono.

« Sì », dissi.

« Che delusione. Non è durato molto. Era malato. Aveva i parassiti. I vermi. Li abbiamo visti contorcersi nel suo intestino per tutto il tempo. Era disgustoso. Suppongo che anche loro siano morti. I parassiti muoiono se l'ospite muore. »

« Come accadrà a lei. »

Alle mie spalle uno dei manager si alzò e si diresse alla porta. Mi girai sulla sedia e cercai di porre il mio corpo tra lui e lo schermo. Non credo di esserci riuscito. Mi guardò in modo strano e lasciò la stanza.

O forse aveva sentito la parte finale della conversazione telefonica.

« Continui a guardare », mi disse Lila all'orecchio.

Premetti di nuovo fast forward. Il tassista giacque morto vicino a Kabul per un po', quindi l'immagine svanì e fu sostituita da una raffica di rumori del video. Dopodiché comparve una nuova scena. Premetti play. A velocità normale. Un interno. Lo stesso tipo di luci violente. Impossibile dire se fosse giorno o notte. Impossibile dire dove fosse. Un seminterrato, forse. Pavimento e pareti sembravano dipinti di bianco. C'era un'ampia lastra di pietra simile a un tavolo. Più piccola della roccia afghana. Rettangolare, fabbricata per uno scopo. Forse parte di una vecchia cucina.

Alla lastra era legato un giovane enorme.

Aveva forse la metà dei miei anni ed era del venti per cento più grosso.

Una montagna di centotrenta chili di muscoli, aveva detto Jacob Mark. *Sarebbe entrato nella NFL.*

« Lo vede? » domandò Lila Hoth.

« Lo vedo. »

Era nudo. Molto bianco sotto le luci. Diverso sotto ogni aspetto dal tassista di Kabul. Pelle pallida, capelli chiari arruffati. Si muoveva però nello stesso modo. Spostava la testa a scatti in avanti e all'indietro e urlava parole. *No!* e *Ti prego!* sono riconoscibili in qualsiasi lingua. Quello era inglese. Riuscivo a leggere piuttosto facilmente le labbra. Riuscivo persino a percepire il tono. Di incredulità perlopiù. Il genere di tono che una persona usa quando quella che presumeva fosse una minaccia vuota, o persino uno scherzo crudele, si rivela spaventosamente seria.

«Non ho intenzione di guardare», dissi.

«Dovrebbe. Altrimenti non ne sarà mai sicuro. Forse lo abbiamo lasciato andare.»

«Quando è stato?»

«Abbiamo stabilito una scadenza e l'abbiamo rispettata.»

Non risposi.

«Guardi.»

«No.»

«Ma io voglio che guardi. Ho bisogno che guardi. È questione di mantenere la sequenza. Perché penso che lei sarà il prossimo.»

«Pensi meglio.»

«Guardi.»

Guardai. *Forse lo abbiamo lasciato andare. Altrimenti non ne sarà mai sicuro.*

Non lo avevano lasciato andare.

64

Dopo chiusi il telefono, misi il DVD in tasca, raggiunsi il bagno
dell'atrio e vomitai in un water. In realtà non per le immagini.
Ho visto di peggio. Ma per la rabbia e la frustrazione. Tutti
quei sentimenti corrosivi mi ribollivano dentro e dovevano trovare sfogo. Mi sciacquai la bocca, mi lavai la faccia, bevvi un
po' d'acqua dal rubinetto e rimasi per un istante davanti allo
specchio.

Quindi mi svuotai le tasche. Tenni il denaro, il passaporto,
il bancomat, la tessera della metropolitana e il biglietto da visita
del NYPD di Theresa Lee. Tenni lo spazzolino. Tenni il telefono
che aveva suonato. Gettai gli altri due nelle immondizie insieme al caricabatterie d'emergenza, al biglietto da visita dei quattro uomini morti e agli appunti che Theresa Lee aveva ricavato
dai messaggi del collega.

Gettai anche il DVD.

E la chiavetta di Radio Shack, con tanto di custodia rosa.

Non mi serviva più un'esca.

Poi, ripulito, uscii per vedere se Springfield fosse ancora in
giro.

C'era. Era nel bar dell'atrio su una poltrona. Aveva un bicchiere d'acqua sul tavolino di fronte a lui. Era rilassato, ma
controllava tutto. Anche se togli un uomo dalle forze speciali...
Mi vide arrivare. Mi sedetti accanto a lui. «Era musica popolare afghana?»

«Sì», dissi. «Era musica popolare.»

«Su un DVD?»

«C'erano anche alcune danze.»

«Non le credo. È pallido come uno straccio. Le danze popo-
lari afghane sono piuttosto brutte, lo so, ma non così tanto.»

«Erano due uomini», spiegai. «Hanno aperto loro il ventre
ed estratto l'intestino.»

«Vivi davanti alla telecamera?»

«E poi morti davanti alla telecamera.»

«Colonna sonora?»

«Muta.»

«Chi erano gli uomini?»

«Uno un tassista di Kabul, l'altro il figlio di Susan Mark.»

«Non prendo taxi a Kabul. Preferisco i miei mezzi di trasporto. Ma alla USC va male. Sono senza un placcatore. Trovarli è difficile. Me lo ero studiato. Grandi piedi, dicono.»

«Non più.»

«Le Hoth sono nel video?»

Assentii. «È come una confessione.»

«Non conta. Sanno che le uccideremo comunque. Non conta veramente per cosa le uccidiamo.»

«Per me sì.»

«Si svegli, Reacher. Quello era il vero scopo del pacchetto. Vogliono farla infuriare e attirarla con l'inganno. Non riescono a trovarla. Perciò vogliono che sia lei a trovare loro.»

«Cosa che farò.»

«I suoi progetti futuri sono affar suo. Ma deve stare attento. Deve capire. Perché questa è stata la loro tattica per duecento anni. Per questo i loro abusi sono sempre avvenuti a portata d'orecchio delle prime linee. Volevano stanare le squadre di soccorso. O provocare attacchi per vendetta. Volevano un rifornimento costante di prigionieri. Lo chieda agli inglesi. Poi ai russi.»

«Starò molto attento.»

«Sono sicuro che cercherà di farlo, ma non andrà da nessuna parte finché non avremo finito con lei per quanto riguarda la faccenda del treno.»

«Il vostro uomo ha visto quello che ho visto io.»

«Aiutarci è nel suo interesse.»

«Non finora. Tutto quello che ho sono promesse.»

«Ogni accusa cadrà quando la chiavetta sarà in nostro possesso.»

«Non basta.»

«Lo vuole per iscritto?»

«No, voglio che le accuse cadano ora. Mi serve un po' di libertà d'azione. Non posso stare continuamente all'erta per individuare i poliziotti.»

« Libertà d'azione per cosa? »

« Lo sa. »

« Va bene, farò il possibile. »

« Non basta. »

« Non posso darle garanzie. Tutto quello che posso fare è tentare. »

« Che probabilità ha di riuscirci? »

« Nessuna. Ma Sansom sì. »

« È autorizzato a parlare per lui? »

« Dovrò chiamarlo. »

« Gli dica basta con le stronzate, d'accordo? Ormai siamo oltre quella fase. »

« D'accordo. »

« Gli parli anche di Theresa Lee e Jacob Mark. E di Docherty. Voglio che tutti loro ne escano con la fedina pulita. »

« D'accordo. »

« Jacob Mark avrà bisogno di assistenza psicologica. Soprattutto se vede una copia di quel DVD. »

« Non la vedrà. »

« Ma voglio che venga seguito. E anche l'ex marito, Molina. »

« D'accordo. »

« Altre due cose », aggiunsi.

« Pretende tanto per un uomo che non ha niente da offrire. »

« La Homeland Security ha rintracciato l'ingresso delle Hoth con la loro squadra dal Tagikistan. Tre mesi fa. Con una sorta di algoritmo informatico. Voglio sapere quante persone c'erano nel gruppo. »

« Per valutare l'entità della forza avversaria? »

« Esatto. »

« E? »

« Voglio incontrare di nuovo Sansom. »

« Perché? »

« Voglio che mi dica cosa c'è in quella chiavetta. »

« Non accadrà. »

« Allora non la riavrà. La terrò e le darò una bella occhiata. »

« Cosa? »

« Mi ha sentito. »

« Ha davvero la chiavetta? »

« No », affermai. « Ma so dov'è. »

65

«Dov'è?» domandò Springfield.

«Non posso fornire spontaneamente informazioni», risposi.

«Racconta un sacco di balle.»

Scossi la testa. «Non stavolta.»

«Ne è sicuro? Ci può portare lì?»

«Posso portarvi in un raggio di cinque metri. Il resto spetterà a voi.»

«Perché? È sepolta? È nel caveau di una banca? In una casa?»

«Niente di tutto ciò.»

«Allora dov'è?»

«Chiami Sansom», ripetei. «Organizzi un incontro.»

Springfield finì l'acqua rimasta e un cameriere arrivò con il conto. Pagò con la sua carta platino come aveva fatto al Four Seasons. Cosa che avevo preso come un buon segno. Aveva indicato una dinamica positiva. Perciò decisi di approfittare ancora un po' della fortuna.

«Mi prende una stanza?» domandai.

«Perché?»

«Perché Sansom avrà bisogno di tempo per farmi togliere dalla lista dei più ricercati. E sono stanco. Sono stato su tutta la notte. Vorrei schiacciare un pisolino.»

Dieci minuti dopo eravamo a un piano alto in una stanza con un letto queen-size. Un posto grazioso ma tatticamente inadeguato. Come tutte le stanze d'albergo dei piani alti aveva una finestra inservibile e quindi solo una via d'uscita. Vedevo che Springfield pensava la stessa cosa. Pensava che fossi pazzo a cacciarmi lì dentro.

«Posso fidarmi di lei?» gli domandai.

«Sì», rispose.

«Me lo dimostri.»

«Come?»

«Mi dia la sua pistola.»

«Non sono armato.»

«Risposte del genere non alimentano la fiducia.»

«Perché la vuole?»

«Sa perché. Così se porterà le persone sbagliate alla mia porta potrò difendermi.»

«Non lo farò.»

«Mi rassicuri.»

Rimase immobile a lungo. Sapevo che si sarebbe infilato un ago in un occhio piuttosto di darmi la sua arma. Ma fece un paio di calcoli, infilò la mano sotto la giacca dell'abito, all'altezza dei reni, ed estrasse una pistola Steyr GB da nove millimetri. La Steyr GB era stata l'arma d'elezione delle forze speciali americane negli anni Ottanta. La girò e me la porse dalla parte del calcio. Era una bella e vecchia pistola, molto usata ma ben tenuta. Aveva diciotto colpi nel caricatore e uno nella camera.

«Grazie», dissi.

Lui non rispose. Uscì semplicemente dalla stanza. Chiusi la porta a doppia mandata, inserii la catenella e incastrai una sedia sotto la maniglia. Svuotai le tasche sul comodino. Misi gli abiti sotto il materasso per stirarli. Mi feci una lunga doccia calda. Poi mi stesi e mi addormentai con la pistola di Springfield sotto il cuscino.

Fui svegliato quattro ore dopo da un colpo alla porta. Non mi piace guardare dallo spioncino delle porte d'albergo. Sei troppo vulnerabile. Tutto quello che un aggressore in corridoio deve fare è aspettare che la lente si scurisca e sparare attraverso di essa. Anche una calibro 22 silenziata sarebbe letale. Tra la cornea e il tronco encefalico non c'è niente di molto consistente. C'era però uno specchio a figura intera sulla parete all'interno della porta. Per controllare all'ultimo minuto l'abbigliamento prima di uscire, supposi. Presi un asciugamano dal bagno, me lo avvolsi in vita e recuperai la pistola da sotto il cuscino. Spostai la sedia e aprii la porta mantenendo la catenella. Restai di lato dalla parte dei cardini e controllai la scena allo specchio.

Springfield e Sansom.

La fessura era stretta, l'immagine rovesciata allo specchio e l'illuminazione del corridoio fioca, ma li riconobbi abbastanza bene. Da quello che potevo dire erano soli. E lo sarebbero rimasti, a meno che non avessero portato più di diciannove persone. Sulla Steyr non c'era sicura. Soltanto una forte trazione del meccanismo a doppia azione per il primo colpo e poi altri diciotto. Premetti il grilletto fino a incontrare resistenza e tolsi la catenella dalla porta.

Erano soli.

Entrarono, prima Sansom e poi Springfield. Sansom aveva la stessa aria del mattino in cui lo avevo incontrato per la prima volta. Abbronzato, ricco, potente, pieno di energia e di carisma. Indossava un vestito blue navy con una camicia bianca e una cravatta rossa, e appariva fresco come una rosa. Prese la sedia che avevo messo sotto la maniglia, la riportò al tavolo accanto alla finestra e si sedette. Springfield chiuse la porta e reinserì la catenella. Io tenni la pistola. Con il ginocchio scostai il materasso dalla rete ed estrassi i vestiti con una mano.

«Due minuti», dissi. «Fate pure quattro chiacchiere.»

Mi vestii in bagno, uscii e Sansom chiese: «Sa davvero dove si trovi la chiavetta?»

«Sì», risposi. «Lo so davvero.»

«Perché vuol sapere cosa c'è dentro?»

«Perché voglio sapere quanto sia imbarazzante.»

«Non mi vuole al Senato?»

«Non mi interessa come passa il suo tempo. Sono curioso. Tutto qui.»

«Perché non mi dice subito dov'è?» chiese.

«Perché prima ho un'altra cosa da fare. E ho bisogno che mi tenga la polizia lontana dai piedi mentre la faccio. Perciò mi serve un modo per tenerla concentrata sull'obiettivo.»

«Potrebbe ingannarmi.»

«Potrei, ma non lo faccio.»

Non replicò.

«A ogni modo, perché vuole andare al Senato?»

«Perché non dovrei?»

«Era un buon soldato e adesso è più ricco di Dio. Perché non si gode la vita su una spiaggia?»

«Queste cose sono un modo per tenere i conti. Sono sicuro che lei abbia il suo modo di tenere i conti.»

Annuii. «Confronto il numero di risposte che ottengo con il numero di domande che pongo.»

«E come va?»

«La mia media esistenziale è quasi prossima al cento per cento.»

«Ma perché domandare? Se sa dove sia la chiavetta, vada a prenderla e basta.»

«Non posso.»

«Perché?»

«Ci vorranno più risorse di quelle che potrei mobilitare.»

«Dove?»

Non risposi.

«È qui a New York?»

Non risposi.

«È al sicuro?» chiese.

«Abbastanza», dissi.

«Posso fidarmi di lei?»

«Parecchi lo hanno fatto.»

«E?»

«Credo che la maggior parte sarebbe disposta a darmi delle referenze.»

«Gli altri?»

«Certe persone non si possono compiacere.»

«Ho visto il suo curriculum», affermò.

«Me l'ha già detto», replicai.

«È vario.»

«Ho cercato di fare del mio meglio. Ma ragionavo con la mia testa.»

«Perché ha mollato?»

«Per noia. Lei?»

«Per vecchiaia.»

«Cosa c'è in quella chiavetta?»

Non rispose. Springfield stava in piedi muto, a ridosso del mobile TV, più vicino alla porta che alla finestra. Per pura abitudine, pensai. Per semplice riflesso. Era invisibile a un potenziale cecchino esterno e abbastanza vicino al corridoio da essere addosso a un intruso nel momento stesso in cui si fosse spalancata la porta. L'addestramento non lo dimentichi. Soprattutto l'addestramento della Delta. Mi avvicinai e gli restituii la pistola. Lui la prese senza proferire parola e la rimise nella cintura.

«Mi dica quello che sa finora», affermò Sansom.

«È stato inviato da Fort Bragg in Turchia e poi in Oman. Poi in India probabilmente. Poi in Pakistan e alla frontiera nordoccidentale.»

Lui annuì e non disse nulla. Aveva uno sguardo distante. Immaginai stesse rivivendo il viaggio. Aerei da trasporto, elicotteri, camion, lunghi chilometri a piedi.

Il tutto molto tempo addietro.

«Poi in Afghanistan», aggiunsi.

«Vada avanti», disse.

«Probabilmente è rimasto sul fianco dell'Abas Ghar e si è diretto a sud-ovest seguendo la linea della valle di Korengal, forse a trecento metri dal fondo.»

«Vada avanti.»

«Si è imbattuto in Grigori Hoth, gli ha preso il fucile e l'ha lasciato andare.»

«Vada avanti.»

«Poi ha continuato fin dove le avevano ordinato di andare.»

Lui assentì.

«È tutto quello che so finora.»

«Dov'era nel marzo del 1983?» domandò.

«A West Point.»

«Qual era la grande notizia?»

«L'Armata Rossa stava cercando di arrestare l'emorragia.»

Lui assentì di nuovo. «Fu una campagna assurda. Nessuno ha mai sconfitto i membri delle tribù della frontiera nordoccidentale. Mai in tutta la storia. E avevano la nostra esperienza in Vietnam da studiare. Alcune cose proprio non si possono fare. Era un tritacarne al rallentatore. Come essere beccati a morte dagli uccelli. Noi ovviamente ne eravamo molto contenti.»

«Abbiamo contribuito», dissi.

«Certo. Abbiamo dato ai mujaheddin tutto ciò che volevano. Gratis.»

«Come il Lend-Lease.»

«Peggio», osservò lui. «Il Lend-Lease era per aiutare degli amici che a quel tempo si erano ritrovati in bancarotta. I mujaheddin non erano in bancarotta. Al contrario. C'erano strane alleanze tribali di ogni tipo che si estendevano dappertutto fino in Arabia Saudita. In pratica i mujaheddin avevano più soldi di noi. »

« E? »

« Quando si ha l'abitudine di dare alle persone tutto ciò che vogliono, è molto difficile fermarsi. »

« Che cos'altro volevano? »

« Riconoscimento », disse. « Tributi. Gratitudine. Favori. Contatti personali. Difficile sapere con esattezza come definirlo. »

« Allora quale era la missione? »

« Possiamo fidarci di lei? »

« Rivolete il file? »

« Sì. »

« Allora, quale era la missione? »

« Siamo andati a trovare il giovane capo dei mujaheddin. Pieni di doni. Tantissimi ninnoli appariscenti, a partire da Ronald Reagan in persona. Eravamo i suoi inviati personali. Avevamo avuto un briefing alla Casa Bianca. Ci era stato detto di baciare il culo ogniqualvolta possibile. »

« Lo avete fatto? »

« Ci può scommettere. »

« È stato venticinque anni fa. »

« E allora? »

« Allora a chi importa più? È un dettaglio della storia. E a ogni modo ha funzionato. È stata la fine del comunismo. »

« Ma non la fine dei mujaheddin. Loro sono rimasti in attività. »

« Lo so », dissi. « Sono diventati i talebani e al-Qaeda. Ma anche questo è un dettaglio. Gli elettori nella Carolina del Nord non ricordano la storia. Molti non ricordano quello che hanno mangiato a colazione. »

« Dipende », osservò Sansom.

« Da cosa? »

« Dal riconoscimento del nome. »

« Quale nome? »

« La valle di Korengal era il luogo in cui si svolgeva l'azione. Era solo un piccolo saliente, ma lì l'Armata Rossa è andata incontro alla sua fine. I mujaheddin facevano davvero un buon lavoro laggiù. Perciò il loro capo locale era davvero un pezzo grosso. Una stella nascente. Era lui che ci avevano mandato a incontrare. E lo facemmo. Lo incontrammo.»

«E gli avete baciato il culo?»

«In ogni modo possibile.»

«Chi era?»

«Un uomo che all'inizio mi colpì molto. Giovane, alto, di bell'aspetto, molto intelligente. Molto impegnato. E molto ricco, tra l'altro. Pieno di contatti. Proveniva da una famiglia saudita di miliardari. Suo padre era amico del vicepresidente di Reagan. Ma lui era un rivoluzionario. Lasciò la vita comoda per la causa.»

«Chi era?»

«Osama bin Laden.»

66

Nella stanza il silenzio durò a lungo. C'erano solo i rumori at-
tutiti della città che arrivavano dalla finestra e il sibilo dell'aria
dalla bocchetta sopra la porta del bagno. Springfield si allonta-
nò dal mobile TV e si sedette sul letto.
«Il riconoscimento del nome», affermai.
«È un bel casino», affermò Sansom.
«Può ben dirlo.»
«Non me ne parli.»
«Ma è un file grosso», osservai.
«Quindi?»
«Quindi è un rapporto lungo. E tutti abbiamo letto i rapporti dell'esercito.»
«E?»
«Sono molto aridi.» Il che è vero. Prendiamo, per esempio,
la Steyr di Springfield. L'esercito l'aveva collaudata. Era un mi-
racolo dell'ingegneria moderna. Non solo funzionava esattamente come doveva, ma funzionava anche esattamente come
non doveva. Aveva una complicata chiusura a massa battente
ritardata a freno di gas; ciò significava che poteva essere caricata
con cartucce al di sotto degli standard, vecchie o male assem-
blate, e sparare ugualmente. In genere le pistole hanno problemi con una pressione variabile del gas. Esplodono quando è
troppa o s'inceppano quando è troppo poca. Ma la Steyr poteva affrontare tutto. Per questo le forze speciali l'adoravano.
Spesso erano lontane da casa senza logistica, costrette ad affi-
darsi a qualsiasi cosa riuscissero a scroccare in loco. La Steyr
GB era un gioiello di metallo.
Il rapporto dell'esercito la definiva *tecnicamente accettabile*.
«Forse non l'hanno citata per nome. Forse non *lo* hanno citato per nome. Forse hanno usato solo acronimi, sia per il comandante della Delta che per il comandante locale, tutti sepol-
ti in trecento pagine di riferimenti cartografici.»

Sansom non disse nulla.

Springfield distolse lo sguardo.

«Com'era?» domandai.

«Vede? Questo è proprio quello di cui parlo. Adesso la mia vita non conta niente, tranne per il fatto che sono l'uomo che ha baciato il culo a Osama bin Laden. Questo è tutto ciò che chiunque ricorderà», affermò Sansom.

«Ma com'era?»

«Dava i brividi. Era chiaramente determinato a eliminare i russi, cosa di cui all'inizio eravamo contenti, ma ben presto capimmo che era determinato a eliminare chiunque non fosse come lui. Era strano. Era uno psicopatico. Aveva un cattivo odore. Fu un fine settimana molto sgradevole. Avevo sempre la pelle d'oca.»

«Siete rimasti lì per un intero fine settimana?»

«Eravamo gli ospiti d'onore. Ma per modo di dire. Era un arrogante figlio di puttana. La fece da padrone per tutto il tempo. Ci faceva lezioni di tattica e strategia. Ci disse che in Vietnam lui avrebbe vinto. Dovemmo fingere di esserne colpiti.»

«Che doni gli avete portato?»

«Non so cosa fossero. Erano impacchettati. Non li aprì. Li gettò semplicemente in un angolo. Non gli interessavano. Come si dice ai matrimoni, bastava la nostra presenza. Riteneva dimostrasse qualcosa al mondo. Il grande Satana si inchinava di fronte a lui. Per una decina di volte fui sul punto di vomitare. E non solo per il cibo.»

«Avete mangiato con lui?»

«Alloggiavamo nella sua tenda.»

«Che nel rapporto sarà definita quartier generale. Il linguaggio sarà neutro. I baci sul culo non saranno citati. Saranno trecento pagine noiosissime. La gente morirà di noia prima che lei fiati. Perché è così preoccupato?»

«La politica è tremenda. La faccenda del Lend-Lease. Visto che bin Laden non attingeva alla sua fortuna personale, è come se lo avessimo finanziato noi.»

«Non è colpa sua. È roba della Casa Bianca. Qualche capitano è forse stato punito per aver consegnato la merce del Lend-Lease ai sovietici durante la seconda guerra mondiale? Neanche loro sono rimasti nostri amici.»

Sansom non disse niente.

«Sono solo parole su un foglio. Non avranno risonanza. La gente non legge.»

«È un file grosso», osservò Sansom.

«Più grosso è, meglio è. Più grosso è, più sepolte saranno le parti negative. E sarà molto datato. Credo che a quel tempo usassimo scrivere il suo nome in modo diverso. Con una U. Era Usama. O UBL. Forse la gente non lo noterà neanche. Oppure potrebbe dire che si tratta di tutt'altra persona.»

«È sicuro di sapere dove sia quella chiavetta?»

«Sì.»

«Perché non sembra sia così. Sembra che stia cercando di consolarmi perché sa che quella chiavetta resterà là fuori e tutto sarà reso pubblico.»

«So dov'è. Sto solo cercando di capire perché la faccenda la preoccupi tanto. C'è gente che è sopravvissuta a cose peggiori.»

«Ha mai usato un computer?»

«Ne ho usato uno oggi.»

«Da cosa sono costituiti i file più grossi?»

«Non lo so.»

«Provi a indovinare.»

«Da documenti lunghi?»

«Sbagliato. Da un numero elevato di pixel.»

«Pixel?» dissi.

Lui non rispose.

«Va bene», affermai. «Ho capito. Non è un rapporto. È una fotografia.»

67

Nella stanza calò di nuovo il silenzio. I rumori della città, l'aria condizionata. Sansom si alzò e usò il bagno. Springfield tornò nella posizione precedente, accanto al mobile TV. Su questo c'erano alcune bottiglie d'acqua con un collare di carta che diceva che, se bevevi l'acqua, ti sarebbero stati addebitati otto dollari.

Sansom uscì dal bagno.

«Reagan voleva la fotografia», disse. «Un po' perché era un vecchio sentimentale, un po' perché era sospettoso. Voleva controllare che avessimo eseguito gli ordini. Da quel che ricordo, io sono in piedi accanto a bin Laden con stampato in faccia il sorriso più compiaciuto della terra.»

«E io sono dall'altra parte», aggiunse Springfield.

«Bin Laden ha abbattuto le Torri gemelle. Ha attaccato il Pentagono. È il peggiore terrorista del mondo. È una figura molto, molto riconoscibile. Assolutamente inconfondibile. Quella fotografia mi ucciderà politicamente. Mi farà secco. Per sempre.»

«Per questo le Hoth la vogliono?» domandai.

Lui assentì. «In modo che al-Qaeda possa umiliarmi e possa umiliare gli Stati Uniti insieme a me. O viceversa.»

Mi avvicinai al mobile TV e presi una bottiglia d'acqua. Svitai il tappo e bevvi un lungo sorso. La stanza sarebbe stata addebitata sulla carta di Springfield, il che significava che pagava Sansom. E Sansom poteva permettersi otto dollari.

Poi feci un rapido sorriso.

«Per questo la fotografia nel libro», osservai. «E sulla parete dell'ufficio. Donald Rumsfeld con Saddam Hussein a Baghdad.»

«Sì», disse Sansom.

«Non si sa mai. Per dimostrare che qualcun altro aveva fatto proprio la stessa cosa. Come un asso nella manica che se ne sta lì in attesa. Nessuno sapeva che era un asso. Nessuno sapeva nemmeno che era una carta.»

«Non è un asso», replicò Sansom. «Non ci si avvicina neanche. È solo un inutile quattro di fiori. Perché bin Laden è molto peggio di ciò che era Saddam. E, dopo, Rumsfeld non ha tentato di farsi eleggere da nessuna parte. Dopo, sono stati i suoi amici che gli hanno conferito tutti gli incarichi che ha avuto. Per forza. Nessuno sano di mente avrebbe votato per lui.»

«Ha amici?»

«Non molti.»

«Nessuno ha mai detto granché sulla fotografia di Rumsfeld.»

«Perché non si è mai candidato. Se avesse partecipato a una campagna elettorale, sarebbe diventata la fotografia più famosa del mondo.»

«Lei è un uomo migliore di Rumsfeld.»

«Non mi conosce.»

«È un'ipotesi ben fondata.»

«D'accordo, forse. Ma bin Laden è peggiore di Saddam. E quell'immagine è veleno. Non ha nemmeno bisogno di didascalie. Eccomi lì mentre sorrido come un cagnolino all'uomo più perfido del mondo. Realizzano false foto del genere per attaccarti con campagne denigratorie. Quella è vera.»

«La riavrà.»

«Quando?»

«Come va la faccenda dell'immunità?»

«Lentamente.»

«Ma ci posso contare?»

«Non molto. Ci sono buone e cattive notizie.»

«Mi dia prima le cattive.»

«È molto improbabile che l'FBI stia al gioco. Ed è sicuro che il dipartimento della Difesa non lo farà.»

«Per quei tre uomini?»

«Li hanno tolti dal caso. A quanto sembra, sono feriti. Uno ha il naso rotto e l'altro un taglio sulla testa. Ma sono stati sostituiti. Il dipartimento della Difesa è ancora smanioso di agire.»

«Dovrebbero essere riconoscenti. Hanno bisogno di tutto l'aiuto che possono avere.»

«Non funziona così. Ci sono guerre territoriali da vincere.»

«Allora qual è la buona notizia?»

«Pensiamo che il NYPD sia disposto a chiudere un occhio per la metropolitana.»

«Splendido», commentai. «È come cancellare una multa per divieto di sosta a Charles Manson.»

Sansom non rispose. «Che mi dice di Theresa Lee e Jacob Mark? E di Docherty?» gli domandai.

«Sono tornati al lavoro. Con un documento federale che li loda per aver aiutato la Homeland Security in un'indagine delicata.»

«Quindi loro sono a posto e io no?»

«Loro non hanno picchiato nessuno. Non hanno ferito alcun ego.»

«Cosa farà con la chiavetta quando la riavrà?»

«Controllerò che sia quella giusta, poi la fracasserò, ne brucerò i pezzi, triturerò la cenere fino a ridurla in polvere e la butterò giù in otto water diversi.»

«E se le chiedessi di non farlo?»

«Perché dovrebbe?»

«Glielo spiegherò dopo.»

A seconda del punto di vista, era la fine del pomeriggio o l'inizio della sera. Ma mi ero appena svegliato, perciò pensai fosse ora di fare colazione. Chiamai il servizio in camera e ordinai un bel vassoio. L'equivalente di una cinquantina di dollari in base ai prezzi dello Sheraton di New York tra tasse, mance, tariffe e imposte. Sansom non batté ciglio. Era seduto proteso sulla sedia, fremente di frustrazione e d'impazienza. Springfield era molto più rilassato. Un quarto di secolo prima aveva condiviso con lui il viaggio in montagna e l'infamia. *A volte i nostri amici diventano i nostri nemici e a volte i nostri nemici diventano i nostri amici.* Ma Springfield non aveva niente in gioco. Nessuna mira, nessun progetto, nessuna ambizione. E si vedeva. Era ancora quello che era stato un tempo, soltanto un uomo che faceva il suo lavoro.

«Avrebbe potuto ucciderlo?» domandai.

«Aveva guardie del corpo», rispose Sansom. «Una specie di cerchio interno. Lì la lealtà raggiungeva il fanatismo. Pensi ai

Marine o ai Teamster e moltiplichi per mille. Siamo stati disarmati a cento metri dal campo. Non siamo mai rimasti soli con lui. C'erano sempre persone intorno. Più bambini e animali. Vivevano come nell'età della pietra.»

«Era un lungo e dinoccolato pezzo di merda», commentò Springfield. «Avrei potuto spezzargli quel collo secco in qualsiasi momento se avessi voluto.»

«Lo voleva?»

«Ci può scommettere. Perché lo sapevo. Fin dall'inizio. Forse avrei dovuto farlo quando è scattato il flash. Come un grissino in un ristorante italiano. Quella sarebbe stata un'immagine migliore.»

«Una missione suicida», osservai.

«Ma avrebbe salvato molte vite dopo.»

Annuii. «Proprio come se Rumsfeld avesse accoltellato Saddam.»

Il cameriere del servizio in camera mi portò la colazione. Feci alzare Sansom dalla sedia e mangiai al tavolo. Questi ricevette una telefonata sul cellulare e mi confermò che ero pulito per quanto riguardava la mia fuga nella metropolitana. Il NYPD non aveva più alcun interesse per me. Poi fece una seconda chiamata e mi disse che all'FBI la giuria era ancora in riunione e che i segnali non sembravano affatto buoni. Fece una terza chiamata e confermò che gli alti vertici del dipartimento della Difesa non avrebbero mollato. Erano come cani attorno a un osso. A livello federale mi trovavo in guai seri. Ostruzione della giustizia, aggressione e pestaggio, ferimento con arma letale.

«Fine della storia», disse Sansom. «Dovrei andare direttamente dal segretario.»

«O dal presidente», osservai.

«Non posso fare nessuna delle due cose. Guardando la faccenda dall'esterno, il dipartimento della Difesa è attualmente impegnato a dare la caccia a una cellula attiva di al-Qaeda. Con il clima attuale non posso obiettare nulla.»

La politica è un campo minato. Ti condannano se lo fai, ti condannano se non lo fai.

«D'accordo», dissi. «Purché conosca i confini e la geografia del campo di battaglia.»

«A rigor di termini non è una sua battaglia.»

«Jacob Mark si sentirà meglio di fronte a una parvenza di conclusione.»

«Lo fa per Jacob Mark? I federali possono dargli tutte le conclusioni di cui ha bisogno.»

«Lei crede? I federali stanno girando in cerchio. Quanto vuole che si trascini questa faccenda?»

«Allora lo fa per Jacob Mark o per me?»

«Lo faccio per me stesso.»

«Lei non è coinvolto.»

«Amo la sfida.»

«Ci sono molte altre sfide nel mondo.»

«L'hanno resa personale. Mi hanno mandato quel DVD.»

«È stata una mossa tattica. Se reagisce, loro vincono.»

«No, se reagisco, loro perdono.»

«Questo non è il selvaggio West.»

«Ha ragione. Questo è il timido West. Dobbiamo spostare indietro l'orologio.»

«Sa almeno dove si trovino?»

Springfield mi lanciò un'occhiata.

«Sto lavorando a un paio di idee», risposi.

«Ha ancora un canale aperto di comunicazione?»

«Dopo il DVD non mi ha più chiamato.»

«Dopo che l'ha minacciata, vorrà dire.»

«Ma secondo me richiamerà.»

«Perché?»

«Perché vuole vincere.»

«E potrebbe. Un passo falso e lei è suo prigioniero. Finirà per dirle quello che vuol sapere.»

«Quante volte ha volato dall'11 settembre?» gli domandai.

«Centinaia», rispose.

«Scommetto che ogni volta in un angolino della sua mente sperava che a bordo ci fossero dei dirottatori. Così li avrebbe visti avanzare in corridoio, sarebbe saltato loro addosso e li avrebbe massacrati di botte. O sarebbe morto provandoci.»

Sansom chinò il capo e piegò la bocca in un lieve, mesto sorriso. Il primo che gli vedevo da molto tempo.

« Ha ragione », disse. « Ogni maledetta volta. »

« Perché? »

« Per il desiderio di proteggere l'aereo. »

« E per scaricare le sue frustrazioni. Dar sfogo all'odio. Io so che lo farei. Mi piacevano le Torri gemelle. Mi piaceva com'era il mondo, prima. Non ho abilità politiche. Non sono un diplomatico né uno stratega. Conosco i miei punti deboli e quelli forti. Perciò nel complesso a un uomo come me la possibilità di incontrare una cellula attiva di al-Qaeda appare un po' come tutti i compleanni e i Natali messi insieme. »

« Lei è matto. Non è una cosa da fare da soli. »

« Qual è l'alternativa? »

« La Homeland Security alla fine le scoverà. A quel punto metteranno insieme qualcosa. NYPD, FBI, squadre SWAT, attrezzature, centinaia di uomini. »

« Un'operazione immensa con un bel po' di elementi disparati. »

« Ma attentamente programmata. »

« Ha già partecipato a operazioni del genere? »

« Un paio di volte. »

« Secondo lei come hanno funzionato? »

Sansom non rispose.

« Da soli è sempre meglio », affermai.

« Forse no », intervenne Springfield. « Abbiamo controllato con l'algoritmo informatico della Homeland Security. Le Hoth si sono portate dietro un gruppo consistente. »

« Quanto consistente? »

« Diciannove uomini. »

68

Finii la colazione. La caffettiera era vuota. Perciò terminai la bottiglia d'acqua da otto dollari e la lanciai capovolta verso il cestino dei rifiuti. Toccò il bordo con un rumore sordo di plastica, rimbalzò e rotolò via sulla moquette. Non un buon segno, se fossi stato superstizioso. Ma non lo sono.

«Un totale di diciannove uomini», dissi. «Quattro hanno già lasciato il paese e due se ne vanno in giro con gomiti e mandibole rotti. Questo ci lascia con tredici uomini in servizio attivo.»

«Gomiti e mandibole rotti? Com'è successo?» affermò Sansom.

«Erano in giro a cercarmi. Saranno anche tipi tosti tra i monti con i lanciagranate, ma fare a pugni per strada non sembra essere il loro punto di forza.»

«Ha scritto loro sulla fronte?»

«Su uno di loro. Perché?»

«L'FBI ha ricevuto una chiamata dal pronto soccorso del Bellevue. Due stranieri non identificati sono stati scaricati lì dopo un pestaggio. Uno aveva una scritta sulla fronte.»

«Una punizione», spiegai. «Le Hoth devono essere rimaste scontente della loro prestazione. Perciò li hanno scaricati, per spronare gli altri.»

«Che gente spietata.»

«Dove sono adesso?»

«In due stanze di sicurezza dell'ospedale. Perché uno di loro ci era già stato prima. Un'emergenza precedente alla Penn Station. Non parla. L'FBI sta cercando di capire chi diavolo sia.»

«Perché ci impiegano tanto? Gli ho scritto il nome di Lila sulla fronte. Ho scritto: LILA, CHIAMAMI. A quante persone chiamate Lila si sta interessando il Bureau al momento?»

Sansom scosse la testa. «Conceda loro un po' di merito. La parte con il nome è stata scorticata con un coltello.»

*

Mi avvicinai e aprii la seconda bottiglia d'acqua da otto dollari. Bevvi un sorso. Aveva un buon sapore. Ma non era migliore di un'acqua da due dollari. O di quella gratuita del rubinetto.

«Tredici persone», dissi.

«Più le Hoth», aggiunse Springfield.

«D'accordo, quindici.»

«Una missione suicida.»

«Moriamo tutti», osservai. «Gli unici interrogativi sono come e quando.»

«Non possiamo aiutarla attivamente», spiegò Sansom. «Questo lo capisce, vero? Ci ritroveremo come minimo con un omicidio e come massimo con quindici per le strade di New York. Non possiamo prendervi parte. Non possiamo trovarci nemmeno a un milione di chilometri da tutto ciò.»

«Per via della politica?»

«Per via di molte ragioni.»

«Non sto chiedendo aiuto.»

«Lei è pazzo.»

«Saranno loro a pensarlo.»

«Ha in mente quando agire?»

«Presto. Attendere non ha senso.»

«Se ci sarà un solo omicidio, sarà il suo, naturalmente. Nel qual caso non saprò dove cercare la mia fotografia.»

«Allora tenga le dita incrociate per me.»

«La cosa responsabile sarebbe dirmelo ora.»

«No. La cosa responsabile sarebbe che mi cercassi un lavoro come autista di scuolabus.»

«Posso fidarmi di lei?»

«Che sopravviva?»

«Che mantenga la parola.»

«Cosa ha imparato alla scuola ufficiali?»

«Che ci si deve fidare dei fratelli ufficiali. Soprattutto dei fratelli ufficiali di pari grado.»

«Vede allora.»

«Ma non eravamo veramente fratelli. Eravamo in rami molto diversi.»

«Ha ragione. Io lavoravo sodo mentre lei se ne andava in giro a baciare il culo ai terroristi. Non ha nemmeno ottenuto un Purple Heart.»

Lui non rispose.

«Stavo solo scherzando», affermai. «Ma dovrà sperare che io non sia il primo omicidio, altrimenti potrebbe sentire questo genere di cose in continuazione.»

«Allora me lo dica ora.»

«Mi serve che mi guardi le spalle.»

«Ho letto il suo curriculum», affermò.

«Me l'ha già detto.»

«Ha ottenuto il Purple Heart quando è saltato in aria per quel camion bomba a Beirut. Nella caserma dei Marine.»

«Me lo ricordo bene.»

«Ha una cicatrice deturpante.»

«Vuol vederla?»

«No. Ma deve ricordarsi che non sono state le Hoth.»

«Cos'è, il mio terapeuta?»

«No. Ma non per questo la mia affermazione è meno vera.»

«Non so chi sia stato a Beirut. Nessuno lo sa con certezza. Ma chiunque sia stato, erano i fratelli ufficiali delle Hoth.»

«Lei è spinto dalla vendetta. E si sente ancora in colpa per Susan Mark.»

«E allora?»

«Allora potrebbe non agire con la massima efficienza.»

«È preoccupato per me?»

«Soprattutto per me stesso. Rivoglio la fotografia.»

«L'avrà.»

«Almeno mi dia un indizio per capire dove sia.»

«Sa quello che so io. Io ci sono arrivato. Quindi ci arriverà anche lei.»

«Lei era un poliziotto. Possiede capacità diverse.»

«Quindi sarà più lento. Ma non si tratta di scienza missilistica.»

«E di che genere di scienza si tratta?»

«Per una volta pensi come una persona normale. Non come un soldato o un politico.»

Lui ci provò, ma fallì. «Almeno mi dica perché non dovrei distruggerla», affermò.

«Sa quello che so io.»

« Cosa significa? »

« O forse non sa quello che so io. Perché è troppo vicino a se stesso. Io sono solo un membro dell'opinione pubblica. »

« Quindi? »

« Sono sicuro che lei sia una persona straordinaria, Sansom. Sono sicuro che sarà un grande senatore. Ma alla fine della giornata qualsiasi senatore è uno fra i tanti. Sono tutti piuttosto intercambiabili. Mi può dire il nome di un senatore che abbia davvero fatto la differenza in qualcosa? »

Sansom non rispose.

« Mi può dire in che modo personalmente fotterà al-Qaeda? »

Cominciò a parlare della Commissione sui servizi armati, di relazioni estere e dell'intelligence, di budget e di sorveglianza. Come un discorso stereotipato. Come se fosse a un comizio.

« Quale parte di tutto ciò non verrebbe svolta da chiunque otterrà l'incarico, presumendo non sia lei? » gli domandai.

Non rispose.

« Immagini una grotta nel nord-ovest del Pakistan. Immagini che in questo momento ci stiano seduti i pezzi grossi di al-Qaeda. Si strappano i capelli e dicono: 'Porca miseria, dobbiamo impedire a John Sansom di arrivare al Senato degli Stati Uniti!' È lei la prima voce del loro ordine del giorno? »

« Probabilmente no », rispose.

« Perché vogliono la fotografia? »

« Piccole vittorie », rispose. « Meglio di niente. »

« È parecchio lavoro per una piccola vittoria, non pensa? Due agenti più diciannove uomini più tre mesi? »

« Gli Stati Uniti verrebbero messi in imbarazzo. »

« Ma non molto. Guardi la fotografia di Rumsfeld. A nessuno importa. I tempi cambiano, le cose si muovono. La gente lo capisce anche quando non se ne accorge. Gli americani sono molto maturi e saggi o molto inconsapevoli. Non lo capisco mai bene. Ma comunque sia, quella fotografia sarebbe una pallottola spuntata. Potrebbe distruggerla personalmente, ma distruggere un americano alla volta non è il metodo con cui opera al-Qaeda. »

« Nuocerebbe alla memoria di Reagan. »

« A chi importa? Moltissimi americani non se lo ricordano

neanche. Moltissimi americani pensano che Reagan sia un aeroporto di Washington.»

«Secondo me sta sottovalutando la cosa.»

«E secondo me lei la sta sopravvalutando. È troppo coinvolto.»

«Credo che quella fotografia nuocerebbe.»

«Ma a chi? Cosa pensa il governo?»

«Sa che il dipartimento della Difesa sta cercando a tutti i co-
sti di riaverla.»

«Davvero? Allora perché hanno affidato l'incarico alla squadra B?»

«Pensa che quegli uomini fossero la squadra B?»

«Sinceramente me lo auguro. Se fossero la squadra A, dovremmo trasferirci tutti in Canada.»

Sansom non rispose.

«La fotografia potrebbe crearle qualche danno in Carolina
del Nord. Ma niente di più. Non assistiamo a sforzi estremi di
sorta da parte del dipartimento della Difesa. Perché non c'è un
vero danno per la nazione.»

«Non è una lettura accurata.»

«Va bene, per noi è una brutta cosa. È la prova di un errore
strategico. È scomodo, imbarazzante e le farà fare la figura dello
stupido. Ma nient'altro. Non è la fine del mondo. Non andremo in pezzi.»

«Quindi le aspettative di al-Qaeda sono troppo alte? Sta dicendo che anche loro si sbagliano? Che non capiscono il popo-
lo americano come lei?»

«No, sto dicendo che tutta questa faccenda è un po' squilibrata. Leggermente asimmetrica. Al-Qaeda ha messo in campo
una squadra A e noi una squadra B. Perciò il loro desiderio di
impossessarsi di quella foto è solo leggermente più forte del nostro di tenerla.»

Sansom non disse nulla.

«E dobbiamo chiederci perché a Susan Mark non sia stato
detto semplicemente di copiarla. Se il loro scopo era quello di
metterci in imbarazzo, copiarla sarebbe stata un'idea migliore.
Perché quando fosse venuta alla luce e gli scettici avessero sostenuto che fosse falsa – cosa che sarebbe accaduta – l'originale

sarebbe stato ancora negli archivi e noi non avremmo potuto negare.»

«D'accordo.»

«Ma a Susan Mark non è stato detto di copiarla. Di fatto, è stato detto di rubarla. Di portarcela via. Senza che ne rimanga traccia. Il che ha aggiunto un rischio e una visibilità considerevoli.»

«E questo cosa significherebbe?»

«Significherebbe che vogliono averla nella stessa misura in cui vogliono che noi *non* l'abbiamo.»

«Non capisco.»

«Dovete riandare indietro con la mente. Dovete scoprire che cosa abbia visto con precisione l'obiettivo. Perché al-Qaeda non vuole pubblicizzare quella fotografia. L'ha rubata perché vuole eliminarla.»

«Perché?»

«Perché per quanto controproducente sia per lei, contiene qualcosa che è addirittura peggio per Osama bin Laden.»

69

Sansom e Springfield tacquero, come avevo immaginato. Stavano riandando indietro con la mente di un quarto di secolo, a una tenda semibuia sul fondo della valle di Korengal. Si irrigidivano e si raddrizzavano, ripetevano inconsciamente le pose formali. Uno a sinistra, l'altro a destra con il padrone di casa in mezzo. L'obiettivo della macchina fotografica diretto verso di loro, puntato, zoomato, regolato, messo a fuoco. Il flash che si caricava e poi scattava inondando la scena di luce.

Che cosa aveva visto con precisione la macchina fotografica?

«Non ricordo», rispose Sansom.

«Forse eravamo noi», osservò Springfield. «Semplice. Forse oggi incontrare degli americani è come un karma negativo.»

«No», obiettai. «È un ottimo esempio di pubbliche relazioni. Fa sembrare bin Laden potente e vittorioso, e noi degli zimbelli. Deve essere qualcos'altro.»

«Laggiù era una giungla. Caos e massacri.»

«Dev'essere qualcosa di terribilmente sconveniente. Ragazzini, ragazzine, animali.»

«Non so cosa possano considerare sconveniente. Laggiù hanno un'infinità di regole. Potrebbe persino essere qualcosa che stava mangiando», rispose Sansom.

«O fumando.»

«O bevendo.»

«Là non c'era alcol», osservò Springfield. «Me lo ricordo.»

«Donne?» chiesi.

«Non c'erano nemmeno donne.»

«Dev'essere qualcosa. Dov'erano gli altri visitatori?»

«C'erano solo membri della tribù.»

«Nessuno straniero?»

«Solo noi.»

«Dev'essere qualcosa che lo fa apparire compromesso, debole o deviante. Era in salute?»

«Sembrava di sì.»

«Allora che altro?»

«Deviante dalle loro leggi o deviante come lo intendiamo noi?»

«Il quartier generale di al-Qaeda», dissi. «Dove gli uomini sono uomini e le capre hanno paura.»

«Non ricordo. È stato tanto tempo fa. Eravamo stanchi. Avevamo percorso centocinquanta chilometri attraverso le prime linee.»

Sansom era ammutolito. Come sapevo avrebbe fatto. Alla fine esclamò: «È proprio un casino».

«Lo so», risposi.

«Devo prendere una grossa decisione.»

«Lo so.»

«Se quella fotografia danneggia più lui di me, dovrò divulgarla.»

«No, se lo danneggia anche solo un po' dovrà divulgarla. E poi dovrà buttare giù il rospo e affrontare le conseguenze.»

«Dov'è?»

Non risposi.

«Va bene», affermò. «Devo guardarle le spalle. Ma so quello che sa lei. E lei ci è arrivato. Il che significa che anch'io posso arrivarci. Ma più lentamente. Perché non è scienza missilistica. Il che significa che anche le Hoth possono arrivarci. Ma saranno più lente? Forse no. Forse la stanno recuperando proprio in questo momento.»

«Sì», osservai. «Forse è così.»

«Se hanno intenzione di eliminarla, forse dovrei semplicemente tirare dritto e lasciare che lo facciano.»

«Se hanno intenzione di eliminarla, significa che è un'arma preziosa che potrebbe essere usata contro di loro.»

Sansom non disse nulla.

«Si ricorda la scuola ufficiali? Quello che dicono di tutti i nemici, stranieri e interni?» chiesi.

«Prestiamo lo stesso giuramento al Congresso.»

«Allora dovrebbe lasciare che le Hoth la eliminino?»

Sansom tacque a lungo.

Poi parlò.

«Vada», disse. «Vada a prendere le Hoth prima che arrivino alla fotografia.»

Non andai. Non in quel momento. Non subito. Avevo cose su cui riflettere e piani da fare. E lacune da colmare. Non ero attrezzato. Indossavo un paio di zoccoli di gomma da giardinaggio e pantaloni blu. Ero disarmato. Niente di tutto ciò era bene. Volevo muovermi nel cuore della notte, adeguatamente vestito di nero. Con scarpe adeguate. E armi. Più erano, più sarei stato contento.

Per i vestiti sarebbe stato semplice.

Per le armi non tanto. New York non è il miglior posto del pianeta per procurarsi un arsenale privato in un lampo. Nei distretti esterni c'erano probabilmente posti che vendevano roba sottobanco a prezzi troppo alti e anche posti che vendevano auto usate, che i guidatori esigenti sapevano bene di dover evitare.

Un bel problema.

Guardai Sansom e dissi: «Voi non potete aiutarmi, giusto?»

«No», rispose.

Guardai Springfield e dissi: «Adesso vado in un negozio di abbigliamento, a comprarmi pantaloni neri, una maglietta nera e scarpe nere. Con una giacca a vento nera, forse XXL, un po' ampia. Che ne pensa?»

«A noi non importa. Quando tornerà, ce ne saremo andati», rispose.

Andai nel negozio sulla Broadway dove avevo comprato la camicia cachi prima del pranzo di raccolta fondi dei Sansom. Gli affari gli andavano bene ed era provvisto di parecchi articoli. Trovai tutto ciò che mi serviva, a parte le calze e le scarpe. Jeans neri, maglietta nera, giacca a vento nera di cotone fatta per un uomo con una pancia molto più grossa della mia. La provai e come previsto andava bene sulle braccia e sulle spalle, mentre davanti si allargava come un abito premaman.

Perfetta, se Springfield aveva colto l'allusione.

Mi vestii nel camerino, gettai la mia vecchia roba e pagai cinquantanove dollari alla commessa. Poi seguii il suo suggerimento e mi spostai di tre isolati in un negozio di scarpe. Comprai un paio di robuste scarpe nere con i lacci e un paio di calze nere. Quasi cento dollari. Sentii la voce di mia madre in testa, da un tempo molto lontano. *A un prezzo come quello sarà meglio che te le faccia durare. Non graffiarle.* Uscii dal negozio e battei un paio di volte i piedi sul marciapiede per adattarle. Mi fermai in un drugstore e comprai un paio di boxer bianchi qualsiasi. Pensai che, dato che tutto il resto era nuovo, avrei dovuto completare l'insieme.

Poi mi avviai di nuovo verso l'albergo.

Tre passi dopo il telefono in tasca cominciò a vibrare.

70

Indietreggiai contro un edificio all'angolo di 55th Street ed estrassi il telefono dalla tasca. *Numero privato.* Lo aprii e lo accostai all'orecchio.

«Reacher?» chiese Lila Hoth.

«Sì?» dissi.

«Sono ancora in mezzo alla strada. Sto sempre aspettando che il camion mi investa.»

«Sta arrivando.»

«Ma quando?»

«Resta ancora un po' sulle spine. Arriverò tra un paio di giorni.»

«Non posso aspettare.»

«So dove sei.»

«Bene. Questo semplificherà le cose.»

«E so anche dov'è la chiavetta.»

«Ancora una volta bene. Ti terremo in vita quanto basterà perché tu ce lo dica. E poi forse per qualche altra ora ancora, solo per divertimento.»

«Sei una bimba sperduta in mezzo al bosco, Lila. Saresti dovuta restare a casa ad accudire le capre. Morirai e quella fotografia farà il giro del mondo.»

«Abbiamo un DVD nuovo, vergine. La telecamera è caricata e pronta per il tuo ruolo da protagonista.»

«Parli troppo, Lila.»

Lei non rispose.

Chiusi il telefono e tornai all'albergo nell'oscurità sempre più fitta della sera. Salii in ascensore, entrai in camera e mi sedetti sul letto in attesa. Attesi a lungo. Quasi quattro ore. Pensavo stessi aspettando Springfield. Ma alla fine fu Theresa Lee quella che si fece vedere.

*

Bussò alla porta otto minuti prima di mezzanotte. Rifeci quella cosa con la catenella e lo specchio e la lasciai entrare. Indossava un'altra versione degli abiti con cui l'avevo vista la prima volta. Pantaloni e camicia di seta a maniche corte. Al di fuori dei calzoni. Di color grigio scuro, non intermedio. Meno argentea. Più seria.

Portava una borsa da palestra nera. Di nylon balistico. Da come la teneva, immaginai contenesse oggetti pesanti. Dal modo in cui questi oggetti pesanti si muovevano e tintinnavano immaginai fossero di metallo. La posò sul pavimento accanto al bagno e chiese: «Sta bene?»

«Lei?»

Assentì. «È come se non fosse successo niente. Siamo tutti tornati al lavoro.»

«Cosa c'è nella borsa?»

«Non ne ho idea. Un uomo che non avevo mai visto prima l'ha consegnata al distretto.»

«Springfield?»

«No, il nome che ha dato era Browning. Mi ha dato la borsa dicendo che nell'interesse della prevenzione del crimine mi sarei dovuta accertare che lei non ci mettesse mai le mani sopra.»

«Ma l'ha portata lo stesso?»

«La sorveglio di persona. È più sicuro che lasciarla in giro.»

«D'accordo.»

«Dovrà sopraffarmi. E aggredire un ufficiale di polizia è contro la legge.»

«Vero.»

Si sedette sul letto. A un metro da me. Forse meno.

«Abbiamo fatto irruzione in quei tre vecchi edifici di 58th Street.»

«Springfield ve ne ha parlato?»

«Ha detto di chiamarsi Browning. I nostri dell'antiterrorismo ci sono entrati due ore fa. Le Hoth non ci sono.»

«Lo so.»

«C'erano, ma non ci sono più.»

«Lo so.»

«Come lo sa?»

«Hanno consegnato Leonid e il suo amico. Perciò si sono

spostate in qualche posto che Leonid e il suo amico non cono-
scono. Strati su strati.»

«Perché hanno consegnato Leonid e il suo amico?»

«Per spronare gli altri tredici. E per alimentare la macchina.
Noi li maltrattiamo un po', i media arabi grideranno alla tortu-
ra e otterranno altre dieci nuove reclute. Con un guadagno netto di otto. In ogni caso, Leonid e il suo amico non sono una
gran perdita. Erano un disastro.»

«Gli altri tredici saranno migliori?»

«In base al calcolo delle probabilità sì.»

«Tredici è un numero assurdo.»

«Quindici, comprese le Hoth.»

«Non dovrebbe farlo.»

«Soprattutto disarmato.»

Lei lanciò un'occhiata alla borsa. Poi guardò di nuovo me.
«È in grado di trovarle?»

«Come fanno per i soldi?»

«Non possiamo rintracciarle in quel modo. Hanno smesso
di usare carte di credito e bancomat sei giorni fa.»

«Il che ha senso.»

«Il che le rende difficili da trovare.»

«Jacob Mark è tornato al sicuro nel New Jersey?»

«Pensa che non dovrebbe essere coinvolto?»

«No.»

«Ma io sì?»

«Lei lo è», risposi. «Mi ha portato la borsa.»

«La sorveglio.»

«Che cos'altro stanno facendo i vostri dell'antiterrorismo?»

«Perquisizioni», rispose. «Con l'FBI e il dipartimento della
Difesa. In questo momento ci sono seicento uomini in giro per
le strade.»

«Dove fanno perquisizioni?»

«In ogni posto che sia stato affittato o comprato negli ultimi
tre mesi. La città collabora. Inoltre stanno controllando i regi-
stri degli alberghi, gli appartamenti affittati da ditte e le attività
dei magazzini, il tutto nei cinque distretti.»

«Bene.»

«Si dice che tutto ruoti attorno a un dossier del Pentagono
in una chiavetta USB.»

« È abbastanza esatto. »

« Sa dov'è? »

« Ci sono piuttosto vicino. »

« Dov'è? »

« Da nessuna parte tra Ninth Avenue e la Park e 30th Street e la 45th. »

« Immagino di meritarmelo. »

« Ci arriverà. »

« Lo sa davvero? Docherty pensa di no. Secondo lui sta bluffando per cavarsi dai guai. »

« Docherty è un individuo molto cinico. »

« Cinico o ha colto nel segno? »

« So dov'è. »

« Allora vada a prenderla. Lasci le Hoth a qualcun altro. »

A quella frase non risposi. « Passa molto tempo in palestra? » chiesi invece.

« Non molto », ammise. « Perché? »

« Mi chiedo quanto difficile sarebbe sopraffarla. »

« Non molto », disse.

Non risposi.

« Quando ha intenzione di muoversi? » domandò.

« Fra due ore », affermai. « Poi altre due ore per trovarle; attaccherò alle quattro del mattino. La mia ora preferita. È una cosa che abbiamo imparato dai sovietici. Hanno messo dei dottori a lavorarci su. Le persone raggiungono un picco minimo alle quattro del mattino. È una verità universale. »

« Se lo sta inventando. »

« No. »

« Non le troverà in due ore. »

« Secondo me sì. »

« Il dossier mancante riguarda Sansom, vero? »

« In parte. »

« Sa che lo ha lei? »

« Non ce l'ho. Ma so dov'è. »

« Lo sa? »

Annuii.

« Perciò ha fatto un patto con lui. Togliere me, Docherty e Jacob Mark dai guai e in cambio lo avrebbe condotto al file. »

«Il patto era studiato per togliere prima di tutto me dai guai.»

«Per lei non ha funzionato. Con i federali è ancora nelle pesti.»

«Con il NYPD ha funzionato.»

«E per tutti noi. Di questo la ringrazio.»

«Prego.»

«Le Hoth come pensano di uscire dal paese?» chiese.

«Secondo me non pensano di farlo. Quell'opzione è svanita alcuni giorni fa. Probabilmente si aspettavano che le cose andassero più lisce di quanto non siano andate. Adesso è questione di portare a termine il lavoro, di farlo o di morire.»

«Una sorta di missione suicida?»

«È la loro specialità.»

«Il che per lei peggiora le cose.»

«Se amano il suicidio, sarò felice di aiutarle.»

Lee si mosse sul letto. Il lembo della camicia s'impigliò sotto il suo corpo e la seta si tese sopra la sagoma della pistola che portava al fianco. Una Glock 17, immaginai. In una fondina piatta.

«Chi sa che è qui?» le domandai.

«Docherty», rispose.

«Quando la aspetta di ritorno?»

«Domani», affermò.

Non dissi nulla.

«Cosa vuol fare adesso?» chiese.

«Vuole una risposta onesta?»

«La prego.»

«Voglio sbottonarti la camicetta.»

«Lo dici a molti ufficiali di polizia?»

«Lo dicevo. Gli ufficiali di polizia erano le uniche persone che conoscevo.»

«Il pericolo ti eccita?»

«Le donne mi eccitano.»

«Tutte le donne?»

«No», dissi. «Non tutte.»

Tacque a lungo e poi disse: «Non è una buona idea».

«Va bene», affermai.

«Accetti un no come risposta?»

«Non dovrei?»

Rimase di nuovo a lungo in silenzio e quindi affermò: «Ho cambiato idea».

«Su cosa?»

«Sul fatto che non sia una buona idea.»

«Ottimo.»

«Ma ho lavorato per un anno alla Buoncostume. Operazioni sotto copertura per incastrare i clienti. Ci serviva la prova che l'uomo avesse realmente intenzione di avere un rapporto. Perciò prima lo costringevano a togliersi la camicia. Come dimostrazione di intento.»

«Posso farlo», dichiarai.

«*Devi* farlo.»

«Intendi arrestarmi?»

«No.»

Mi tolsi la maglietta nuova. La gettai in mezzo alla stanza. Atterrò sul tavolo. Lee restò un attimo a fissare le cicatrici, proprio come aveva fatto Susan Mark sul treno. L'orrendo intreccio dei punti in rilievo per i frammenti del camion bomba nella caserma di Beirut. La lasciai guardare per un minuto ed esclamai: «Tocca a te».

«Sono una ragazza all'antica», replicò.

«Che significa?»

«Prima mi dovrai baciare.»

«Posso farlo», dissi. E lo feci. Lentamente, delicatamente, all'inizio con una certa esitazione, con un fare che appariva esplorativo e che mi diede il tempo di assaporare quella nuova bocca, quel nuovo gusto, quei nuovi denti, quella nuova lingua. Andava tutto bene. Poi superammo una specie di soglia e ci lanciammo nell'impresa con maggiore intensità. Nel giro neanche di un minuto avevamo perso del tutto il controllo.

Dopo lei si fece una doccia e me la feci anch'io. Si vestì e mi vestii anch'io. Mi baciò ancora una volta, mi disse di chiamarla se avessi avuto bisogno di aiuto, mi augurò buona fortuna e uscì. Lasciò la borsa nera sul pavimento accanto al bagno.

71

Portai la borsa sul letto. Pesava poco meno di quattro chili, calcolai. Toccò il lenzuolo stropicciato ed emise un rumore metallico appagante. Aprii la cerniera, scostai i lembi come una bocca e guardai dentro.

La prima cosa che vidi fu un raccoglitore.

Era di dimensioni A4, color cachi, di carta spessa o di cartoncino sottile, a seconda del punto di vista. Conteneva ventun stampate. Documenti dell'immigrazione di ventun persone diverse. Due donne, diciannove uomini. Cittadini del Turkmenistan. Erano entrati negli Stati Uniti dal Tagikistan tre mesi prima. Itinerari collegati. C'erano fotografie digitali e impronte digitali del controllo immigrazione al JFK. Le fotografie erano un po' deformate dall'obiettivo grandangolare. Erano a colori. Riconobbi facilmente Lila e Svetlana. Leonid e il suo amico. Non conoscevo gli altri diciassette. Quattro avevano già annotazioni d'uscita. Erano in quattro a essere partiti. Gettai i loro fogli nei rifiuti e disposi i tredici sconosciuti sul letto per studiarli meglio.

Tutte le tredici facce avevano un'aria annoiata e stanca. Voli locali, coincidenze, un lungo volo transatlantico, il jet lag, una lunga attesa nella sala immigrazione del JFK. Sguardi cupi di fronte alla macchina fotografica, volti tenuti alla stessa altezza, occhi ruotati in alto verso l'obiettivo. Il che mi disse che tutti e tredici erano bassi di statura. Verificai con il foglio di Leonid. Il suo sguardo era altrettanto annoiato e stanco ma orizzontale. Era il più alto del gruppo. Controllai il foglio di Svetlana Hoth. Era la più bassa. Gli altri stavano in mezzo. Uomini mediorientali piccoli e asciutti, ridotti a ossa, muscoli e tendini dal clima, dalla dieta, dalla cultura. Li squadrai a fondo dal numero uno al tredici, più e più volte, fino a imprimermi bene in testa le loro espressioni.

Poi tornai alla borsa.

Speravo come minimo in una pistola decente. Nella migliore delle ipotesi in una pistola mitragliatrice. L'osservazione che
avevo fatto a Springfield a proposito della giacca larga era volta
a fargli capire che avrei avuto il posto per portare qualcosa sotto, appeso in alto contro il petto a una cinghia accorciata e nascosto dal tessuto in eccesso. Speravo avesse colto il messaggio.

Era così. Lo aveva colto. Con grande stile.

Meglio del minimo.

Meglio anche della migliore delle ipotesi.

Mi aveva dato una pistola mitragliatrice *silenziata*. Un Heckler & Koch MP5SD. La versione silenziata della classica MP5.
Niente calcio o cassa. Solo un'impugnatura da pistola, un grilletto, un alloggiamento per un caricatore curvo da trenta colpi
e una canna da quindici centimetri brutalmente ingrossata dal
tubo a doppio strato del silenziatore. Nove millimetri, rapido,
preciso e silenzioso. Un'arma eccellente. Era dotata di una cinghia di nylon nero. La cinghia era già stata tesa e ridotta al minimo funzionale. Come se Springfield dicesse: *Ti ho ascoltato,
amico.*

Posai la pistola mitragliatrice sul letto.

Mi aveva fornito anche le munizioni. Erano proprio là nella
borsa. Un unico caricatore curvo. Trenta colpi. Corte e grasse,
bossoli lucenti d'ottone che ammiccavano nella luce, punte in
piombo lucidate quasi altrettanto brillanti. Da nove millimetri.
Parabellum. Dal motto latino *Si vis pacem para bellum*. Se desideri la pace, preparati alla guerra. Un detto saggio. Trenta colpi
però non erano molti. Non contro quindici persone. Ma New
York non è facile. Non per me, non per Springfield.

Disposi il caricatore accanto al fucile.

Controllai di nuovo la borsa, in caso ce ne fossero altri.

Non ce n'erano.

Ma c'era una specie di bonus.

Un coltello.

Un Benchmade 3300. Manico nero lavorato a macchina.
Meccanismo d'apertura automatica. Illegale in tutti i cinquanta
stati a meno che non fossi in servizio attivo nell'esercito o nelle
forze dell'ordine, cosa che io non ero. Premetti il tasto di rilascio e la lama guizzò fuori, rapida e brusca. Un pugnale a filo
doppio con la punta a forma di lancia. Lungo dieci centimetri.

Non sono un feticista dei coltelli. Non ne ho di preferiti. In realtà non me ne piace nessuno. Ma se dovessi utilizzarne uno per combattere, sceglierei qualcosa di simile a quello che mi aveva fornito Springfield. Il meccanismo automatico, la punta, la lama a filo doppio. Ambidestro, buono per pugnalare, buono per tagliare in entrambe le direzioni.

Lo richiusi e lo posai sul letto accanto all'H&K.

Nella borsa c'erano gli ultimi due oggetti. Un solo guanto di pelle, nero, delle dimensioni e della forma adatte a una mano maschile grande sinistra. E un rotolo di nastro adesivo nero. Li posai sul letto insieme alla pistola mitragliatrice, al caricatore e al coltello.

Trenta minuti dopo ero vestito, pronto e diretto a sud su un treno della linea R.

72

La linea R usa carrozze più vecchie con alcuni sedili rivolti in avanti e all'indietro. Io però ero su una panca laterale, tutto solo. Erano le due del mattino. C'erano altri tre passeggeri. Tenevo i gomiti sulle ginocchia e mi osservavo nel vetro di fronte.

Stavo esaminando i punti dell'elenco.

Abbigliamento inadeguato, sì. La giacca a vento era chiusa fino al mento e sembrava fin troppo calda e fin troppo grande per me. Sotto, la cinghia dell'MP5 mi girava attorno al collo e la pistola mitragliatrice stessa era appoggiata in diagonale al mio corpo con l'impugnatura in alto e la canna in basso, perfettamente nascosta.

Camminata da robot: non immediatamente applicabile con un sospetto seduto su un mezzo di trasporto pubblico.

Punti tre-sei: irritabilità, sudorazione, tic e comportamento nervoso. Sudavo di sicuro, forse un po' di più di quanto la temperatura e la giacca prevedessero. Mi sentivo anche irritabile, forse un po' di più del solito. Ma mi guardai con durezza nel vetro e non vidi tic. Avevo lo sguardo fermo e il volto calmo. Non notai nemmeno comportamenti nervosi. Ma il comportamento riguarda i segni esteriori. Ero un po' nervoso dentro. Quello era maledettamente certo.

Punto sette: la respirazione. Non ansimavo. Ma certo stavo respirando un po' più intensamente e continuamente del solito. Per la maggior parte del tempo non mi accorgo affatto di respirare. Accade e basta, in automatico. Un riflesso involontario, insito in profondità nel cervello. Ma ora percepivo un ritmo inesorabile, dentro-dal-naso e fuori-dalla-bocca. Dentro, fuori, dentro, fuori. Come una macchina. Come un uomo che usi un'attrezzatura sott'acqua. Non riuscivo a rallentarlo. Non percepivo una gran quantità d'ossigeno nell'aria. Entrava e usciva come un gas inerte. Come l'argon o lo xeno. Non mi arrecava alcun beneficio.

Punto otto: sguardo rigido davanti a sé. Sì, ma mi discolpai perché lo stavo usando per valutare tutti gli altri punti. O perché era un simbolo di pura focalizzazione. O di concentrazione. Di solito fisso attorno a me e non rigidamente.

Punto nove: le preghiere borbottate. Non c'erano. Ero immobile e muto. Anzi, la mia bocca era chiusa con tanta forza che i denti posteriori mi facevano male e i muscoli agli angoli della mandibola spiccavano come palline da golf.

Punto dieci: una grossa borsa. Non presente.

Punto undici: le mani nella borsa. Non rilevante.

Punto dodici: la barba fatta da poco. No. Non mi radevo da giorni.

Sei su dodici. Potevo o non potevo essere un kamikaze.

E potevo o non potevo essere un suicida. Fissai il mio riflesso e ripensai alla prima volta che avevo visto Susan Mark: *una donna avviata alla fine, con la stessa certezza e sicurezza con cui il treno si avviava al capolinea.*

Tolsi i gomiti dalle ginocchia e appoggiai la schiena. Guardai i miei compagni di viaggio. Due uomini, una donna. Nessuno aveva alcunché di particolare. Il treno continuò a procedere dondolando verso sud con tutti i suoi rumori. L'ululato dell'aria, lo sferragliare dei giunti d'espansione sotto le ruote, il grattare del pattino collettore, il gemito dei motori, gli stridii sequenziali delle carrozze che superavano ondeggiando una dopo l'altra le lunghe e ampie curve. Tornai a guardarmi nel finestrino buio di fronte e sorrisi.

Io contro di loro.

Non era la prima volta.

E non sarebbe stata l'ultima.

Scesi a 34th Street e rimasi nella stazione. Mi sedetti semplicemente su una panca di legno nella calura e ripresi ancora una volta in mano le mie teorie. Mi ripetei la lezione di storia di Lila Hoth sui giorni dell'impero britannico: *quando progetti un'offensiva, la prima cosa che devi pianificare è l'inevitabile ritirata.* I suoi superiori a casa avevano seguito quell'ottimo consiglio? Scommisi di no. Per due ragioni. Primo, il fanatismo. Le organizzazioni ideologiche non si possono permettere considerazioni razionali. Inizia a pensare razionalmente e cade tutto quanto a pezzi. E le organizzazioni ideologiche amano costringere i loro fanti a compiere operazioni senza via d'uscita. Per incentivare la tenacia. Nello stesso modo, le cinture esplosive vengono cucite dietro, non chiuse con cerniere lampo o ganci.

Secondo, un piano di ritirata recava in sé il seme della propria distruzione. Immancabilmente. Un terzo, un quarto o un quinto nascondiglio comprato o affittato tre mesi prima sarebbe risultato dai documenti cittadini. Anche eventuali prenotazioni d'emergenza negli alberghi. Seicento agenti stavano passando al setaccio le strade. Immaginai che non avrebbero trovato niente perché gli autori del piano, laggiù in mezzo ai monti, ne avevano di certo previsto le mosse. Sapevano che tutte le piste sarebbero svanite non appena avessero colto un odore. Sapevano che per definizione l'unica meta sicura è una meta non pianificata.

Perciò adesso le Hoth dovevano cavarsela da sole. Con la loro squadra. Due donne, tredici uomini. Avevano lasciato la base di 58th Street e si muovevano in modo disordinato, improvvisavano, strisciavano sotto il radar.

Proprio come me. Erano nel mio mondo.

I simili si attraggono.

Spuntai da sotto terra a Herald Square, cioè là dove s'incontrano Sixth Avenue, la Broadway e 34th Street. Di giorno è un caos. Lì c'è Macy's. Di notte non è deserto, ma è tranquillo. Mi diressi a sud sulla Sixth e a ovest sulla 33rd e arrivai a fianco dell'edificio vecchio e fatiscente dove mi ero procurato l'unica notte di sonno ininterrotto della settimana. L'MP5 era duro e pesante contro il petto. Le Hoth avevano solo due scelte: dormire in strada o corrompere un portiere notturno. Manhattan ha centinaia di hotel, ma si dividono piuttosto facilmente in categorie distinte. Molti sono di livello medio o superiore, luoghi dove il personale è numeroso e i trucchi non funzionano. Parecchi buchi di basso livello sono piccoli. Le Hoth avevano quindici persone da sistemare. Cinque stanze come minimo. Per trovare cinque stanze libere e discrete ci voleva un posto grande. Con un portiere notturno disonesto che lavori solo.

Conosco New York abbastanza bene. Riesco a capire la città, soprattutto da quel genere di prospettive che la gente normale di solito non considera. E posso contare sulla punta delle dita il numero dei grandi e vecchi alberghi di Manhattan con portieri notturni disonesti che lavorino soli. Uno si trovava molto a ovest su 23rd Street. Lontano dall'azione, il che era un vantaggio ma anche uno svantaggio. Più uno svantaggio che un vantaggio, nel complesso.

La seconda opzione, pensai.

Mi trovavo in piedi esattamente accanto all'unica altra alternativa.

L'orologio nella mia mente segnava le due e mezzo passate del mattino. Restai nell'ombra e attesi. Non volevo essere né in anticipo né in ritardo. Volevo che la tempistica fosse giusta. A destra e a sinistra vedevo il traffico dirigersi a nord sulla Sixth e a sud sulla Seventh. Taxi, camion, alcuni civili, alcune auto della polizia, alcune berline scure. La trasversale era tranquilla.

Alle tre meno un quarto mi scostai dal muro, svoltai l'angolo e mi diressi alla porta dell'albergo.

73

Era di turno lo stesso portiere di notte. Solo. Stava stravaccato su una sedia dietro il banco e fissava immusonito nel vuoto. Nell'atrio c'erano alcuni vecchi specchi appannati. La mia giacca era rigonfia davanti. Mi sembrava di scorgere la forma dell'impugnatura da pistola dell'MP5, la curva del caricatore e l'estremità della bocca. Ma io sapevo cosa stavo guardando. E presumevo che il portiere di notte non lo sapesse.

Mi avvicinai e dissi: «Si ricorda di me?»

Non disse di sì. Non disse di no. Si limitò ad alzare genericamente le spalle, cosa che presi come un invito ad aprire le trattative.

«Non mi serve una stanza», affermai.

«Allora cosa le serve?»

Presi cinque pezzi da venti dalla tasca. Cento dollari. Quasi tutto quello che mi restava. Li disposi a ventaglio in modo che vedesse tutte le cinque cifre doppie e li posai sul banco.

«Mi servono i numeri delle stanze in cui ha messo le persone arrivate attorno a mezzanotte.»

«Quali persone?»

«Due donne, tredici uomini.»

«Non è arrivato nessuno attorno a mezzanotte.»

«Una delle donne era una vera bambola. Giovane. Occhi di un azzurro intenso. Non la si scorda facilmente.»

«Non è venuto nessuno.»

«Ne è sicuro?»

«Non è venuto nessuno.»

Spinsi i cinque biglietti verso di lui. «Ne è assolutamente sicuro?»

Lui li spinse indietro.

«Mi piacerebbe prendere i suoi soldi, mi creda. Ma stasera non è venuto nessuno», disse.

*

Non presi la metropolitana. Decisi di andare a piedi. Un rischio calcolato. Mi esponeva a quanti, tra i seicento poliziotti e agenti federali, si fossero trovati nelle vicinanze, ma volevo che il cellulare funzionasse. Avevo concluso che in metropolitana i cellulari non funzionavano. Non avevo mai visto nessuno usarli là sotto. Presumibilmente non tanto per ragioni di etichetta, quanto per mancanza di segnale. Perciò andai a piedi. Percorsi 32nd Street per arrivare alla Broadway, poi seguii la Broadway in direzione sud superando outlet di valigie, gioiellerie che vendevano paccottiglia e grossisti di profumi contraffatti, tutti chiusi e sbarrati per la notte. Laggiù era buio e sporco. Era come se mi trovassi a Lagos o a Saigon.

Mi fermai all'angolo di 28th Street per lasciar passare un taxi.

Il telefono in tasca cominciò a vibrare.

Arretrai nella 28th, mi sedetti sui gradini in ombra di un ingresso e aprii il telefono.

«Allora?» disse Lila Hoth.

«Non riesco a trovarti», risposi.

«Lo so.»

«Perciò farò un patto.»

«Davvero?»

«Quanti contanti hai?»

«Quanti ne vuoi?»

«Tutti.»

«Hai la chiavetta?»

«Posso dirti con esattezza dov'è.»

«Ma in realtà non ce l'hai?»

«No.»

«Allora cos'era quella che ci hai mostrato in albergo?»

«Un'esca.»

«Cinquantamila dollari.»

«Cento.»

«Non ho centomila dollari.»

«Non puoi salire su un pullman, su un treno o su un aereo.

Non puoi andartene. Sei in trappola, Lila. Morirai qui. Non vuoi morire vittoriosa? Non vuoi essere in grado di mandare quella mail in codice a casa? Missione compiuta?»

«Settantacinquemila.»

«Cento.»

«D'accordo, ma solo metà stanotte.»

«Non mi fido di te.»

«Dovrai.»

«Settantacinque, tutti stanotte.»

«Sessanta.»

«Affare fatto.»

«Dove sei?»

«Molto a nord», mentii. «Ma mi sto muovendo. Ci incontriamo a Union Square tra quaranta minuti.»

«Dov'è?»

«Sulla Broadway, tra 14th Street e la 17th.»

«È sicura?»

«Abbastanza.»

«Ci sarò», disse.

«Solo tu», affermai. «Sola.»

Lei chiuse il telefono.

Mi spostai di due isolati all'estremità nord del Madison Square Park, mi sedetti su una panchina a un metro da una barbona che aveva un carrello della spesa pieno come un camion di rifiuti. Frugai in tasca in cerca del biglietto del NYPD di Theresa Lee. Lo lessi alla luce fioca di un lampione. Composi il numero di cellulare. Rispose dopo cinque squilli.

«Sono Reacher», affermai. «Mi hai detto di chiamarti se avessi avuto bisogno.»

«Cosa posso fare per te?»

«Sono sempre pulito per il NYPD?»

«Certo.»

«Di' ai tuoi dell'antiterrorismo che tra quaranta minuti sarò a Union Square e verrò avvicinato come minimo da due e come massimo da forse sei uomini della squadra di Lila Hoth. Di' ai tuoi che pensino loro a prenderli. Ma che mi lascino in pace.»

«Descrizioni?»

«Hai guardato nella borsa, prima di consegnarla, giusto?»

«Certo.»

«Allora hai visto le loro fotografie.»

«Dove nella piazza?»

«Andrò verso l'angolo sudoccidentale.»

«Perciò l'hai trovata?»

«Nel primo posto in cui ho cercato. È in un albergo. Ha corrotto il portiere di notte. E l'ha spaventato. Lui ha negato tutto e l'ha chiamata dal banco un minuto dopo che ho lasciato l'atrio.»

«Come lo sai?»

«Perché Lila mi ha chiamato dopo neanche un minuto. Non ho nulla contro le coincidenze, ma è una tempistica troppo perfetta per essere vera.»

«Perché ti incontri con i suoi?»

«Ho fatto un patto con lei. Le ho detto di venire sola. Ma mi tradirà e manderà invece alcuni dei suoi. Mi aiuterebbe se i tuoi li beccassero. Non vorrei dover sparare a tutti.»

«Hai una coscienza?»

«No, ho trenta colpi. E non sono molti. Devo razionarli.»

Nove isolati dopo raggiunsi Union Square. Feci un giro completo e l'attraversai lungo entrambe le diagonali. Non vidi nulla di preoccupante. Solo sagome sonnolente sulle panchine. Uno degli alberghi a zero dollari di New York. Mi sedetti accanto alla statua di Ghandi e attesi che uscissero i ratti.

74

Passati venti dei quaranta minuti, vidi la squadra antiterrorismo del NYPD cominciare a radunarsi. Buone mosse. Arrivarono con berline scassate senza insegne, minivan confiscati pieni di ammaccature e graffi. Vidi un taxi fuori servizio parcheggiare davanti a un coffee shop su 16th Street. Vidi due uomini uscire da dietro e attraversare la strada. Nel complesso ne contai sedici ed ero sicuro che me ne fossero sfuggiti forse altri quattro o cinque. Se non avessi saputo come stavano le cose, avrei immaginato che fosse appena stata disposta una lunga lezione a tarda ora di arti marziali. Tutti i ragazzi erano giovani, in forma, grossi e si muovevano come atleti allenati. Portavano tutti borse da ginnastica. Avevano tutti un abbigliamento inadeguato. Indossavano giubbotti degli Yankee o giacche a vento scure come la mia o sottili parka con il pile, come se fosse già novembre. Per nascondere i giubbetti di Kevlar, pensai. E forse i distintivi appesi al collo.

Nessuno mi guardò, ma capii che mi avevano individuato e identificato. Si misero in formazione singola, in gruppi di due e di tre intorno a me, dopodiché indietreggiarono nel buio e scomparvero. Si confusero nel paesaggio. Alcuni si sedettero sulle panchine, altri si sistemarono nei portoni vicini, altri ancora andarono in posti che non vidi.

Buone mosse.

Passati trenta minuti su quaranta, mi sentii abbastanza ottimista.

Cinque minuti dopo non più.

Perché arrivarono i federali.

Si fermarono altre due macchine, proprio su Union Square West. Crown Vic nere, cerate, lucide e brillanti. Ne uscirono otto uomini. Sentii gli agenti del NYPD agitarsi. Li sentii fissare nel buio, lanciarsi occhiate a vicenda e chiedersi: *Perché diavolo sono qui quelli?*

Io ero a posto con il NYPD. Non altrettanto con l'FBI e il dipartimento della Difesa.

Guardai Ghandi. Non mi fu di nessun aiuto.

Presi di nuovo il telefono e premetti il pulsante verde per recuperare il numero di Theresa Lee. Era l'ultima chiamata che avevo fatto. Premetti ancora il tasto verde per comporre il numero. Rispose subito.

«I federali sono qui. Com'è successo?» chiesi.

«Merda», esclamò. «O tengono sotto controllo la nostra centrale o uno dei nostri sta cercando un lavoro migliore.»

«Chi ha la precedenza stanotte?»

«Loro. Sempre. Devi andartene subito.»

Chiusi il telefono e lo rimisi in tasca. Gli otto uomini delle Crown Vic entrarono nell'ombra. La piazza divenne silenziosa. C'era una lettera difettosa in un'insegna illuminata alla mia sinistra. Si accendeva e si spegneva scoppiettando a intervalli casuali. Udii i ratti nel pacciame dietro di me.

Attesi.

Due minuti. Tre.

Poi, trascorsi trentanove minuti su quaranta, avvertii un movimento umano lontano alla mia destra. Passi, aria smossa, buchi nell'oscurità. Guardai e vidi alcune figure muoversi nell'ombra e nella luce fioca.

Sette uomini.

Il che era una buona notizia. Più erano ora, meno sarebbero stati dopo.

E mi lusingava. Lila rischiava più di metà della sua forza perché mi riteneva difficile da prendere.

Tutti i sette uomini erano piccoli, agili e guardinghi. Erano vestiti come me, con abiti neri larghi quel tanto da nascondere armi. Ma non avevano intenzione di spararmi. Il bisogno che Lila aveva di sapere era il mio giubbetto antiproiettile virtuale. Mi videro e si fermarono a una trentina di metri di distanza.

Rimasi seduto immobile. In teoria quella sarebbe dovuta essere la parte facile. Si avvicinano a me, gli uomini del NYPD avanzano, io mi allontano e proseguo per la mia strada.

Ma non con i federali sulla scena. Nel migliore dei casi ci volevano prendere tutti. Nel peggiore volevano me più di loro. Sapevo dove fosse la chiavetta. Gli uomini di Lila no.

Rimasi seduto immobile.

Una trentina di metri più in là i sette si divisero. Due rimasero fermi, bloccati all'incirca alla mia destra. Due si buttarono a sinistra, girarono in cerchio e si diressero all'altro mio fianco. Tre continuarono a camminare per portarsi alle mie spalle.

Mi alzai. I due uomini alla mia destra presero ad avanzare. I due alla mia sinistra erano a metà della manovra di fiancheggiamento. I tre dietro di me erano fuori del campo visivo. Supposi che gli agenti del NYPD fossero già in azione. Supposi che anche i federali si stessero muovendo.

Una situazione fluida.

Partii di corsa.

Dritto davanti a me, verso l'entrata della metropolitana sei metri più in là. Giù per le scale. Sentii un forte rumore di passi dietro di me. Una grossa folla. Probabilmente quasi quaranta persone, tutte in fila, come in un forsennato inseguimento del pifferaio magico.

Riuscii a raggiungere un corridoio piastrellato e a sbucare nell'atrio della stazione. Stavolta non c'era nessun violinista. Solo aria stantia, rifiuti e un vecchio che spingeva una scopa logora con una base larga un metro. Lo superai correndo e mi diressi alla linea R in direzione uptown. Saltai i tornelli, volai lungo il marciapiede e arrivai fino in fondo.

Lì mi fermai.

E mi girai.

Dietro di me tre gruppi distinti arrivarono in successione. Prima i sette uomini di Lila Hoth. Si lanciarono verso di me. Videro che non avevo dove andare. Si bloccarono. Notai un'aria di feroce soddisfazione sui loro volti. Poi l'inevitabile conclusione: troppo bello per essere vero. Certi pensieri sono chiari in qualsiasi linguaggio. Si voltarono all'improvviso e videro la squadra antiterrorismo del NYPD sopraggiungere alle loro spalle.

E proprio dietro gli uomini del NYPD c'erano quattro degli otto agenti federali.

Nessun altro sul marciapiede. Nessun civile. Sul marciapiede opposto per i treni in direzione downtown c'era un uomo solitario su una panchina. Giovane. Forse ubriaco. Forse peggio. Fissava l'improvviso trambusto dall'altra parte. Mancavano venti minuti alle quattro del mattino. L'uomo sembrava stordito. Come se non capisse molto di quanto vedeva.

Pareva una guerra tra bande. Ma quello che in realtà vedeva era una cattura rapida ed efficiente da parte del NYPD. Nessuno degli uomini smise di correre. Si raggrupparono urlando con le armi puntate e i distintivi visibili, sfruttarono il grosso fisico e la superiorità numerica di tre a uno e sopraffecero i sette. Non ci fu alcuna lotta. Li sbatterono tutti a terra, li girarono con la faccia all'ingiù, li ammanettarono e li portarono via. Non ci furono pause, né ritardi, né letture dei diritti. Solo massima velocità e brutalità. Una tattica perfetta. Pochi secondi dopo erano scomparsi. Qualche eco risuonò e poi svanì. La stazione tornò silenziosa. L'uomo di fronte stava ancora fissando la scena, ma d'un tratto si ritrovò a osservare il nulla, fatta eccezione per un marciapiede tranquillo con me solo a un'estremità e quattro agenti federali circa trenta metri più in là. Tra noi non c'era niente. Niente di niente. Solo luce bianca intensa e spazio vuoto.

Per quasi un minuto non accadde nulla. Poi oltre i binari vidi gli altri quattro agenti federali arrivare sul marciapiede opposto. Si misero proprio di fronte a me e restarono immobili. Sorrisero tutti leggermente, come se avessero fatto una mossa astuta in una partita a scacchi. Ed era proprio così. Non aveva senso compiere altre prodezze di attraversamento binari. I quattro agenti sul mio lato erano tra me e l'uscita. Alle mie spalle c'era una parete bianca spoglia e la bocca del tunnel.

Scacco matto.

Rimasi immobile. Respirai l'aria viziata della metropolitana, ascoltai il lieve rombo della ventilazione e il brontolio dei treni lontani in qualche punto della rete.

L'agente più vicino a me estrasse una pistola da sotto la giacca.

Fece un passo verso di me.

«Mani in alto», disse.

75

Orario notturno. Intervalli di venti minuti fra i treni. Eravamo
là sotto forse da quattro minuti. Perciò aritmeticamente l'attesa
massima per il primo treno era di sedici minuti. La minima di
zero.

Niente attesa minima. Il tunnel rimase buio e silenzioso.

«Mani in alto», ripeté l'agente capo. Era un uomo bianco
sulla quarantina. Sicuramente un ex militare. Del dipartimento
della Difesa, non dell'FBI. Un tipo simile ai tre che avevo già incontrato. Ma forse un po' più vecchio. Forse un po' più saggio.
Forse un po' migliore. Forse quella era una squadra A, non B.

«Altrimenti sparo», gridò l'agente capo. Ma non lo avrebbe
fatto. Era una minaccia vuota. Volevano la chiavetta. Io sapevo
dov'era. Loro no.

Attesa media per il primo treno, otto minuti. Un po' di più
o un po' di meno, con le stesse probabilità. L'uomo con la pistola fece un altro passo in avanti. I tre colleghi lo seguirono. Al
di là dei binari gli altri quattro restarono immobili. Il giovane
sulla trentina osservava con aria inespressiva.

Il tunnel rimase buio e silenzioso.

«Tutta questa storia potrebbe finire nel giro di un minuto.
Basta che ci dici dov'è.»

«Dove è cosa?» affermai.

«Lo sai.»

«Quale storia?»

«Stiamo esaurendo la pazienza. E ti sfugge un elemento importante.»

«Che sarebbe?»

«Non sei così intelligente come credi. Anzi. Il che significa
che se ci sei arrivato tu, possiamo farlo anche noi. E quindi la
tua sopravvivenza ci interessa fino a un certo punto.»

«Allora fatelo», dissi. «Arrivateci.»

Alzò e raddrizzò di più la pistola. Era una Glock 17. Forse

358

settecento grammi, carica. La pistola d'ordinanza più leggera sul mercato. Fatta in parte di plastica. L'uomo aveva braccia corte e grosse. Poteva probabilmente mantenere la posizione a tempo indefinito.

«Ultima possibilità», esclamò.

Al di là dei binari il giovane si alzò dalla panchina e si allontanò. Con lunghi passi disuguali, non del tutto in linea retta. Era disposto a buttar via una corsa da due dollari della Metrocard in cambio di una vita tranquilla. Raggiunse l'uscita e scomparve.

Niente testimoni.

Attesa media per il primo treno, forse sei minuti.

«Non so chi siete», affermai.

«Agenti federali» rispose l'uomo.

«Dimostratemelo.»

L'uomo tenne la pistola puntata al mio baricentro, ma fece un cenno al di sopra della spalla all'agente dietro di lui, che avanzò di un passo e si portò nella terra di nessuno in mezzo a noi. Lì si bloccò ed estrasse un portadistintivo di pelle dal taschino della giacca. Lo sollevò ad altezza d'occhi verso di me e lasciò che si aprisse. Dentro c'erano due documenti identificativi diversi. Non riuscii a leggere nessuno dei due. Erano troppo lontani ed entrambi in scomparti di plastica graffiati.

Avanzai di un passo.

Lui avanzò di un passo.

Arrivai a un metro e venti e nello scomparto superiore dei portadocumenti vidi un distintivo della Defense Intelligence Agency. In quello inferiore c'era una specie di mandato o incarico che affermava che il detentore doveva ricevere ogni tipo d'assistenza perché agiva direttamente per conto del presidente degli Stati Uniti.

«Divertente», commentai. «Meglio che lavorare per vivere.»

Indietreggiai.

Lui indietreggiò.

«Non è diverso da quello che facevi tu un tempo», osservò l'agente capo.

«Cioè nella preistoria», dissi.

«Cos'è, un problema di ego?»

Attesa media per il primo treno, cinque minuti.

«È una questione pratica», risposi. «Se vuoi che qualcosa sia fatto bene, fallo da solo.»

L'uomo abbassò l'angolo del braccio al di sotto della linea orizzontale. Adesso mirava alle mie ginocchia.

«Ti sparerò», affermò. «Non pensi, non parli e non ricordi con le gambe.»

Niente testimoni.

Quando non c'è più niente da fare, mettiti a parlare.

«Perché la volete?» chiesi.

«Vogliamo cosa?»

«Lo sapete.»

«Sicurezza interna.»

«Offensiva o difensiva?»

«Difensiva, naturalmente. Rovinerebbe la nostra credibilità. Ci riporterebbe indietro di anni.»

«Credete?»

«Lo sappiamo.»

«Continuate a lavorare sulla vostra intelligenza», osservai.

Puntò la pistola con più precisione. Alla mia tibia sinistra.

«Conterò fino a tre», affermò.

«Allora buona fortuna. Avvisatemi se v'impantanate per strada», replicai.

«Uno», esclamò lui.

Poi i binari sibilarono sulla linea accanto. Strani suoni armonici metallici che precedevano veloci un treno molto più indietro nel tunnel. Erano puntualmente rincorsi dalla ventata d'aria calda e da un rombo più profondo. Una curva nella parete della galleria venne illuminata da un faro. Per un lungo secondo non accadde niente. Il treno apparve, si muoveva rapido, inclinato per la bombatura della curva. Dondolò, si raddrizzò e sopraggiunse veloce, dopodiché i freni morsero tra cigolii e lamenti. Il treno rallentò e arrivò al nostro fianco, tutto acciaio inossidabile lucido, brillante e luci intense. Fischiava, strideva e gemeva.

Un treno della linea R in direzione uptown.

Forse quindici carrozze, ciascuna con pochi passeggeri sparsi qua e là.

Testimoni.

Guardai l'agente capo. La Glock era tornata sotto la giacca.

Eravamo all'estremità nord del marciapiede. La linea R usa carrozze più vecchie. Ognuna ha quattro porte. La vettura di testa si era fermata proprio vicino a noi. Ero più o meno in linea con la prima porta. Gli uomini del dipartimento della Difesa più prossimi alle porte tre e quattro.

Queste si aprirono in tutto il treno.

Molto lontano, in fondo, scesero due persone. Si allontanarono e sparirono.

Le porte restarono aperte.

Mi girai verso il treno.

Gli uomini del dipartimento della Difesa si girarono verso il treno.

Avanzai di un passo.

Avanzarono di un passo.

Mi fermai.

Si fermarono.

Scelte: potevo salire dalla porta uno, loro sarebbero saliti dalle porte tre e quattro. *Nella stessa carrozza.* Avremmo potuto viaggiare per tutta la notte. Oppure potevo lasciar partire il treno senza di me e passare almeno altri venti minuti con loro sullo stesso marciapiede, come prima.

Le porte restarono aperte.

Avanzai di un passo.

Avanzarono di un passo.

Entrai nella carrozza.

Entrarono nella carrozza.

Mi fermai per un istante e tornai subito fuori. Sul marciapiede.

Tornarono fuori anche loro.

Rimanemmo tutti immobili.

Le porte si chiusero davanti a me. Come un sipario finale. I paraurti di gomma si toccarono con un rumore sordo.

Sentii nell'aria il fremito d'elettricità. Volt e ampere. Un fabbisogno consistente. I motori andarono su di giri e gemettero. Cinquecento tonnellate di acciaio cominciarono a muoversi.

La linea R usa carrozze più vecchie. Hanno pedane e grondaie. Mi gettai in avanti, infilai le dita delle mani nella grondaia e puntai il piede destro sulla pedana. Poi il piede sinistro. Mi appiattii contro il metallo e il vetro. Abbracciai la curva esterna della vettura come una stella marina. L'MP5 mi si conficcò nel petto. Rimasi aggrappato con le dita delle mani e con i piedi. Il treno si mosse. Il vento mi strattonò. Il profilo del tunnel mi venne dritto addosso. Trattenni il fiato, divaricai di più mani e piedi, piegai la testa e schiacciai la guancia contro il vetro. Il treno mi risucchiò di lato nel tunnel con una quindicina di centimetri di spazio. Guardai indietro al di là del gomito piegato e vidi l'agente capo in piedi immobile sul marciapiede con una mano tra i capelli e l'altra che sollevava la Glock per poi riabbassarla.

76

Fu un viaggio da incubo. Velocità incredibile, buio ululante, rumore furioso, ostacoli invisibili che mi si paravano davanti di colpo, stress fisico estremo. Tutto il treno dondolava, rimbalzava, sussultava, sobbalzava e ondeggiava sotto di me. Ogni giunto d'espansione rischiava di farmi perdere la presa. Infilai tutte le quattro dita con forza nella grondaia poco profonda, premetti verso l'alto con i polpastrelli dei pollici e verso il basso con gli alluci tenendomi disperatamente aggrappato. Il vento mi sferzava i vestiti. I pannelli della porta traballavano e vibravano. La testa sbatteva contro di essi come un martello pneumatico.

Viaggiai per nove isolati in quel modo. Poi arrivammo alla stazione di 23rd Street e il treno frenò bruscamente. Fui scagliato in avanti, cosa che mise a dura prova la presa della mano sinistra e la resistenza del piede destro. Mi tenni con forza e fui trasportato di lato dritto nella luce abbagliante della stazione a cinquanta chilometri all'ora. Il marciapiede volò via. Ero attaccato alla carrozza di testa come una patella. Si fermò all'estremità settentrionale della stazione. Mi inarcai e le porte si aprirono sotto di me. Entrai e mi accasciai sul sedile più vicino.

Nove isolati. Forse un minuto. Sufficienti a togliermi a vita la voglia del subway surfing.

C'erano altri tre passeggeri in vettura. Nessuno di loro mi degnò di un solo sguardo. Le porte si richiusero con un risucchio. Il treno ripartì.

Scesi a Herald Square. Là dove 34th Street incontra la Broadway e la Sixth. Mancavano dieci minuti alle quattro del mattino. Ero sempre in orario. Mi trovavo venti isolati e forse quattro minuti a nord di dove ero salito sul treno a Union Square. Troppo lontano e troppo poco tempo per incontrare una resistenza organizzata da parte del dipartimento della Difesa. Sbucai da sotto terra e mi diressi da est a ovest lungo il fianco imponente di Macy's. Poi puntai a sud sulla Seventh fino alla porta dell'albergo scelto da Lila Hoth.

Il portiere notturno era dietro il banco. Non aprii la giacca per lui. Pensai non sarebbe stato necessario. Mi avvicinai, mi chinai e gli diedi uno schiaffo sull'orecchio. Cadde dallo sgabello. Saltai al di sopra del banco, lo presi per il collo e lo rimisi in piedi.

«Dimmi i numeri delle stanze», ordinai.

E lui lo fece. Cinque stanze distinte, non adiacenti, tutte all'ottavo piano. Mi disse in quale si trovavano le donne. Gli uomini erano sparpagliati nelle altre quattro. In origine tredici uomini e otto letti disponibili. Cinque brandine.

O cinque di sentinella.

Presi il rotolo di nastro adesivo nero dalla tasca e ne usai circa otto centimetri per legare gambe e braccia al portiere. Un dollaro e mezzo in qualsiasi negozio di ferramenta, ma uno strumento standard dell'attrezzatura delle forze speciali alla stregua dei fucili da mille dollari, delle radio satellitari e dei sistemi di navigazione. Gli misi un ultimo pezzo da quindici centimetri sulla bocca. Trovai il suo pass. Glielo strappai dal cordino arricciato. Poi lo lasciai nascosto sul pavimento dietro il banco e mi diressi agli ascensori. Salii e premetti il pulsante più alto, che era l'undici. Le porte si chiusero e la cabina mi portò su.

A quel punto mi aprii la giacca.

Posizionai il fucile a un angolo adeguato tenendolo appeso alla cinghia, estrassi il guanto di pelle dall'altra tasca e me lo infilai sulla sinistra. L'MP5SD non aveva una presa anteriore. Non come la tozza versione K che ha una piccola e grossa impugnatura sotto la bocca. Con l'SD usi la mano destra sull'impugnatura da pistola e la sinistra sostiene il rivestimento della canna. La canna interna è dotata di trenta fori. La polvere nella cartuccia non brucia né esplode. Fa entrambe le cose. Deflagra. Crea una bolla di gas superriscaldato. Parte del gas fuoriesce dai trenta fori, cosa che attutisce il rumore e rallenta il proiettile fino a una velocità subsonica. Non ha senso silenziare un'arma se il proiettile crea uno schiocco supersonico tutto suo. Un proiettile lento è un proiettile silenzioso. Proprio come il VAL «Silent

Sniper». Il gas che fuoriesce passa attraverso i trenta fori, si espande e turbina nella camera interna del silenziatore. Poi passa nella seconda camera, si espande ancora un po' e turbina ancora un po'. L'espansione lo raffredda. È fisica di base. Ma non di tanto. Forse lo riduce da superriscaldato a estremamente caldo. Il rivestimento esterno della canna è di metallo. Per questo il guanto. Nessuno usa un MP5SD senza. Springfield è il tipo d'uomo che pensa a tutto.

Sulla parte sinistra dell'arma c'era la sicura e nel contempo il selettore del fuoco. Le versioni più vecchie dell'SD che ricordavo avevano una leva a tre posizioni. S, E e F. S per sicura, E per colpi singoli e F per fuoco automatico. Abbreviazioni tedesche, presumibilmente. E per *Ein*, e così via, anche se da molti anni la Heckler & Koch era in mano a una società britannica. Immagino avessero deciso che la tradizione conta. Ma Springfield mi aveva dato un modello più nuovo. L'SD4. Aveva un selettore a quattro posizioni. Non c'erano abbreviazioni. Solo pittogrammi. Pratici per l'estero o per gli utenti analfabeti. Un puntino bianco per sicura, un piccolo proiettile bianco per colpi singoli, tre proiettili per raffiche di tre colpi e una lunga serie di proiettili per fuoco automatico continuo.

Scelsi le raffiche di tre colpi. Le mie preferite. Una sola pressione del grilletto, tre colpi da nove millimetri in un quarto di secondo. Un inevitabile spostamento in alto della bocca, ridotto al minimo da un attento controllo e dal peso del silenziatore, che produce una piccola e precisa serie di tre ferite letali su una verticale di circa quattro centimetri.

A me sta bene.

Trenta colpi. Dieci raffiche. Otto bersagli. Una raffica a testa più due extra, per le emergenze.

L'ascensore si aprì con un trillo all'undicesimo piano e io udii nella mia mente la voce di Lila Hoth che mi parlava di vecchie campagne di molti anni prima nella valle di Korengal: *Devi tenere l'ultimo proiettile per te perché non devi farti prendere vivo, soprattutto se sei donna.*

Uscii dall'ascensore in un corridoio silenzioso.

*

Regola tattica standard per qualsiasi assalto: attaccare dall'alto. L'ottavo era tre piani sotto di me. Due modi per scendere: le scale o l'ascensore. Preferii le scale, soprattutto con un'arma silenziata. La tattica difensiva più furba sarebbe stata mettere un uomo nella tromba delle scale. Un primo avvertimento per loro. Un facile guadagno per me. Me ne sarei potuto occupare in silenzio e con calma.

La tromba delle scale aveva una porta ammaccata accanto al pozzo dell'ascensore. La aprii piano e guardai giù. Le scale erano di cemento grigio. Ogni piano era contrassegnato da un grosso numero dipinto a mano con vernice verde. Fino al nono era tutto silenzioso. Dopo, supersilenzioso. Mi fermai e scrutai oltre la ringhiera metallica.

Nessuna sentinella nella tromba delle scale.

Il pianerottolo all'ottavo piano era deserto. Il che fu una delusione. Rendeva il lavoro al di là della porta più duro del venticinque per cento. Cinque uomini in corridoio, non quattro. Da come erano distribuite le stanze, alcuni sarebbero stati alla mia sinistra, altri alla mia destra. Tre e due o due e tre. Un lungo secondo passato con la faccia rivolta dalla parte sbagliata e poi una rotazione cruciale.

Non facile.

Ma erano le quattro del mattino. Il picco minimo. Una verità universale. I sovietici lo avevano studiato, con i medici.

Mi fermai dietro la porta, sul lato delle scale, e inspirai profondamente. Una volta, due. Posai la mano con il guanto sull'impugnatura. Premetti il grilletto dell'MP5 fino a incontrare resistenza.

Tirai la porta.

La tenni a quarantacinque gradi con il piede. Strinsi la canna dell'MP5 con il guanto. Guardai e ascoltai. Nessun rumore. Niente da vedere. Imboccai il corridoio. Mi voltai rapido da una parte, poi dall'altra.

Nessuno.

Né sentinelle, né guardie, niente di niente. Solo un pezzo di moquette sporca, arruffata, luce gialla fioca e due file di porte chiuse. Niente da udire, tranne il ronzio e il fremito subliminale della città e alcune sirene lontane attutite.

Chiusi la porta delle scale dietro di me.

Controllai i numeri e mi avvicinai rapido alla porta di Lila. Posai l'orecchio sulla fessura e ascoltai con attenzione.

Nulla.

Attesi. Per buoni cinque minuti. Dieci. Nessun rumore. Nessuno sa stare immobile e in silenzio più a lungo di me.

Infilai il pass del portiere nella scanalatura. Una minuscola luce lampeggiò rossa. Poi verde. Ci fu uno scatto. Abbassai la maniglia e una frazione di secondo dopo ero dentro.

La stanza era vuota.

Il bagno era vuoto.

C'erano segni di una recente occupazione. La carta igienica era male arrotolata e strappata, il lavandino bagnato. Un asciugamano era stato usato. Il letto stropicciato. Le sedie spostate.

Controllai le altre quattro stanze. Tutte vuote. Tutte abbandonate. Non avevano lasciato niente. Nessuna prova che indicasse un ritorno imminente.

Lila Hoth, un passo avanti.

Jack Reacher, un passo indietro.

Mi tolsi il guanto, chiusi di nuovo la cerniera lampo e scesi nell'atrio. Rimisi il portiere notturno in posizione seduta contro il banco e gli strappai il nastro dalla bocca.

«Non picchiarmi più, ti prego», disse.

«Perché non dovrei?» replicai.

«Non è colpa mia», ribatté. «Ti ho detto la verità. Mi hai chiesto in quali stanze li avessi sistemati. Tempo passato.»

«Quando se ne sono andati?»

«Circa dieci minuti dopo che sei venuto qui la prima volta.»

«Li hai chiamati?»

«Dovevo, amico.»

«Dove sono andati?»

«Non ne ho idea.»

«Quanto ti hanno dato?»

«Mille», disse.

«Non male.»

«Per stanza.»

«Una follia», commentai. Era vero. Per quei soldi sarebbero

potuti tornare al Four Seasons. Tranne che non potevano. Quello era il punto.

Mi fermai nell'ombra del marciapiede di Seventh Avenue. *Dove sono andati?* Ma prima di tutto, *come* ci sono andati? Non in automobile. All'andata avevano quindici persone. Avrebbero avuto bisogno come minimo di tre macchine. E i vecchi alberghi fatiscenti con portieri notturni che lavoravano soli non avevano parcheggiatori.

In taxi? Possibile all'andata, a tarda sera dal centro città. Andandosene alle tre del mattino su Seventh Avenue? Otto persone avrebbero richiesto almeno due taxi vuoti in contemporanea.

Improbabile.

In metropolitana? Possibile. Persino probabile. C'erano tre linee nel raggio di un isolato. Orario notturno, un'attesa massima di venti minuti sul marciapiede e poi la fuga verso nord o verso il centro. Ma dove? In nessun luogo che richiedesse una lunga camminata dall'altra parte. Un gruppo di otto persone che camminano svelte su un marciapiede era molto visibile. C'erano seicento agenti in giro per le strade. L'unico altro albergo possibile che conoscevo si trovava molto a ovest. Una camminata di quindici minuti, forse più. Un rischio di esposizione troppo grosso.

Perciò la metropolitana, ma dove?

New York. Ottocentotrenta chilometri quadrati. Trentatremila ettari. Otto milioni di indirizzi. Rimasi lì a vagliare le possibilità come una macchina.

Feci cilecca.

Poi sorrisi.

Parli troppo, Lila.

Udii di nuovo la sua voce nella mia mente. Nella sala da tè del Four Seasons. Parlava dei vecchi combattenti afghani. Li biasimava dalla sua finta prospettiva. In realtà si stava vantando della sua gente e delle scaramucce inutili dell'Armata Rossa contro di loro. Aveva detto: *I mujaheddin erano intelligenti. Avevano l'abitudine di ripiegare sulle posizioni che noi avevamo precedentemente sottovalutato ritenendole abbandonate.*

Mi accinsi a tornare a Herald Square. Alla linea R. Sarei potuto scendere alla Fifth e 59th. Di lì sarebbe stata una passeggiatina fino ai vecchi edifici su 58th Street.

77

I vecchi edifici su 58th Street erano tutti bui e silenziosi. Le quattro e mezzo del mattino, in un quartiere in cui c'era poca attività prima delle dieci. Li stavo osservando da una cinquantina di metri. Da un portone in ombra sul marciapiede più lontano, dall'altra parte di Madison Avenue. Sulla porta con l'unico campanello c'era un nastro della polizia. L'edificio di sinistra fra i tre. Quello con il ristorante abbandonato al pianterreno.

Non c'erano luci alle finestre.

Nessun segno di attività.

Il nastro della polizia sembrava intatto. Ed era inevitabilmente accompagnato da un sigillo ufficiale del NYPD. Un piccolo rettangolo di carta, incollato nello spazio tra porta e stipite, all'altezza del buco della serratura. Con molta probabilità era ancora lì, integro.

Il che significava che c'era una porta posteriore.

Cosa verosimile, con un ristorante nel palazzo. I ristoranti producono ogni sorta di rifiuti sgradevoli. Per tutto il giorno. Puzzano e attirano i ratti. Non si può accumularli sul marciapiede. Meglio metterli in bidoni chiusi dietro la porta della cucina e poi trasportarli fuori per la raccolta notturna.

Mi spostai di una ventina di metri a sud per allargare la prospettiva. Non vidi vicoli. Gli edifici sorgevano tutti fianco a fianco, lungo l'intero isolato. Accanto alla porta con il nastro della polizia c'era la vetrina del vecchio ristorante. Ma accanto a essa c'era un'altra porta. Dal punto di vista architettonico faceva parte del locale vicino al ristorante. Si apriva al pianterreno del palazzo adiacente. Era tuttavia disadorna, nera, senza targhe, un po' graffiata, priva di gradino ed era molto più larga di una porta normale. All'esterno non aveva maniglia. Solo il buco della serratura. Senza una chiave si apriva solo dall'interno. Scommisi con me stesso che portasse a un vicolo coperto. Immaginai che il locale vicino al ristorante avesse due stanze al pianterreno e tre sopra. Al primo piano la costruzione era massiccia ma in basso, a livello stradale, c'erano passaggi che conducevano a ingressi posteriori, chiusi e coperti in modo discreto. Il diritto di costruire a Manhattan vale una fortuna. La città si vende in alto e in basso, ma anche di lato.

Tornai nel mio portone in ombra. Calcolavo mentalmente il tempo. Quarantaquattro minuti da quando gli uomini di Lila avrebbero dovuto acchiapparmi. Forse trentaquattro da quando Lila si aspettava una loro chiamata di missione compiuta. Forse ventiquattro da quando aveva infine accettato che le cose non erano andate bene. Forse quattordici da quando aveva avuto per la prima volta la tentazione di chiamarmi.

Parli troppo, Lila.

Mi ricacciai nell'oscurità e attesi. La scena davanti a me era assolutamente deserta. Sulla Madison passavano sporadici taxi o auto. Sulla 58th non c'era per niente traffico. Nessun pedone da nessuna parte. Nessuno che portasse a spasso il cane, nessun festaiolo che tornava a casa barcollando. La raccolta dei rifiuti era terminata. La consegna dei bagel non ancora iniziata.

Il cuore della notte.

La città che non dorme stava almeno riposando comodamente.

Attesi.

Tre minuti dopo il telefono in tasca cominciò a vibrare.

Tenni lo sguardo sull'edificio con il ristorante e aprii il telefono. Lo accostai all'orecchio e dissi: «Sì?»

«Cos'è successo?» domandò lei.

«Non ti sei fatta vedere.»

«Ti aspettavi che lo facessi?»

«Non me ne sono preoccupato molto.»

«Cos'è successo ai miei?»

«Ora sono nel sistema.»

«Possiamo sempre trattare.»

«Come? Non ti puoi permettere di perdere altri uomini.»

«Parliamone.»

«D'accordo. Ma il prezzo è appena salito.»

«Quanto?»

«Settantacinque.»

«Dove sei ora?»

«Proprio davanti a casa tua.»

Ci fu silenzio.

Ci fu un movimento a una finestra. Terzo piano, a quella di sinistra tra le due. Una stanza buia. Vago, spettrale, appena percepibile da cinquanta metri.

Forse l'ondeggiare di una tenda.

Forse una camicia bianca.

Forse immaginario.

«No, non sei davanti a casa mia», ribatté.

Ma non sembrava sicura.

«Dove vuoi che ci incontriamo?»

«Che importa? Non ti farai vedere.»

«Manderò qualcuno.»

«Non te lo puoi permettere. Ti sono rimasti gli ultimi sei uomini.»

Fece per dire qualcosa e si bloccò.

«Times Square», affermai.

«Va bene.»

«Domani mattina alle dieci.»

«Perché?»

«Voglio gente attorno.»

«È troppo tardi.»

«Per cosa?»

«La voglio ora.»

«Domani alle dieci. Prendere o lasciare.»

«Resta in linea», disse.

«Perché?»

«Devo contare i soldi. Per controllare di averne settantacinque.»

Aprii la cerniera della giacca.

Infilai il guanto.

Sentii Lila Hoth respirare.

Cinquanta metri più in là la porta nera si aprì. Il vicolo coperto. Ne uscì un uomo. Piccolo, scuro, asciutto. E guardingo. Controllò il marciapiede a destra e a sinistra. Scrutò dall'altra parte della strada.

Misi il telefono in tasca. Ancora aperto. Ancora in linea.

Alzai l'MP5.

Le pistole mitragliatrici erano concepite per il combattimento ravvicinato ma molte erano precise come fucili fino a una portata media. Certamente l'H&K era affidabile fino ad almeno cento metri. Il mio era dotato di tacche di mira metalliche. Spostai la leva del selettore sul colpo singolo e posizionai il mirino anteriore esattamente nel baricentro dell'uomo.

Cinquanta metri più in là questi salì sul cordolo del marciapiede. Scrutò a destra, a sinistra, davanti. Vide lo stesso nulla che vedevo io. Solo aria fredda e una sottile nebbiolina notturna.

Tornò verso la porta.

Un taxi mi passò davanti.

Cinquanta metri più in là l'uomo spinse la porta.

Attesi finché giudicai che il suo slancio fosse interamente rivolto in avanti. Poi premetti il grilletto e gli sparai nella schiena. Un centro netto. Un proiettile lento. Un'attesa percepibile. Spari, colpisci. L'SD è pubblicizzato come silenzioso. Non lo è. Fa un rumore. Più forte del più piccolo e educato sputo che vedi in un film. Non peggiore tuttavia di quella specie di tonfo che senti lasciando cadere un elenco telefonico su un tavolo da un metro di distanza. Palese in qualsiasi ambiente ma irrilevante in una città.

Cinquanta metri più in là l'uomo si piegò in avanti e stramazzò con il tronco nel vicolo e le gambe sul marciapiede. Per sicurezza gli piantai un secondo proiettile in corpo, lasciai l'arma appesa alla cinghia ed estrassi di nuovo il telefono dalla tasca.

«Sei ancora lì?» dissi.

«Siamo ancora contando», rispose.

Hai un uomo di meno, pensai.

Chiusi la cerniera della giacca. Iniziai a camminare. Costeggiai il lato opposto della Madison e superai la 58th di un paio di metri. Attraversai la via e girai l'angolo tenendo la spalla contro la facciata degli edifici. Dovevo restare al di sotto della sua traiettoria visiva. Superai il primo vecchio palazzo. Superai il secondo.

Quaranta metri sotto di lei dissi: «Ora devo andare. Sono stanco. Times Square domani mattina alle dieci, va bene?»

Lila rispose da dodici metri più in alto. «Va bene, manderò qualcuno», affermò.

Terminai la chiamata, rimisi il telefono in tasca e trascinai il morto all'interno del vicolo. Chiusi la porta dietro di noi lentamente e silenziosamente.

78

Nel vicolo c'era una luce. Un'unica lampadina fioca in una lampada sporca incassata nel soffitto. Riconobbi il morto dalle fotografie del raccoglitore della Homeland Security di Springfield. Era il numero sette degli originari diciannove. Non ricordavo il suo nome. Lo trascinai fino in fondo. Il pavimento era di cemento vecchio, consumato fino a risultare lucido. Lo perquisii. Nelle tasche non c'era niente. Nessun documento. Nessun'arma. Lo lasciai accanto a un piccolo cassonetto con le ruote ricoperto di sporcizia incrostata tanto vecchia da non puzzare più. Poi trovai la porta interna dell'edificio, aprii la cerniera della giacca e attesi. Mi chiesi quanto ci sarebbe voluto perché si preoccupassero dell'uomo scomparso. Meno di cinque minuti, pensai. Mi chiesi quanti avrebbero costituito la squadra di ricerca. Solo uno probabilmente, ma io speravo di più.

Attesero sette minuti e mandarono due uomini. La porta interna si aprì e il primo uscì. Il numero quattordici dell'elenco di Springfield. Fece un passo verso la porta del vicolo e il secondo avanzò dietro di lui. Il numero otto dell'elenco di Springfield.

Poi accaddero tre cose.

Primo, l'uomo in testa si bloccò. Vide che la porta del vicolo era chiusa. Il che non tornava. Non poteva essere aperta dall'esterno senza la chiave. Pertanto il collega mandato in origine doveva averla lasciata aperta mentre controllava furtivo il marciapiede. Invece era chiusa. Pertanto il collega mandato in origine era già dentro.

L'uomo in testa si girò.

Secondo, anche l'uomo dietro di lui si girò. Per chiudere la porta interna piano e con cura. Lo lasciai fare.

Poi alzò gli occhi e mi vide.

L'uomo in testa mi vide.

Terzo, sparai a entrambi. Due raffiche di tre colpi, brevi esplosioni attutite simili a un ronzio, ciascuna di un quarto di secondo. Mirai alla base della gola e lasciai che la bocca della canna salisse in verticale verso il mento. Erano uomini piccoli. Avevano il collo stretto, perlopiù tutto arterie e midollo spinale. Un bersaglio ideale. Il rumore della pistola fu molto più forte nel vicolo coperto che all'esterno. Abbastanza da allarmarmi. Ma la porta interna era chiusa. Ed era un robusto pezzo di legno. Un tempo era stata una porta esterna, prima che uno dei proprietari cedesse il diritto di costruire.

I due piombarono a terra.

I bossoli rotolarono via tintinnando sul cemento.

Attesi.

Non ci furono reazioni immediate.

Otto cartucce andate. Ne restavano ventidue. Sette uomini catturati, altri tre eliminati, tre ancora in circolazione.

Più le Hoth.

Perquisii i nuovi morti. Niente documenti. Niente armi. Niente chiavi, il che significava che la porta interna non era chiusa.

Lasciai i due nuovi corpi accanto al primo all'ombra del cassonetto.

Poi attesi. Non mi aspettavo che altri varcassero la porta. Presumibilmente i vecchi britannici della frontiera nordoccidentale avevano infine mangiato la foglia a proposito dell'invio di squadre di soccorso. Presumibilmente lo aveva fatto anche l'Armata Rossa. Presumibilmente le Hoth conoscevano la loro storia. Per forza. Svetlana ne aveva scritta una parte.

Attesi.

Il telefono mi vibrò in tasca.

Lo estrassi e controllai il display. *Numero privato.* Lila. La ignorai. Per quanto mi riguardava avevo smesso di parlare. Rimisi il telefono in tasca. Cessò di vibrare.

Posai le dita protette dal guanto sulla maniglia della porta interna. Si abbassò lenta. Sentii scattare la serratura. Ero piuttosto rilassato. Tre uomini erano usciti. Era concepibile che uno di loro tornasse. O tutti e tre. Se dentro c'era qualcuno che osservava e attendeva, ci sarebbe stata una frazione di secondo fatale di attesa per la fase di riconoscimento e di decisione: amico o nemico. Come un battitore della major league che dovesse distinguere una palla veloce da una palla curva. Un quinto di secondo, forse più.

Per me tuttavia non ci sarebbe stata attesa. Chiunque avessi visto era il mio nemico.

Chiunque.

Aprii la porta.

Là non c'era nessuno.

Stavo guardando una stanza vuota. La cucina del ristorante abbandonato. Era buia e smantellata. C'erano i rivestimenti esterni dei vecchi armadietti e i buchi nei banchi là dove gli apparecchi elettrici erano stati tolti e portati nei negozi di articoli usati sulla Bowery. C'erano vecchi tubi nei muri là dove un tempo erano attaccati i rubinetti. C'erano ganci al soffitto, là dove un tempo erano appesi i tegami. C'era un grande tavolo di pietra nel centro della stanza. Freddo, liscio, leggermente concavo per anni e anni di usura. Forse una volta vi stendevano la pasta.

In tempi più recenti vi avevano assassinato Peter Molina.

Non avevo il minimo dubbio che fosse il tavolo che avevo visto nel DVD. Vedevo dove avevano posizionato la telecamera. Vedevo dove avevano posizionato le luci. Vedevo i nodi di una corda consumata attorno alle gambe del tavolo, là dove avevano legato i polsi e le caviglie di Peter.

Il telefono mi vibrò in tasca.

Lo ignorai.

Proseguii.

C'erano due porte a vento che conducevano nella sala da pranzo. Una per entrare, l'altra per uscire. Secondo l'usanza comune nei ristoranti. Così non c'erano collisioni. Le porte avevano due finestrelle tonde collocate ad altezza d'occhi in base alla statura di un uomo medio di cinquant'anni fa. Mi abbassai e scrutai al di là. Una stanza vuota, grande e rettangolare. Dentro non c'era niente, tranne una sola sedia orfana. Polvere e merda di ratto sul pavimento. E la luce gialla della strada che entrava dalla grande vetrina sporca.

Spinsi la porta d'uscita con un calcio. I cardini gemettero un po', ma si aprì. Entrai nella sala da pranzo. Girai a sinistra e di nuovo a sinistra. Trovai un corridoio posteriore con i bagni. Due porte con le scritte SIGNORE e SIGNORI. Targhe d'ottone, parole vere e proprie. Niente pittogrammi. Niente figure adesive con gonne o pantaloni.

Più altre due porte, una in ogni parete laterale. Targhe d'ottone: PRIVATO. Una conduceva di nuovo in cucina. L'altra alla tromba delle scale e ai piani superiori.

Il telefono mi vibrò in tasca.

Lo ignorai.

Regola tattica standard per qualsiasi assalto: attaccare dall'alto. Non potevo farlo. Non era un'alternativa disponibile. Pressappoco nello stesso periodo in cui veniva compilato l'elenco israeliano, in Gran Bretagna il SAS metteva a punto una tattica di calata dai tetti per entrare dalle finestre dei piani alti o per far irruzione attraverso le tegole stesse del tetto o da un sottotetto adiacente. Rapida, d'effetto e di solito di gran successo. Era una bella cosa se riuscivi a impiegarla. Io non potevo. Ero costretto all'approccio a piedi.

Almeno per il momento.

Aprii la porta delle scale. Tracciò un arco sul minuscolo pianerottolo del pianterreno di ottanta centimetri per ottanta. Proprio di fronte, tanto vicina che potevo toccarla, c'era una porta che conduceva all'ingresso del palazzo. Alla porta sulla strada con il campanello singolo e il nastro della polizia.

Dal minuscolo pianerottolo partiva direttamente una scala stretta. Piegava ad angolo e saliva al primo piano nascosta per il resto del tragitto.

Il telefono mi vibrò in tasca.

Lo estrassi e controllai. *Numero privato*. Lo rimisi in tasca. Cessò di vibrare.

Mi avviai su per le scale.

79

Il modo più sicuro per salire la prima metà di una scala ad angolo è camminare all'indietro guardando su, con i piedi bene divaricati. All'indietro e guardando su perché se incontri resistenza dall'alto devi essere rivolto verso di essa. Con i piedi bene divaricati perché se le scale scricchiolano, scricchiolano di più nel centro e meno lungo i bordi.

Salii in quel modo fino al pianerottolo strisciando i piedi, poi mi girai di fianco e salii la seconda metà rivolto in avanti. Arrivai al pianerottolo del primo piano, grande il doppio di quello del pianterreno ma pur sempre minuscolo. Ottanta centimetri per un metro e mezzo. Una stanza a sinistra, una a destra e due proprio davanti. Le porte tutte chiuse.

Rimasi immobile. Se fossi stato Lila, avrei messo due uomini nelle stanze davanti. Avrei detto loro di stare attentamente in ascolto con le armi in pugno, di essere pronti a spalancare la porta e di sfruttare i campi di tiro paralleli. Mi avrebbero potuto prendere mentre salivo o scendevo. Ma io non ero Lila e lei non era me. Non avevo idea del possibile schieramento. Tranne per il fatto che, via via che il numero dei suoi diminuiva, avrebbe tenuto i restanti ragionevolmente vicini. Il che li collocava al secondo piano, non al primo. Per via di quel tremolio che avevo visto alla finestra del terzo piano.

Alla finestra di sinistra del terzo piano, per essere precisi, mentre guardavo l'edificio dall'esterno. Il che significava che la stanza di Lila era quella a destra guardandola dall'interno. Dubitavo che ci fossero differenze rilevanti nella disposizione dei piani a mano a mano che salivo. Era una struttura pratica, di poco prezzo. Non c'era spazio per personalizzazioni. Perciò attraversare la stanza di destra al primo piano sarebbe stato come attraversare la stanza di Lila due piani sopra. Mi avrebbe permesso di saggiare il terreno.

Premetti il grilletto dell'MP5 fino a incontrare resistenza e posai le dita protette dal guanto sulla maniglia della porta. Spinsi in basso. Sentii scattare la serratura.

Aprii la porta.

La stanza era vuota.

Anzi, un monolocale con servizi vuoto e in parte demolito. Era profondo ma largo la metà della sala da pranzo del ristorante di sotto. Un locale lungo e stretto. Un armadio in fondo, un bagno, un angolo cottura e un soggiorno. Capii la disposizione con una sola occhiata perché tutte le pareti divisorie erano state abbattute. Gli impianti del bagno erano ancora lì, bizzarri e spogli dietro una fila verticale di vecchie assi, simili a costole, a sbarre distanziate di una gabbia. I pavimenti erano di assi di pino, tranne per un antiquato mosaico dai bordi imperfetti in bagno e le piastrelle di linoleum in cucina. L'intero posto puzzava di parassiti e di intonaco marcio. La finestra che dava sulla strada era nera di fuliggine. Era divisa a metà in diagonale dalla scala antincendio.

Mi avvicinai silenzioso a essa. Era un modello standard. Una stretta scala di ferro a pioli scendeva dal piano superiore e arrivava a una stretta passerella di ferro sotto le finestre stesse. Dietro la passerella una sezione a contrappeso era pronta ad aprirsi in direzione del marciapiede sotto il peso di una persona in fuga.

La finestra era a ghigliottina. Il pannello inferiore si alzava inserendosi in quello superiore. Là dove si incontravano, i pannelli erano fermati da una semplice linguetta di ottone in una fessura. Il pannello inferiore aveva maniglie di ottone come quelle che si vedono nei vecchi schedari. Queste erano state ridipinte più volte, come i telai delle finestre.

Aprii la serratura, infilai tre dita in ogni maniglia e sollevai. Il telaio si mosse di un paio di centimetri e si bloccò. Aumentai la pressione. Arrivai quasi a esercitare la stessa forza che avevo impiegato con le gabbie nel seminterrato della caserma dei pompieri. Il telaio salì vibrando di un paio di centimetri alla volta bloccandosi a sinistra, bloccandosi a destra, contrastandomi in ogni modo. Misi la spalla sotto la rotaia inferiore e raddrizzai le gambe. Il telaio si mosse di altri venti centimetri e poi si incastrò del tutto. Indietreggiai. L'aria notturna mi investì. Un'apertura totale di circa cinquanta centimetri.

Più che sufficiente.

Infilai una gamba all'esterno, mi piegai all'altezza della vita, scavalcai e infilai l'altra gamba.

Il telefono mi vibrò in tasca.

Lo ignorai.

Salii la scala di ferro, un passo silenzioso dopo l'altro. A metà, giunsi con la testa all'altezza dei davanzali del secondo piano. Vedevo entrambe le finestre delle stanze anteriori.

Entrambe avevano le tende tirate. Una vecchia stoffa di cotone color fuliggine al di là di vetri sporchi di fuliggine. Dentro non c'erano luci visibili. Non c'erano rumori. Non c'erano segni di attività. Mi voltai e guardai giù, la strada. Non c'erano pedoni. Non c'erano passanti. Non c'era traffico.

Continuai verso l'alto. Verso il terzo piano. Stesso risultato. Vetri sporchi, tende tirate. Mi fermai a lungo sotto la finestra dove avevo visto – o immaginato – un movimento. Non udii nulla e non percepii nulla.

Mi spostai al quarto piano. Il quarto piano era diverso. Niente tende. Stanze vuote. I pavimenti erano macchiati e i soffitti infossati e arcuati. C'erano infiltrazioni d'acqua piovana.

Le finestre del quarto piano erano bloccate. Con gli stessi meccanismi semplici, linguetta d'ottone e fessura, che avevo visto di sotto, ma non c'era niente che potessi fare senza rompere il vetro. Il che avrebbe prodotto rumore. Cosa che ero pronto a fare, ma non ancora. Volevo calcolare il momento giusto.

Spostai la cinghia attorno al corpo fino ad appendermi l'MP5 sulla schiena e salii sul davanzale della finestra. Mi aggrappai al cornicione fatiscente in alto, sopra la testa. Mi tirai su. Non fu un movimento elegante. Non sono un ginnasta aggraziato. Finii ansimante e scomposto sul tetto, con la faccia all'ingiù in mezzo alle erbacce. Rimasi lì per un secondo a riprendere fiato, mi misi in ginocchio e mi guardai attorno in cerca di una botola. Ne trovai una circa dodici metri più indietro, proprio al di sopra di dove pensavo ci fosse il pianerottolo della scala. Era una semplice scatola di legno capovolta, poco profonda, rivestita di piombo e dotata di cardini su un lato. Presumibilmente chiusa da sotto, forse da un gancio e da un lucchetto. Il lucchetto sarebbe stato robusto, ma il gancio era avvitato nel telaio e il telaio era debole per l'età, il marciume e i danni dell'acqua.

Il gioco era fatto.

Regola tattica standard per qualsiasi assalto: attaccare dall'alto.

80

Il rivestimento di piombo attorno alla botola era stato piegato dolcemente con martelli rivestiti di feltro. Non c'erano angoli appuntiti. Infilai le dita protette dal guanto sotto il bordo opposto al cardine e tirai con forza. Niente. Allora mi misi d'impegno. Due mani, otto dita, gambe piegate, profonda ispirazione. Chiusi gli occhi. Non volevo pensare a Peter Molina. Immaginai invece il sorriso folle che Lila Hoth aveva rivolto alla telecamera subito dopo aver controllato il polso inesistente del tassista di Kabul.

Tira la botola.

Lì in quel momento la notte precipitò.

Avevo sperato che le viti del gancio si staccassero dalla botola o dal telaio. Invece si staccarono da entrambi. Il lucchetto con il gancio ancora attaccato cadde per tre metri e piombò con violenza sul pavimento di legno spoglio con un suono forte, enfatico, timpanico. Fondo, echeggiante e chiaro, subito seguito dal tintinnio del gancio stesso e dal ticchettio di sei viti distinte.

Non andava bene.

Non andava affatto bene.

Posai la botola e mi accucciai sul tetto a osservare e ascoltare.

Per un secondo non accadde niente.

Poi udii una porta aprirsi al terzo piano.

Puntai l'MP5.

Per un altro secondo non accadde niente. Poi sulle scale comparve una testa. Capelli scuri. Un uomo. Impugnava una pistola. Vide il lucchetto sul pavimento. Vidi gli ingranaggi nella sua testa muoversi. *Lucchetto, pavimento, viti, caduta verticale.* Scrutò in alto. Vidi la sua faccia. Il numero undici dell'elenco di Springfield. Lui mi vide. La nube sopra di me era ancora tutta illuminata dalle luci della città. Supposi di essere una sagoma piuttosto nitida. Lui esitò. Io no. Gli sparai più o meno verticalmente nella sommità del capo. Una raffica triplice. Tre colpi sommessi. Un ronzio breve, attutito. Crollò a terra con un forte schianto di scarpe, mani, arti e infine due poderosi tonfi quando i resti della testa prima e la pistola poi sbatterono sulle assi. Osservai le scale per un altro lungo secondo, dopodiché saltai nella botola aperta, volai e atterrai di piedi accanto all'uomo, il che produsse un altro forte rumore.

Con la segretezza avevamo finito.

Undici cartucce andate. Ne restavano diciannove. Quattro uomini eliminati, due ancora in piedi.

Più le Hoth.

Il telefono mi vibrò in tasca.

Non ora, Lila.

Presi la pistola dell'uomo, aprii la porta della stanza anteriore sinistra e arretrai nell'ombra. Appoggiai la spalla al muro e osservai le scale.

Nessuno salì.

Stallo.

La pistola che avevo preso al morto era una SIG Sauer P220 con un grosso silenziatore. Fabbricazione svizzera. Parabellum da nove millimetri, nove colpi in un caricatore rimovibile a scatola. Le stesse munizioni che usavo io. Estrassi le cartucce e le lasciai cadere sparse in tasca. Posai la pistola scarica sul pavimento. Poi uscii in corridoio e mi infilai nella stanza di destra. Era vuota e spoglia. Ricostruii la posizione del monolocale così come me la ricordavo di sotto. Armadio, bagno, cucina, soggiorno. Arrivai in quello che supposi fosse il centro del soggiorno e pestai il piede con forza. Il soffitto di uno è il pavimento di un altro. Immaginai che Lila si trovasse proprio sotto di me in ascolto. Volevo scuoterla bene, fin nel profondo del suo cervello di rettile. La sensazione più spaventosa di tutte. *Lassù c'è qualcosa.*

Pestai di nuovo.

Ottenni una risposta.

Arrivò sotto forma di un proiettile che spaccò le assi a poco meno di un metro sulla mia destra. Praticò un foro tutto slabbrato e si conficcò nel soffitto sopra di me lasciando polvere e tracce di fumo nell'aria. Risposi al fuoco.

Quattordici colpi andati. Ne restavano sedici. Nove sciolti in tasca.

Dal pavimento arrivò un altro sparo. A più di due metri. Risposi. Spararono ancora. Risposi di nuovo e immaginai che cominciassero a capire lo schema, perciò strisciai fuori in corridoio fino in cima alle scale.

Dove scoprii che avevano pensato esattamente la stessa cosa: che stessi seguendo un ordine. Un uomo stava salendo furtivo verso di me. Il numero due dell'elenco di Springfield. Impugnava un'altra SIG P220. Con silenziatore. Mi vide per primo. Sparò una volta e sbagliò. Io no. Tre colpi in mezzo agli occhi. Sangue e cervello schizzarono sul muro alle sue spalle. L'uomo tornò da dove era venuto tutto scomposto.

La pistola lo seguì.

I bossoli rotolarono via tintinnando sulle assi di pino.

Ventitré colpi andati. Ne rimanevano sette, più i nove sciolti.

Un uomo ancora in piedi, più le Hoth.

Il telefono mi vibrò in tasca.

Troppo tardi per trattare, Lila.

La ignorai. La immaginai accucciata un piano più in basso. Con Svetlana a fianco. E l'ultimo uomo tra loro e me. Come lo avrebbero usato? Non erano idiote. Erano le eredi di una lunga e dura tradizione. Da duecento anni si muovevano schivando, serpeggiando, compiendo finti attacchi tra i monti. Sapevano quello che facevano. Non avrebbero mandato l'uomo su per le scale. Non di nuovo. Era inutile. Avrebbero cercato di aggirarmi sul fianco. Avrebbero mandato l'uomo su per la scala antincendio. Mi avrebbero distratto con il telefono, fatto in modo che questi si allineasse al di là del vetro e mi sparasse nella schiena.

Quando?

Immediatamente o molto più tardi. Non c'erano vie di mezzo. Mi volevano colto di sorpresa o annoiato.

Scelsero di farlo immediatamente.

Il telefono mi vibrò in tasca.

Tornai indietro nella stanza di sinistra e controllai la visuale. Dal punto in cui mi trovavo, la scala di ferro saliva da destra a sinistra. Avrei visto la testa dell'uomo mentre si arrampicava. Il che era un bene. Ma l'angolazione non era buona. La strada era

stretta. Le Parabellum da nove millimetri sono munizioni da
pistola. Sono considerate adatte per ambienti urbani. Hanno
probabilità molto maggiori rispetto ai proiettili di fucile di restare nel bersaglio e di non andare oltre. I Parabellum subsonici
ancora di più. Ma non c'è niente di garantito. E dall'altro lato
della strada c'erano dei non combattenti, degli innocenti. Finestre di camere da letto, bambini sprofondati nel sonno. Un tiro
perfetto che passava da parte a parte avrebbe potuto raggiun-
gerli. Le deflessioni incontrollate, i rimbalzi o i frammenti. Sicuramente i colpi mancati.

Danni collaterali in attesa di verificarsi.

Avanzai furtivo nella stanza e mi appiattii contro la parete
della finestra. Guardai fuori. Là non c'era niente. Tesi il braccio
e girai la chiusura della finestra. Provai le maniglie. La finestra
era bloccata. Guardai di nuovo fuori. Niente. Mi portai davanti al vetro, afferrai le maniglie e sollevai. La finestra si mosse, si
bloccò, si mosse di nuovo e poi schizzò su nel telaio sbattendo
con tanta forza che il vetro si incrinò da un'estremità all'altra.

Indietreggiai mettendomi di nuovo contro la parete.

Ascoltai con attenzione.

Udii il rumore metallico sordo, attutito di due suole di gomma sul ferro. Un ritmo lieve, costante. Stava salendo rapido ma
non correva. Lo lasciai venire. Lo lasciai arrivare fin su. Lasciai
che infilasse testa e spalle nella stanza. Capelli scuri, pelle scura.
Era il numero quindici dell'elenco di Springfield. Mi disposi
parallelo alla parete anteriore dell'edificio. Lui guardò a sinistra. Guardò a destra. Mi vide. Premetti il grilletto. Tre colpi
sommessi. L'uomo mosse la testa.

Lo mancai. Forse il primo o l'ultimo dei tre proiettili gli
staccò un orecchio ma rimase vivo e cosciente, rispose furiosamente al fuoco e scappò. Lo udii sbattere contro la stretta passerella di ferro.

Ora o mai più.

Lo inseguii. Stava strisciando giù per le scale, di testa. Riuscì
ad arrivare al terzo piano, si girò sulla schiena e alzò la pistola
come se pesasse cinquanta chili. Scesi le scale dietro di lui, mi
scostai dall'edificio e gli sparai tre colpi nel centro della faccia.
La pistola ruotò in aria, atterrò due piani più sotto capovolta e
si incastrò a tre metri dal marciapiede.

Inspirai.

Espirai.

Sei uomini eliminati. Sette arrestati. Quattro a casa. Due in un reparto sotto chiave.

Diciannove su diciannove.

La finestra del terzo piano era aperta. Le tende erano scostate. Un monolocale con servizi. Abbandonato ma non demolito. Lila e Svetlana Hoth erano vicine dietro il banco dell'angolo cottura.

Ventinove colpi andati.

Ne rimaneva uno.

Udii di nuovo la voce di Lila nella mia mente: *Devi tenere l'ultimo proiettile per te perché non devi farti prendere vivo, soprattutto se sei donna.*

Scavalcai il davanzale ed entrai nella stanza.

81

L'appartamento era disposto come quello in rovina del primo piano. Il soggiorno davanti, poi l'angolo cottura, il bagno, l'armadio in fondo. Le pareti divisorie erano ancora in piedi. L'intonaco c'era ancora. C'erano due luci accese. E un letto pieghevole contro il muro in soggiorno. Più due sedie rigide. Nient'altro. L'angolo cucina aveva due banchi paralleli e un armadio a muro. Un minuscolo spazio. Lila e Svetlana si erano raggruppate lì fianco a fianco. Svetlana a sinistra, Lila a destra. Svetlana indossava una vestaglia marrone. Lila pantaloni neri cargo e maglietta bianca. La maglietta era di cotone. I pantaloni erano di nylon antistrappo. Capelli lunghi scuri, occhi di un azzurro intenso. Pelle perfetta. Un mezzo sorriso beffardo. Era una scena bizzarra. Come se un fotografo di moda estremista avesse fatto posare la modella migliore in un ambiente urbano duro.

Puntai l'MP5. Nero e sinistro. Era caldo. Puzzava di polvere da sparo, di olio e di fumo. Lo sentivo piuttosto chiaramente.

«Mettete le mani sul banco», dissi.

Loro eseguirono. Apparvero quattro mani. Due marrone e nodose, due più chiare e sottili. Le allargarono a mo' di stelle marine, due grosse e quadrate, due più lunghe e delicate.

«Indietreggiate e appoggiatevi sulle mani», ordinai.

Loro eseguirono. Le rendeva più immobili. Era più sicuro.

«Non siete madre e figlia», affermai.

«No», rispose Lila.

«Allora cosa siete?»

«Maestra e allieva.»

«Bene. Non vorrei sparare a una figlia di fronte alla madre. O a una madre di fronte alla figlia.»

«Ma spareresti a un'allieva di fronte alla sua maestra?»

«Forse prima alla maestra.»

«Allora fallo.»

Rimasi fermo.

«Se ne hai l'intenzione, è qui che devi farlo.»

Guardai le loro mani. Cercai segni di tensione, di sforzo, tendini che si muovessero, una maggiore pressione sulla punta delle dita. Segni che stessero per spostarsi da qualche parte.

Non ce n'erano.

Il telefono mi vibrò in tasca.

Nella stanza silenziosa emise un suono lievissimo. Un ronzio, un brusio, uno stridio. Una piccola pulsazione ritmica. Saltellava e ronzava contro la mia coscia.

Guardai le mani di Lila. Piatte. Immobili. Vuote. Niente telefoni.

«Forse dovresti rispondere», osservò lei.

Spostai agile l'impugnatura dell'MP5 nella mano sinistra ed estrassi il telefono. *Numero privato.* Lo aprii e lo accostai all'orecchio.

«Reacher?» disse Theresa Lee.

«Che c'è?» replicai.

«Dove diavolo eri? È da venti minuti che ti cerco.»

«Avevo da fare.»

«Dove sei?»

«Come hai fatto ad avere questo numero?»

«Hai chiamato il mio cellulare, ricordi? Il tuo numero è nell'elenco chiamate.»

«Perché il tuo numero è anonimo?»

«È il centralino del distretto. Dove diavolo sei?»

«Perché mi chiami?»

«Ascolta bene. Hai informazioni sbagliate. La Homeland Security ci ha ricontattati. Uno del gruppo tagiko ha perso una coincidenza a Istanbul. È arrivato via Londra e Washington. Ci sono venti uomini, non diciannove.»

Lila Hoth si spostò e il ventesimo uomo uscì dal bagno.

82

Gli scienziati misurano il tempo fino al picosecondo. Un trilionesimo di un secondo normale. Pensano che in quel piccolo intervallo possano accadere cose di ogni genere. Possono nascere universi, le particelle possono accelerare, gli atomi essere scissi. Quello che accadde a me nei primi picosecondi fu una serie di cose diverse. Primo, mollai il telefono ancora aperto, ancora in linea. Quando mi arrivò all'altezza della spalla, intere frasi della conversazione con Lila mi urlarono in testa. Su quello stesso telefono, minuti prima, da Madison Avenue. *Ti sono rimasti gli ultimi sei uomini.* Aveva fatto per ribattere e si era bloccata. Stava per dire: *No, ne ho sette.* Come prima, quando aveva iniziato a dire: *Non è vicino a me.* La nasale alveolare sonora. Ma si era fermata. Aveva imparato.

Per una volta non aveva parlato troppo.

E io non avevo ascoltato abbastanza.

Quando il telefono mi arrivò all'altezza della vita, ero concentrato sul ventesimo uomo. Era identico ai precedenti quattro o cinque. Sarebbe potuto essere il loro fratello o il loro cugino, cosa che probabilmente era. Di certo aveva un'aria familiare. Piccolo, nerboruto, capelli scuri, pelle segnata da rughe, un linguaggio corporeo che assommava circospezione e aggressività. Indossava un paio di pantaloni scuri di una tuta. Una felpa scura. Era destrimane. Impugnava una pistola silenziata. La muoveva tracciando un lungo arco verso l'alto. Stava cercando di raddrizzarla. Stava premendo il grilletto. Mi avrebbe sparato al petto.

Io impugnavo l'MP5 con la sinistra. Il caricatore era vuoto. L'ultimo colpo era già nella camera. Dovevo affidarmi a quello. Volevo cambiare mano. Non volevo sparare dal lato più debole, con l'occhio più debole.

Non avevo scelta. Cambiare mano avrebbe richiesto mezzo secondo. Cinquecento bilioni di picosecondi. Troppo. Il braccio dell'altro uomo era quasi già lì. Quando il telefono mi arrivò circa all'altezza delle ginocchia, la mia mano destra si stava alzando per afferrare la canna. Mi girai, mi raddrizzai e ficcai l'impugnatura contro il petto. La mano destra si fermò, strinse la canna e l'indice sinistro premette il grilletto con calma esagerata. Lila si stava muovendo alla mia sinistra. Stava uscendo dalla stanza. Il mio dito premette il grilletto sino in fondo, l'arma sparò e l'ultimo colpo centrò il ventesimo uomo in faccia.

Il telefono cadde a terra. Emise un rumore simile a quello del lucchetto. Un tonfo forte sul legno.

L'ultimo bossolo fuoriuscì e rotolò via tintinnando nella stanza.

Il ventesimo uomo crollò a terra in un fragore di arti, testa e pistola, morto prima ancora di toccare le tavole, con il proiettile che gli aveva attraversato la base del cervello.

Un colpo alla testa. Riuscito. Non male per la mano sinistra. Tranne per il fatto che avevo mirato al baricentro.

Lila continuò a muoversi. Si spostò furtiva, si lanciò in avanti, si chinò.

Si raddrizzò con la pistola del morto. Un'altra sig P220, un altro silenziatore.

Fabbricazione svizzera.

Un caricatore rimovibile con nove colpi.

Se Lila si era affannata a prendere la pistola, questa era l'unica presente nell'appartamento. Nel qual caso aveva sparato almeno tre volte verso il soffitto.

Le restavano al massimo sei colpi.

Sei contro zero.

Mi puntò l'arma contro.

Io le puntai la mia.

«Sono più veloce», disse.

«Credi?» replicai.

Molto lontano alla mia sinistra Svetlana esclamò: «La tua arma è scarica».

Le lanciai un'occhiata. «Parli inglese?»

«Piuttosto bene.»

«L'ho ricaricata di sopra.»

«Stronzate. Lo vedo da qui. Lo hai posizionato sulle raffiche da tre colpi. Ma hai sparato solo una volta. Perciò era il tuo ultimo proiettile.»

Restammo così per quello che sembrò molto tempo. La P220 era già salda come una roccia nella mano di Lila. Era a quattro metri e mezzo da me. Alle sue spalle il morto perdeva fluidi su tutto il pavimento. Svetlana era in cucina. Nell'aria c'erano odori di ogni sorta. La finestra aperta creava una corrente. L'aria entrava, si muoveva nella stanza, si incanalava nella tromba delle scale e usciva dal foro nel tetto.

«Posa l'arma», disse Svetlana.

«Volete la chiavetta», replicai.

«Tu non ce l'hai.»

«Ma so dov'è.»

«Anche noi.»

Tacqui.

«Non ce l'hai ma sai dov'è. Perciò hai utilizzato un processo deduttivo. Pensi di avere doti uniche? Pensi che quei processi deduttivi siano estranei agli altri? Conosciamo gli stessi fatti. Tutti possiamo arrivare alle stesse conclusioni», dichiarò Svetlana.

Non replicai.

«Non appena ci hai detto che sapevi dov'era, abbiamo iniziato a pensare. Ci hai spronate. Parli troppo, Reacher. Ti sei reso sacrificabile», affermò Svetlana.

«Posa l'arma. Abbi un po' di dignità. Non startene lì come un idiota con in mano un'arma scarica», disse Lila.

Rimasi immobile.

Lila abbassò il braccio forse di dieci gradi e sparò nel pavimento in mezzo ai miei piedi. Colpì un punto all'altezza della punta delle scarpe, proprio in mezzo. Non era un colpo facile. Era un'abile tiratrice. Le tavole del pavimento si spezzarono. Trasalii. Il silenziatore della SIG era meno efficace di quello dell'H&K. Come un elenco telefonico buttato a terra con forza. Là dove l'attrito del proiettile aveva bruciato il legno di pino si alzò un filo di fumo. Il bossolo fuoriuscì tracciando un arco luccicante e rotolò via tintinnando.

Rimanevano cinque colpi.

« Posa l'arma », disse Lila.

Passai la cinghia sopra la testa. Tenni la pistola mitragliatrice per l'impugnatura lungo il fianco. Non mi era più di alcuna utilità, tranne che come mazza metallica di tre chili. Dubitavo che mi sarei avvicinato tanto a una qualsiasi di loro perché una mazza fosse efficace. Se anche l'avessi fatto, avrei preferito un combattimento corpo a corpo a mani nude. Una mazza metallica di tre chili è buona. Ma una massa umana di centotredici è meglio.

« Buttala qui. Ma con attenzione. Se colpisci una di noi, muori », disse Svetlana.

Feci dondolare lentamente l'arma e la lasciai andare. Roteò oziosa a mezz'aria, rimbalzò sulla bocca della canna e colpì con fragore la parete lontana.

« Adesso togliti la giacca », disse Svetlana.

Lila mi puntò la pistola alla testa.

Eseguii. Mi sfilai la giacca e la gettai in mezzo alla stanza. Atterrò accanto all'MP5. Svetlana uscì da dietro il banco della cucina e frugò nelle tasche. Trovò nove cartucce sciolte Parabellum e un rotolo di nastro adesivo usato in parte. Posò le nove cartucce sciolte in verticale sul banco in una piccola fila ordinata. Mise il rotolo di nastro accanto a esse.

« Il guanto », affermò.

Eseguii. Mi tolsi il guanto con i denti e lo gettai insieme alla giacca.

« Calze e scarpe. »

Saltellai da un piede all'altro, mi appoggiai con la schiena alla parete per equilibrarmi, mi sciolsi i lacci, mi tolsi le scarpe e sfilai le calze. Le gettai nel mucchio.

« Togliti la maglietta », disse Lila.

« Lo farò se lo farai tu », risposi.

Abbassò il braccio di dieci gradi e sparò un altro proiettile nel pavimento tra i miei piedi. Lo scoppio del silenziatore, il legno che si scheggiava, il fumo, il forte tintinnio del bossolo.

Ne rimanevano quattro.

« La prossima volta ti sparo alla gamba », affermò Lila.

« La maglietta », ordinò Svetlana.

Perciò per la seconda volta in cinque ore mi sfilai la maglietta su richiesta di una donna. Tenni la schiena contro il muro e lanciai la maglietta nel mucchio. Lila e Svetlana passarono un attimo a guardare le mie cicatrici. Sembravano apprezzarle. Soprattutto la ferita della bomba. Lila mostrò la punta della lingua, rosa, umida, appuntita, tra le labbra.

«Adesso i pantaloni», disse Svetlana.

Guardai Lila e dissi: «Secondo me la tua pistola è scarica».

«Non lo è. Me ne rimangono quattro. Due gambe e due braccia», rispose.

«Togliti i pantaloni», incalzò Svetlana.

Mi sbottonai. Mi aprii la lampo. Mi abbassai i rigidi pantaloni di denim. Me li sfilai dai piedi. Tenni la schiena contro il muro e con un calcio li buttai verso il mucchio. Svetlana li raccolse. Tastò le tasche. Ammucchiò i miei averi sul banco di cucina accanto alle nove cartucce sciolte e al rotolo di nastro. I contanti più alcune monete. Il vecchio passaporto scaduto. Il bancomat. La tessera della metropolitana. Il biglietto del NYPD di Theresa Lee. E lo spazzolino pieghevole.

«Non molto», commentò Svetlana.

«Tutto ciò che mi serve», ribattei. «Niente di inutile.»

«Sei un uomo povero.»

«No, sono un uomo ricco. Avere tutto ciò che ti serve è la definizione di ricchezza.»

«Il sogno americano, dunque. Morire ricchi.»

«Opportunità per tutti.»

«Noi ne abbiamo più di te, nel posto da cui veniamo.»

«Non amo le capre.»

La stanza si fece silenziosa. Era umida e fredda. Rimasi lì con niente addosso tranne i nuovi boxer bianchi. La P220 era salda come una roccia nella mano di Lila. I muscoli le risaltavano sul braccio come corde sottili. Accanto al bagno il morto continuava a perdere fluidi. Fuori dalla finestra erano le cinque del mattino e la città cominciava a svegliarsi.

Svetlana si diede da fare, avvolse fucile, scarpe e abiti in un fagotto ordinato e lo buttò dietro il banco di cucina. Le due sedie rigide lo seguirono. Prese il mio telefono, lo chiuse e lo gettò via. Stava sgombrando lo spazio. Lo stava svuotando. La parte del monolocale riservata al soggiorno era di sei metri per tre e mezzo. Io ero contro una delle pareti lunghe. Lila si portò davanti a me tenendo le distanze, puntando la pistola. Si fermò nell'angolo lontano accanto alla finestra. Adesso mi stava di fronte a un'angolazione ampia.

Svetlana entrò in cucina. Sentii un cassetto aprirsi vibrando. Lo sentii chiudersi. Vidi Svetlana tornare.

Con due coltelli.

Erano lunghi utensili da macellaio. Per sventrare, filettare o disossare. Avevano manici neri. Lame d'acciaio. Un filo sinistro sottilissimo. Svetlana ne gettò uno a Lila. Lei lo prese abile per il manico con la mano libera. Svetlana si portò nell'angolo di fronte a lei. Formazione a triangolo. Lila si trovava quarantacinque gradi alla mia sinistra, Svetlana quarantacinque alla mia destra.

Lila ruotò il busto e ficcò il silenziatore della P220 con forza nell'angolo là dove la parete anteriore incontrava quella laterale. Con il pollice trovò il fermo sulla parte posteriore del calcio e sganciò il caricatore. Questo cadde e toccò terra nell'angolo della stanza. All'interno si vedevano tre colpi. Perciò uno era ancora nella camera. Poi gettò la pistola nell'altro angolo, dietro Svetlana. Pistola e caricatore si trovavano ora a sei metri di distanza, uno dietro una donna, l'altro dietro l'altra.

«Come una caccia al tesoro», esclamò Lila. «La pistola non sparerà senza il caricatore al suo posto. Per impedire uno sparo accidentale, se un colpo resta per sbaglio nella camera. Gli svizzeri sono persone molto prudenti. Perciò dovrai prendere la pistola e poi il caricatore. O viceversa. Ma prima naturalmente dovrai superarci.»

Non dissi nulla.

«Se dovessi riuscirci, a costo di molte ferite, ti raccomando di usare il primo colpo contro di te.»

Poi sorrise e avanzò di un passo. Svetlana fece lo stesso. Tennero i coltelli bassi con quattro dita sotto il manico e il pollice sopra. Come combattenti di strada. Come esperti.

Le lunghe lame brillarono nella luce.

Rimasi immobile.

«Ci divertiremo più di quanto tu non possa immaginare», affermò Lila.

Non feci nulla.

«Un po' di attesa va bene. Aumenta l'aspettativa», aggiunse.

Rimasi immobile.

395

«Ma se ci annoiamo mentre aspettiamo, verremo a prenderti», affermò.

Non dissi nulla. Rimasi immobile.

Poi allungai il braccio dietro di me ed estrassi il mio Benchmade 3300 da dove lo avevo attaccato con il nastro, all'altezza dei reni.

Premetti il tasto di rilascio e la lama guizzò fuori con un rumore che era a metà tra uno scatto e un tonfo. Un rumore forte nella stanza silenziosa. E nefasto. Non amo i coltelli. Non li ho mai amati. Non ho un vero talento per le lame.

Ma ho un istinto di autoconservazione potente come qualsiasi uomo.

Forse più potente di molti uomini.

E combatto ormai da quando avevo cinque anni e tutte le mie sconfitte sono state minori. Sono il tipo d'uomo che osserva e impara. Avevo visto risse con coltelli in tutte le parti del mondo. In Estremo Oriente, in Europa, nelle misere boscaglie all'esterno delle basi dell'esercito negli Stati Uniti meridionali, nelle strade, nei vicoli, davanti ai bar e alle sale da biliardo.

Prima regola: non farti ferire all'inizio. Niente ti indebolisce di più della perdita di sangue.

Svetlana era più bassa di me di oltre trenta centimetri, era grossa, larga e aveva braccia commisurate al corpo. Lila era più alta, più agile, più aggraziata. Ma nel complesso ritenni, anche contro lame più lunghe della mia di quindici centimetri, di essere ancora in vantaggio.

In più avevo appena cambiato gioco e loro erano ancora in preda alla sorpresa.

Inoltre loro combattevano per divertimento, io per la vita.

Volevo arrivare alla cucina, perciò mi avvicinai saltellando a Svetlana che stava tra me ed essa. Era in punta di piedi, con il coltello in basso all'altezza delle ginocchia, faceva finte a sinistra e a destra. Io tenni il coltello in basso come lei. Attaccò. Mi inarcai. La lama mi passò sibilando oltre la coscia. Buttai il sedere all'indietro e le spalle in avanti e la colpii con un gancio sinistro alzando il braccio sopra la spalla. Le sfiorai il sopracciglio e la presi in pieno sul lato del naso.

Sembrò stupita. Come chi combatte con un coltello, pensava che tutto vertesse sull'acciaio. Si era scordata che gli individui hanno due mani.

Vacillò sui talloni e Lila avanzò da sinistra. Con il coltello basso. Lo muoveva rapido, cercava di pugnalare. Aveva la bocca aperta in una smorfia orrenda. Era molto concentrata. Aveva capito. Quello non era più un gioco. Non era più un divertimento. Si piegava indietro, si piegava in avanti, faceva finte, arretrava, sempre in movimento. Per un po' danzammo in quel modo. Con movimenti frenetici che si interrompevano all'improvviso, trattenendo il fiato, con la polvere, il sudore e la paura nell'aria, i loro sguardi fissi sul mio coltello e il mio che guizzava costantemente sui loro.

Svetlana avanzò. Arretrò. Lila mi si avvicinò stando in equilibrio sulla punta dei piedi. Io tenni i fianchi indietro e le spalle in avanti. Sferrai una violenta coltellata mirando alla faccia di Lila. Con un gesto smisurato. Convulso. Come se volessi lanciare una palla a più di cento metri. Lila indietreggiò. Sapeva che la coltellata l'avrebbe mancata perché avrebbe fatto sì che la mancasse. Svetlana sapeva che l'avrebbe mancata perché si fidava di Lila.

Io sapevo che l'avrebbe mancata perché l'avevo studiata in modo che non la colpisse.

Bloccai la violenta manovra a metà, cambiai direzione e sferrai un feroce rovescio a sorpresa a Svetlana. Le tagliai la fronte. Un buon colpo. Sentii la lama toccare l'osso. Una ciocca di capelli le cadde sul petto. Il Benchmade funzionava proprio come doveva. Acciaio D2. Potevi lanciarci sopra una banconota da dieci dollari e ottenerne in cambio due da cinque. A metà tra l'attaccatura dei capelli e le sopracciglia di Svetlana avevo praticato uno squarcio orizzontale di quindici centimetri. Aperto fino all'osso.

Barcollò e rimase immobile.

Non provò dolore. Non ancora.

I tagli alla fronte non sono mai fatali. Ma sanguinano molto. Nel giro di pochi secondi il sangue le si riversò negli occhi accecandola. Se avessi avuto le scarpe, avrei potuto ucciderla lì in quel momento. Atterrarla con un colpo alle ginocchia e prenderla a calci in testa fino a ridurgliela in poltiglia. Ma non avrei rischiato le ossa dei piedi sul suo corpo a idrante. La mancanza di mobilità mi avrebbe ucciso altrettanto rapidamente.

Arretrai saltellando.

Lila mi venne dritta addosso.

Tenni i fianchi all'indietro e schivai il suo coltello che aveva tracciato un arco sibilando. Sinistra, destra. Sbatté contro il muro alle mie spalle. Calcolai e attesi finché il suo braccio si ritrovò dall'altra parte rispetto al corpo, mi girai di lato e la caricai con le spalle spintonandola. Continuai a girare verso il punto in cui Svetlana stava vacillando e tentando di asciugarsi il sangue che le colava negli occhi. Con una pacca le allontanai il braccio con il coltello, avanzai, la scalfii sul collo al di sopra della clavicola e indietreggiai.

Allora Lila mi tagliò.

Aveva valutato il problema della portata. Teneva il coltello con la punta delle dita proprio all'estremità del manico. Balzò in avanti. I capelli le svolazzarono tutt'intorno. Aveva le spalle curve. Era alla ricerca di qualsiasi minimo vantaggio potesse ottenere. Si fermò sulla gamba anteriore rigida, si chinò, si protese e mi pugnalò con ferocia allo stomaco.

Colpendomi.

Un brutto taglio. Un movimento violento, un braccio forte, una lama affilata come un rasoio. Molto brutto. Era un taglio lungo diagonale sotto l'ombelico e sopra la vita dei boxer. Non provai dolore. Non ancora. Solo un breve strano segnale dalla pelle che mi diceva che non era più tutta unita.

Mi fermai per un istante. Incredulo. Poi feci quello che faccio sempre quando qualcuno mi ferisce. Avanzai, non indietreggiai. Lo slancio aveva portato il suo coltello oltre il mio fianco. Il mio era in basso. La colpii di rovescio alla coscia, tagliai in profondità, poi sollevai il piede e la presi in faccia con un pugno sinistro. Un centro perfetto. Un colpo notevole, stordente. Si girò e io continuai verso Svetlana. La sua faccia era una maschera di sangue. Sferrò una coltellata a destra. Poi a sinistra. Restò indifesa. Avanzai e le squarciai l'interno dell'avambraccio destro. La tagliai fino all'osso. Vene, tendini, legamenti. Lei ululò. Non di dolore. Quello sarebbe venuto dopo. Oppure no. Ululò di paura perché era spacciata. Aveva un braccio inutilizzabile. Con un colpo alla spalla la girai e la pugnalai nei reni. Con tutti i dieci centimetri e un movimento laterale feroce. Era una mossa sicura. In quella regione non c'erano costole. Non c'erano possibilità di colpire l'osso e di incastrare la lama. Nei reni scorre molto sangue. Lì passano arterie di qualsiasi tipo. Basta chiederlo a un paziente dializzato. Tutto il sangue di una persona passa attraverso i reni più volte al giorno. Litri e litri, a decine. Ora, nel caso di Svetlana, entrava e non usciva.

Cadde in ginocchio. Lila stava cercando di schiarirsi la testa. Aveva il naso rotto. Il suo viso perfetto era devastato. Mi caricò. Feci una finta a sinistra e mi spostai a destra, saltellando in cerchio attorno alla sagoma inginocchiata di Svetlana. Tornai là dove avevo iniziato e mi rintanai nell'angolo cucina. Afferrai una delle sedie rigide che Svetlana vi aveva ammucchiato. La scagliai con la sinistra a Lila. Lei la schivò, si piegò e la sedia le si fracassò sulla schiena.

Uscii dalla cucina, mi portai alle spalle di Svetlana, le afferrai i capelli e le strattonai la testa all'indietro. Mi chinai e le tagliai la gola. Da orecchio a orecchio. Un duro lavoro anche con la straordinaria lama del Benchmade. Dovetti strappare, tirare e segare. Muscoli, grasso, carne dura, legamenti. L'acciaio grattò contro l'osso. Strani versi rantolanti mi giunsero dalla trachea tagliata. Sbuffi e ansiti. Via via che le arterie andavano, scaturivano fontane di sangue, che pulsava e schizzava a notevole distanza davanti a lei. Colpì la parete più lontana. Mi inondò la mano e la rese scivolosa. Mollai i capelli e lei cadde in avanti. La sua faccia sbatté sulle assi con un tonfo.

Mi allontanai ansimando.

Lila mi guardò ansimando.

La stanza sembrava rovente e aveva l'odore di rame del sangue.

«Meno una», dissi.

«Ma l'altra è ancora in piedi», replicò lei.

Annuii. «Sembra che l'allieva sia migliore della maestra.»

«Chi dice che fossi l'allieva?»

La coscia le sanguinava parecchio. Nel nylon nero dei pantaloni c'era uno squarcio netto e il sangue le correva giù per la gamba. La sua scarpa era impregnata. I miei boxer erano impregnati. Erano virati dal bianco al rosso. Guardai giù e vidi il sangue sgorgare da me. Molto. Andava male. Ma la mia vecchia cicatrice mi aveva salvato. La ferita da bomba di Beirut di molto tempo prima. La pelle bianca corrugata a causa dei punti rozzi del MASH era dura, nodosa e aveva rallentato la lama di Lila, l'aveva deviata. Senza di essa la parte finale del taglio sarebbe stata molto più lunga e profonda. Per anni me l'ero presa per il lavoro affrettato dei chirurghi d'emergenza. Adesso ne ero grato.

Il naso fracassato di Lila cominciò a sanguinare. Il sangue le colava in bocca; lei tossì e sputò. Guardò a terra. Vide il coltello di Svetlana. Era in una pozza sempre più larga di sangue che si stava già rapprendendo. Stava filtrando nelle vecchie assi, correndo nelle fessure. Il braccio sinistro di Lila si mosse. Poi si bloccò. Piegarsi e raccogliere il coltello di Svetlana l'avrebbe resa vulnerabile. Lo stesso valeva per me. Ero a un metro e mezzo dalla P 220. Lei a un metro e mezzo dal caricatore.

Cominciò il dolore. La testa mi girò e mi ronzò. La pressione del sangue stava calando.

«Se me lo chiedi con garbo, ti lascio andare», affermò Lila.

«Non te lo chiedo.»

«Non puoi vincere.»

«Continua pure a sognare.»

«Sono pronta a combattere fino alla morte.»

«Non hai scelta. La decisione è già stata presa.»

«Potresti uccidere una donna?»

«L'ho appena fatto.»

«Una come me?»

«Soprattutto una come te.»

Lei sputò di nuovo e respirò a fatica dalla bocca. Tossì. Guardò giù, la gamba. Annuì e disse: «D'accordo». Mi guardò con i suoi occhi incredibili.

Rimase immobile.

«Se ne hai l'intenzione, allora lo devi fare ora», disse.

Assentii. Ne avevo l'intenzione. Perciò lo feci. Ero debole, ma fu facile. La gamba la rallentava. Aveva difficoltà a respirare. Aveva i seni fracassati. Il sangue le si stava raccogliendo in fondo alla gola. Da quando l'avevo colpita era intontita e stordita. Presi la seconda sedia dalla cucina e la caricai con essa. Adesso il mio allungo era infallibile. La feci indietreggiare nell'angolo e la colpii due volte con essa finché mollò il coltello e cadde. Mi sedetti accanto a lei e la strangolai. Lentamente perché stavo perdendo i sensi. Ma non volevo usare il coltello. Non amo i coltelli.

Dopo tornai strisciando in cucina e sciacquai il Benchmade sotto il rubinetto. Usando la punta ritagliai alcune sagome a farfalla dal nastro adesivo nero. Avvicinai i lembi della ferita con le dita e utilizzai le sagome per tenerla insieme. Un dollaro e mezzo. In qualsiasi negozio di ferramenta. Attrezzatura essenziale. Mi rivestii a fatica. Mi riempii le tasche. Mi rimisi le scarpe.

Poi mi sedetti sul pavimento. Solo per un minuto. Ma fu per un tempo più lungo. Un medico direbbe che sono svenuto. Io preferisco pensare di essermi semplicemente addormentato.

Mi risvegliai in un letto d'ospedale. Indossavo una camiciola di carta. L'orologio nella mia mente mi disse che erano le quattro del pomeriggio. Dieci ore. Il gusto in bocca mi disse che erano state in buona parte clinicamente assistite. Avevo una pinza sul dito con un cavo. Questo doveva essere collegato alla postazione delle infermiere. La pinza doveva aver rilevato un'alterazione del battito cardiaco, perché circa un minuto dopo che mi fui svegliato entrò un gruppo di persone. Un medico, un'infermiera, poi Jacob Mark, Theresa Lee, Springfield e Sansom. Il dottore era una donna e l'infermiere un uomo.

Il medico si affaccendò attorno a me per un istante a controllare le cartelle e a fissare il monitor. Poi mi controllò il polso, il che sembrava un po' superfluo con tutta quell'alta tecnologia a disposizione. Quindi, in risposta a domande che non avevo fatto, mi disse che mi trovavo al Bellevue Hospital e che le mie condizioni erano soddisfacenti. La sua équipe del pronto soccorso aveva pulito la ferita, l'aveva suturata, mi aveva riempito di antibiotici, di iniezioni antitetaniche e mi aveva dato tre unità di sangue. Mi disse di evitare di sollevare grossi pesi per un mese. Infine se ne andò. L'infermiere la seguì.

Guardai Theresa Lee e chiesi: «Cosa mi è successo?»

«Non ricordi?»

«Certo che ricordo. Ma qual è la versione ufficiale?»

«Sei stato ritrovato per strada nell'East Village. Una ferita inspiegabile da coltello. Succede in continuazione. Hanno effettuato un esame tossicologico e trovato tracce di barbiturici. Hanno concluso si sia trattato di una faccenda di droga finita male.»

«Lo hanno detto alla polizia?»

«Io sono la polizia.»

«Come sono arrivato nell'East Village?»

«Non ci sei arrivato. Ti abbiamo portato direttamente qui.»

«Chi?»

«Io e il signor Springfield.»

«Come mi avete trovato?»

«Abbiamo effettuato una triangolazione con il cellulare. Il che ci ha condotto nell'area generale. L'indirizzo esatto è stato un'idea del signor Springfield.»

«Un certo capo dei mujaheddin ci ha detto tutto sull'abitudine, venticinque anni fa, di tornare nei nascondigli abbandonati», affermò Springfield.

«Ci saranno ripercussioni?»

«No», rispose John Sansom.

Così, semplicemente.

«Ne è sicuro? In quella casa ci sono nove cadaveri.»

«Lì adesso ci sono quelli del dipartimento della Difesa. Proclameranno a gran voce di non voler rilasciare dichiarazioni. Con un sorriso d'intesa. Studiato perché tutti attribuiscano a loro il merito.»

«E se cambiasse il vento? A volte succede. Come lei sa.»

«Come scena del crimine è un casino.»

«Ho lasciato il mio sangue.»

«Là c'è molto sangue. È un edificio vecchio. Se qualcuno effettuerà dei test, troveranno perlopiù DNA di ratto.»

«C'è sangue sui miei vestiti.»

«L'ospedale li ha bruciati», rispose Theresa Lee.

«Perché?»

«Rischio biologico.»

«Erano nuovi di zecca.»

«Erano impregnati del tuo sangue. Nessuno corre più rischi con il sangue.»

«Impronte della mano destra», affermai. «Sulle maniglie delle finestre e sulla botola.»

«È un edificio vecchio», affermò Sansom. «Verrà buttato giù e ricostruito prima che cambi il vento.»

«I bossoli», dissi.

«Munizioni standard del dipartimento della Difesa. Sono certo che ne siano deliziati. Probabilmente ne faranno arrivare uno ai media», osservò Springfield.

«Mi stanno ancora cercando?»

«Non possono. Complicherebbe la versione dei fatti.»

「Guerre territoriali», osservai.

«Che, a quanto pare, hanno appena vinto.»

Annuii.

«Dov'è la chiavetta?» domandò Sansom.

Guardai Jacob Mark. «Lei sta bene?»

«Non proprio», disse.

«Dovrà stare a sentire alcune cose», dissi.

«Va bene», rispose.

Mi tirai a sedere, senza provare alcun dolore. Supposi di essere pieno di antidolorifici. Piegai le ginocchia, sollevai il lenzuolo, spostai l'orlo della camiciola di carta per sbirciare la ferita. Non la vedevo. Ero bendato dai fianchi alla gabbia toracica.

«Ci ha detto che poteva portarci a cinque metri», osservò Sansom.

Scossi la testa. «Non più. È passato del tempo. Dovremo farlo stimando la posizione.»

«Splendido. Ha sempre raccontato balle. Non sa dove sia.»

«Conosciamo il quadro generale», affermai. «Hanno fatto piani per quasi tre mesi e li hanno messi in atto nell'ultima settimana. Hanno forzato la mano di Susan usando Peter come arma. Lei è partita da Annandale, è rimasta bloccata in un ingorgo stradale per quattro ore, diciamo dalle nove di sera all'una del mattino, poi è arrivata a Manhattan poco prima delle due. Sappiamo con esattezza quando sia uscita dallo Holland Tunnel. Perciò quello che dobbiamo fare è andare all'indietro e individuare con sicurezza dove sia rimasta bloccata la sua auto a mezzanotte.»

«Questo come ci aiuta?»

«A mezzanotte ha gettato la chiavetta fuori dal finestrino dell'auto.»

«Come fa a saperlo?»

«Perché quando è arrivata non aveva un cellulare.»

Sansom guardò Lee. Lee assentì. «Chiavi e portafoglio. Quello era tutto. Non c'era nemmeno in macchina. L'FBI ha inventariato il contenuto», disse.

«Non tutti usano il cellulare», osservò Sansom.

«È vero», ammisi. «Io sono l'unico uomo al mondo senza un cellulare. Sicuramente una persona come Susan lo aveva.»

«Lo aveva», confermò Jacob Mark.

«E allora?» domandò Sansom.

«Le Hoth avevano stabilito una scadenza. Quasi sicuramente mezzanotte. Susan non si è fatta vedere e si sono messe all'opera. Avevano lanciato una minaccia e l'hanno attuata. Lo hanno anche dimostrato. Hanno mandato una fotografia sul cellulare. Forse anche un filmato. Peter sul tavolo, quel lungo primo taglio. Allo scoccare della mezzanotte la vita di Susan è cambiata totalmente. Era impotente, bloccata in un ingorgo stradale. Il telefono che stringeva in mano era diventato d'un tratto orrendo e ripugnante. Lo ha gettato dal finestrino. Subito dopo ha gettato la chiavetta, simbolo di tutti i suoi guai. Sono ancora tutti e due là, in mezzo ai rifiuti a lato della I-95. Non ci sono altre spiegazioni.»

Nessuno parlò.

«Nell'aiuola probabilmente. Susan si sarà messa inconsciamente sulla corsia di sorpasso perché andava di fretta. Avremmo potuto effettuare una triangolazione per il cellulare, ma ora è troppo tardi. La batteria sarà andata», dissi.

Nella stanza calò di nuovo il silenzio. Per un intero minuto. C'erano solo il ronzio e i bip delle attrezzature mediche.

«È una follia. Le Hoth sapevano che avrebbero perso il controllo della chiavetta non appena avessero inviato la fotografia. Rinunciavano alla loro arma. Susan sarebbe potuta andare dritta alla polizia», osservò Sansom.

«Due risposte», replicai. «Le Hoth erano in certo modo folli. Erano fondamentaliste. Potevano recitare in pubblico, ma sotto sotto per loro era tutto bianco o nero. Niente sfumature. Una minaccia era una minaccia. Mezzanotte era mezzanotte. A ogni modo il loro rischio era minimo. Avevano messo un uomo alle calcagna di Susan fin dall'inizio. Le avrebbe impedito di deviare dalla retta via.»

«Chi?»

«Il ventesimo uomo. Non credo che andare a Washington sia stato un errore. Non è stata una coincidenza persa a Istanbul. È stato un cambiamento di programma all'ultimo minuto. Si sono rese conto all'improvviso che per una cosa del genere avevano bisogno di qualcuno sul posto a Washington. O più probabilmente dall'altra parte del fiume, in uno dei dormitori del Pentagono. Perciò il ventesimo uomo è andato dritto lì. Poi ha seguito Susan per tutta la strada fin qui. Cinque o sei macchine più indietro, come fate voi. Il che è andato bene finché il traffico non si è bloccato. Sei circondato, forse con un grosso suv davanti che ti toglie la visuale. Non ha visto quello che è successo. Ma è rimasto con lei. Era sul treno con addosso una maglietta dell'NBA. Ho pensato avesse un'aria familiare quando l'ho rivisto. Ma non sono riuscito a confermarlo perché una frazione di secondo dopo gli ho sparato in faccia. Che si è ridotta a un casino.»

Seguì un altro silenzio. Poi Sansom domandò: «Allora dov'era Susan a mezzanotte?»

«Stabilitelo voi. Tempo, distanza, velocità media. Prendete una mappa, un righello, carta e matita», risposi.

Jacob Mark era del Jersey. Iniziò a parlare dei poliziotti statali che conosceva. Di come lo avrebbero potuto aiutare. Pattugliavano la I-95 giorno e notte. La conoscevano come le loro tasche. Avevano telecamere per controllare il traffico. Le immagini registrate potevano perfezionare i calcoli effettuati sulla carta. Il dipartimento dei Trasporti avrebbe collaborato. Si lanciarono tutti in un'animata conversazione. Non mi prestarono più attenzione. Mi stesi sul cuscino e cominciarono a uscire dalla stanza. L'ultimo fu Springfield. Si fermò sulla soglia, guardò indietro e domandò: «Come si sente a proposito di Lila Hoth?»

«Bene», risposi.

«Davvero? Io non mi sentirei bene. Per poco non si faceva stendere da due donne. È stato un lavoro malfatto. Cose del genere, o le fai bene o non le fai.»

«Non avevo molte munizioni.»

«Aveva trenta colpi. Avrebbe dovuto usare i colpi singoli. Quelle raffiche di tre erano solo dovute alla rabbia. Ha lasciato troppo spazio alle emozioni. L'avevo avvertita.»

Mi guardò per un lungo istante con aria imperscrutabile. Poi uscì in corridoio e non lo rividi mai più.

*

Theresa Lee tornò due ore dopo. Aveva un sacchetto. Mi disse che all'ospedale serviva il letto, perciò il NYPD mi metteva in un albergo. Mi aveva comprato dei vestiti. Me li mostrò. Scarpe, calze, jeans, boxer e una maglietta della stessa misura di quelli che il pronto soccorso aveva bruciato. Scarpe, calze, jeans e boxer erano belli. La maglietta era strana. Fatta di un cotone bianco morbido, consumato. Aveva le maniche lunghe ed era aderente, con tre bottoni davanti. Era come una canottiera di un tempo. Sarei sembrato mio nonno. O un minatore d'oro in California nel lontano 1849.

«Grazie», dissi.

Mi riferì che gli altri stavano lavorando al problema di matematica. Discutendo dell'itinerario seguito da Susan dalla Turnpike allo Holland Tunnel. I locali usavano scorciatoie che secondo i cartelli erano sbagliate.

«Susan non era una locale», osservai.

Lei convenne. Riteneva avesse usato la strada ovvia, indicata.

Poi aggiunse: «Non troveranno la fotografia, sai».

«Tu pensi?» chiesi.

«Oh, troveranno la chiavetta, certo. Ma diranno che era illeggibile, schiacciata, danneggiata o rotta o che in fondo dentro non c'era niente di pericoloso.»

Non risposi.

«Contaci», disse. «Conosco i politici e conosco il governo.»

Dopodiché mi chiese: «Come ti senti a proposito di Lila Hoth?»

«Tutto quello di cui mi rammarico è l'approccio sul treno. Con Susan. Avrei voluto darle ancora un paio di fermate», risposi.

«Mi sbagliavo. Non avrebbe mai potuto farcela.»

«Al contrario», replicai. «C'era una calza in macchina?»

Lee ripensò all'inventario dell'FBI. Annuì.

«Pulita?» domandai.

«Sì», rispose.

«Allora pensa a Susan all'inizio. Sta vivendo un incubo. Ma non sa esattamente quanto brutto sia. Non si convince che sia brutto come immagina. Forse è uno scherzo malvagio o una minaccia vuota. O un bluff. Non lo sa. Ha gli abiti che indossava al lavoro. Pantaloni neri, camicetta bianca. È diretta verso una situazione ignota nella grande e brutta città. È una donna che sta sola, vive in Virginia, frequenta l'ambiente militare da anni. Perciò prende la pistola. Probabilmente ancora avvolta in una calza, visto che la tiene nel cassetto. La mette in borsa. Parte. Resta bloccata nell'ingorgo. Chiama. Forse la chiamano le Hoth. Non sono disposte ad ascoltare. Sono fanatiche e sono straniere. Non capiscono. Pensano che l'ingorgo stradale sia una scusa infantile.»

«Poi riceve il messaggio di mezzanotte.»

«E cambia. Il punto è: ha il *tempo* di cambiare. È bloccata nel traffico. Non può muoversi. Non può andare alla polizia. Non può lanciarsi contro un palo del telefono a centocinquanta all'ora. È in trappola. Deve restare lì e pensa. Non ha alternative. Arriva a una decisione. Vendicherà il figlio. Prepara un piano. Tira fuori la pistola dalla calza. La fissa. Vede una vecchia giacca nera buttata sul sedile posteriore. Forse stava lì dallo scorso inverno. Ha bisogno di abiti scuri. La indossa. Alla fine il traffico si muove. Continua a guidare fino a New York.»

«Che mi dici dell'elenco?»

«Era una persona normale. Forse prepararsi a uccidere genera gli stessi sentimenti di quando ci si prepara a uccidersi. Questo stava facendo. Stava arrivando al culmine. Ma non ci era ancora arrivata. L'ho disturbata troppo presto. Perciò ha mollato. Ha scelto l'altra via. Forse alla stazione di 59th Street sarebbe stata pronta.»

«Meglio si sia risparmiata quello scontro.»

«Forse avrebbe vinto. Lila si aspettava che estraesse qualcosa dalla tasca o dalla borsa. Ci sarebbe stato un elemento di sorpresa.»

«Aveva una sei colpi. Loro erano in ventidue.»

Annuii. «Sarebbe sicuramente morta. Ma forse sarebbe morta contenta.»

Il giorno dopo Theresa Lee tornò a trovarmi in albergo. Mi disse che Sansom aveva individuato una probabile area bersaglio lunga ottocento metri e che il personale del dipartimento dei Trasporti del Jersey l'aveva recintata con cilindri arancione. Tre ore dopo aver iniziato a setacciarla avevano trovato il cellulare di Susan. Un secondo dopo, a poco più di un metro, avevano trovato la chiavetta.

Era stata calpestata. Era schiacciata. Illeggibile.

Lasciai New York il giorno seguente. Andai a sud. Passai buona parte delle due settimane seguenti a ossessionarmi pensando cosa potesse esserci stato nella fotografia. Formulai ogni sorta di congetture su violazioni tecniche della Sharia, su animali addomesticati. Agli spaventosi scenari immaginari della tenda nella valle di Korengal si alternavano continui flashback del momento in cui avevo colpito Lila Hoth in faccia. Il dritto sinistro, lo scricchiolio dell'osso e della cartilagine sotto il mio pugno. L'aspetto devastato. L'episodio riviveva di continuo nella mia testa. Non sapevo perché. L'avevo ferita con un coltello e dopo l'avevo strangolata e non ricordavo quasi per niente quelle azioni. Forse picchiare una donna va contro i miei valori più profondi. Il che era del tutto illogico.

Ma alla fine le immagini svanirono e mi stancai di immaginare Osama bin Laden che se la spassava con le capre. Trascorso un mese, avevo dimenticato tutto. La ferita era guarita piuttosto bene. La cicatrice era bianca e sottile. I punti erano precisi e ordinati. La parte inferiore del mio corpo era come l'illustrazione di un manuale: giusto, sbagliato. Ma non mi dimenticai mai che quei primi rozzi punti mi avevano salvato. Quello che dai ti ritorna. Un effetto positivo del camion bomba a Beirut ideato, pagato e portato lì da sconosciuti.

Lee Child
Non sfidarmi
Un'avventura di Jack Reacher

È il 1996, Jack Reacher ha 35 anni e non ha ancora abbandonato l'esercito. È infatti appena rientrato da una missione che ha portato a termine con successo e viene insignito quella stessa mattina di una medaglia al merito.

Ma poco dopo la cerimonia, Reacher riceve nuovi ordini: dovrà seguire un corso di studio serale. Quella sera, arrivato in aula per il corso, incontra due nuovi «studenti»: un agente dell'FBI e un analista della CIA, entrambi, come Reacher, reduci da missioni di successo. I tre si chiedono quale sia il vero motivo della loro presenza in quella scuola, ma i loro dubbi vengono presto fugati. Una cellula dormiente jihadista ad Amburgo ha ricevuto una visita inaspettata, un corriere saudita in cerca di asilo che attende di concludere un affare sospetto.

Un agente della CIA infiltrato nella cellula è riuscito a origliare una conversazione con il corriere e riporta un messaggio inquietante: «L'Americano vuole cento milioni di dollari.»

A che scopo? Chi si nasconde dietro il nome in codice l'Americano? Se non riusciranno a fermare l'Americano, nulla potrà impedire l'attuazione di un colpo terroristico di proporzioni catastrofiche...

 LONGANESI

Lee Child
Prova a fermarmi
Un'avventura di Jack Reacher

Mother's Rest. Un piccolo paese in mezzo a un immenso campo di grano, popolato da individui scontrosi e lunatici. Jack Reacher si chiede il perché di quel nome particolare, ma nessuno sembra intenzionato a dare spiegazioni. Lungo la strada, Reacher incontra una donna visibilmente turbata: Michelle Chang. La giovane sembra averlo scambiato per un altro e, chiarito il malinteso, si confida: l'uomo con cui stava seguendo un'investigazione privata è scomparso da giorni e, ormai, Michelle teme il peggio. Incuriosito dalla vicenda, Reacher decide di affiancarla nella ricerca e inizia a indagare. Quanto potrà essere complicato, dopotutto. Invece, ancor prima di rendersene conto, verrà risucchiato in una corsa disperata tra Los Angeles, Chicago, Phoenix e San Francisco. Attraverso i più oscuri recessi della rete dovrà vedersela a ogni passo con assassini e criminali... fino a tornare a Mother's Rest, dove dovrà affrontare il suo peggiore incubo. Forse il giorno in cui aveva conosciuto Michelle avrebbe dovuto voltarsi e ignorare il caso. Sarebbe stato più semplice. Ma la regola per Jack Reacher è sempre la stessa: se vuoi fermarmi... provaci!

www.tealibri.it

Visitando il sito internet della TEA potrai:

- **Scoprire subito le novità dei tuoi autori
  e dei tuoi generi preferiti**
- **Esplorare il catalogo on-line trovando descrizioni
  complete per ogni titolo**
- **Fare ricerche nel catalogo per argomento,
  genere, ambientazione, personaggi...
  e trovare il libro che fa per te**
- **Conoscere i tuoi prossimi autori preferiti**
- **Votare i libri che ti sono piaciuti di più**
- **Segnalare agli amici i libri che ti hanno colpito**
- **E molto altro ancora...**

Finito di stampare nel mese di maggio 2018
per conto della TEA S.r.l.
da Grafica Veneta S.p.A.
di Trebaseleghe (PD)
Printed in Italy